À Ève,

Je te souhaite une bonne lecture (pleine de frissons!)

Didier K.

P.S. N'oublie pas, si tu croises un Autre...
Règle #1: Ne panique pas.
Règle #2: Ne croise pas son regard.
Règle #3: COURS LE PLUS VITE
POSSIBLE!!

RÉSURRECTION

LES MAUDITS
Tome 1

Edith Kabuya

RÉSURRECTION

LES MAUDITS
Tome 1

ÉDITIONS DE MORTAGNE

Catalogage avant publication de Bibliothèque et Archives nationales du Québec
et Bibliothèque et Archives Canada

Kabuya, Edith, 1987-

Les maudits

L'ouvrage complet comprendra 3 v.
Sommaire : t. 1. Résurrection.

ISBN 978-2-89662-191-0 (v. 1)

I. Titre. II. Titre: Résurrection.

PS8621.A28M38 2012   C843'.6   C2012-941489-1
PS9621.A28M38 2012

Édition
Les Éditions de Mortagne
Case postale 116
Boucherville (Québec)
J4B 5E6
Tél. : 450 641-2387
Téléc. : 450 655-6092
Courriel : info@editionsdemortagne.com

Dépôt légal
Bibliothèque et Archives Canada
Bibliothèque et Archives nationales du Québec
Bibliothèque Nationale de France
3e trimestre 2012
ISBN : 978-2-89662-191-0

1 2 3 4 5 – 12 – 16 15 14 13 12

Imprimé au Canada

Nous reconnaissons l'aide financière du gouvernement du Canada par l'entremise du
Fonds du livre du Canada (FLC) et celle du gouvernement du Québec par l'entremise
de la Société de développement des entreprises culturelles (SODEC) pour nos
activités d'édition. Gouvernement du Québec – Programme de crédit d'impôt pour
l'édition de livres – Gestion SODEC.

Membre de l'Association nationale des éditeurs de livres (ANEL)

À Maria Saldana,
une prof extraordinaire qui, un jour, m'a
regardée droit dans les yeux en me disant
ces paroles d'une précieuse sagesse :

« Discipline-toi, Edith. »

Je l'ai fait.
(dix ans plus tard)

Sommaire

Prologue

Je suis en train de mourir.

Une douleur impitoyable se propage dans tous mes membres. Chaque nouvelle expiration me rapproche de la dernière. Je vois, comme dans un rêve, le sang jaillir de mon abdomen déchiré. Mon corps entier est une plaie béante. Je sais que la créature est encore là, tapie dans le noir, préparant son dernier assaut. Je suis paralysée par la douleur et la terreur, une terreur que je n'ai jamais connue auparavant, une terreur aussi profonde et insoutenable que la certitude de ma mort imminente. Je perçois un son effroyable et je sais que c'est elle, que c'est la créature, qu'elle a décidé d'en finir avec moi.

Je ferme les yeux et je me laisse mourir, impuissante.

PREMIÈRE PARTIE

Chapitre 1

Thierry refuse catégoriquement.

Assis en face de moi, mon frère aîné continue de mâcher son sandwich au thon pendant que son meilleur ami, Vincent, recule sa chaise de la table à pique-nique, ne voulant visiblement pas être impliqué dans la discussion. Désenchantée, je dépose mon soda en dévisageant Thierry. Sa façon de manger me rappelle cet épisode de *Découvertes* sur les habitudes alimentaires des lions d'Afrique centrale. Très peu ragoûtant, merci.

– Non, répète-t-il entre deux bouchées. Tu n'iras pas là-bas.

Il me parle d'une manière tellement autoritaire qu'on dirait que dix ans (et non pas un an et demi) nous séparent. J'ai toujours compté sur sa complicité ; aujourd'hui, comme toutes les fois précédentes, j'étais convaincue qu'il accepterait de couvrir ma soirée auprès de papa. Il ne le fait pas tout le temps sans broncher : d'habitude, je dois négocier un tour de vaisselle ou même mon argent de poche (Thierry est vraiment radin quand il s'y met). Mais, à tous les coups, c'est assuré, il accepte au moins un pot-de-vin.

— Allez, Thierry. S'il te plaît. C'est juste une fête. J'ai besoin que tu...

— Non.

— Allez !

— Si tu insistes, j'en parle à papa.

C'est le coup bas du siècle ! Non seulement Thierry refuse de me servir de complice, mais il menace en plus de me dénoncer ! Je n'aurais jamais cru qu'il me ferait une chose pareille. Nous avons toujours été proches l'un de l'autre. Bon, c'est vrai, il se prend parfois pour mon deuxième père, mais en général, il est cool.

— Tu as quinze ans, Robin, poursuit-il en adoptant un ton plus doux. Je ne laisserai pas ma petite sœur fréquenter ce crétin de Bronovov.

— J'ai eu seize ans le mois dernier ! Tu as déjà oublié ?

— Ça ne change rien : tu n'y vas pas, un point c'est tout.

— Thierry, c'est ridicule. Je ne demandais pas ta permission, mais seulement une...

— Couverture, je sais, je sais. Eh bien, tu n'auras pas cette couverture. Je refuse de plaider en ta faveur si c'est pour que tu ailles à la soirée de Bronovov.

Le calme commence à me déserter. Cet idiot saccage déjà ma soirée alors que l'après-midi n'est pas encore entamé ! J'inspire profondément et je sors ma dernière carte.

— Je suis responsable, Thierry. Je ne ferai pas de bêtises.

Il claque la langue et ce son dérisoire me fait enrager encore plus. Mes yeux brûlent comme s'ils contenaient des larmes acides. À deux doigts d'exploser, je siffle :

– Tu n'es pas mon père ! Je te demande un simple service ! Ce n'est pas le moment de me faire chier !

– T'inquiète, ton vrai père ne te laissera pas sortir non plus.

– Vince ! Dis quelque chose ! N'importe quoi !

Vincent se recroqueville légèrement sur lui-même. Derrière ses lunettes fumées, je ne vois pas si son regard est posé sur moi.

– Hummm, fait-il sans se mouiller dans la tempête.

– Tu vois, Vince est d'accord avec moi, conclut mon frère avec un sourire victorieux.

– Il n'a rien dit du tout ! Vince, tu n'es pas stupide, n'est-ce pas ? Avoue que Thierry dépasse les bornes !

Vince se gratte le menton, visiblement mal à l'aise. Il ouvre à peine la bouche que je me sais déjà trahie par lui.

– Robbie, commence-t-il en utilisant mon surnom pour m'amadouer, ton frère a raison. Zack Bronovov n'est pas fréquentable.

– Premièrement, je ne *fréquente* pas Zack. Il organise seulement une fête d'Halloween où la moitié de l'école est invitée. Si je n'y vais pas, je déboule directement dans les paliers les plus bas de la hiérarchie scolaire. C'est du pur suicide social !

— Tu dramatises, comme toujours, grogne Thierry en passant une main dans ses cheveux bouclés.

— Deuxièmement, je serai accompagnée de mes meilleures amies toute la soirée. Lana m'a promis que...

— Je ne dirais pas que Lana Sarkys est un exemple de bonne fréquentation..., marmonne mon frère.

— Robbie, l'interrompt Vince. Il ne s'agit pas seulement de...

— *Troisièmement*, vous inventez des excuses parce que vous n'aimez pas Zack !

— En plein dans le mille, admet mon frère. Il a une tête d'imbécile. Je ne sais pas ce que tu lui trouves.

— Je ne lui trouve rien du tout !

Je sens un brasier s'emparer de ma gorge et se propager dans ma nuque. Je remercie le ciel pour le teint hâlé hérité de ma mère et qui empêche mes émotions de transparaître sur mon visage. L'air railleur de Thierry m'indique cependant qu'il n'ignore rien de mon béguin pour Zack. Mon irritation gagne un nouvel échelon.

— Nous sommes au courant du type de fêtes qu'organise Bronovov, reprend-il d'un ton autoritaire. Alcool qui coule à flots, substances illicites, orgies...

— Et c'est moi qui exagère ? Tu sais très bien que c'est faux !

Du moins pour les orgies, me dis-je.

18

– Il ne s'agit pas seulement du type de fêtes, renchérit Vince. Souviens-toi des mises en garde émises par la ville contre le Tueur Fou. Toutes ces filles que l'on a retrouvées découpées en morceaux, avec à peine une goutte de sang dans le corps...

– Oh, je t'en prie, Vince ! Tu ne voulais pas te mêler de cette conversation alors maintenant, n'interviens pas, OK ?

– Il a raison, dit Thierry. Il est hors de question que tu te balades aux petites heures de la nuit quand il y a un maniaque qui court les rues.

Je lui lance un regard venimeux en rétorquant sèchement :

– Ils ont arrêté un suspect hier ! C'était dans les journaux, ce matin !

– Ça ne veut pas dire que c'est le bon.

– J'irai à cette fête que tu le veuilles ou non ! Ose me dénoncer et je te tue !

– T'inquiète, j'oserai. On verra si tu feras encore les dures à cuire après avoir été enfermée à double tour dans ta chambre.

Ça y est. Je ne le supporte plus. Fulminante, je m'éloigne à grands pas vers les portes d'entrée de l'école. Je n'ai que faire de la dictature de Thierry : j'irai à la fête d'Halloween de Zack Bronovov, coûte que coûte ! Je me compte déjà chanceuse d'avoir reçu (indirectement) une invitation, alors pas question que je loupe cette occasion en or !

À chaque nouveau pas, ma colère s'estompe peu à peu pour laisser place à l'appréhension. Si mon frère me dénonce, ce sera l'apocalypse. Même s'il y avait une chance sur mille que je me fasse zigouiller par un taré, mon père ne courrait pas ce risque. En d'autres mots : oublie la fête, Robin Gordon.

Je parviens aux portes de l'école, à travers lesquelles s'engouffrent déjà une vingtaine d'élèves bruyants. Je me faufile dans le brouhaha, mon sac en bandoulière étroitement serré contre mon flanc. À côté des géants qui étudient dans mon établissement scolaire, c'est facile de conclure que je suis petite alors qu'en fait, je suis de taille moyenne. Je n'ai pas non plus des traits qui attirent les regards appréciateurs. Non, laissons plutôt ces qualités à mon frère, qui obtient une cote faramineuse auprès des filles. Nous avons beau partager le même teint basané, les mêmes yeux marron en amande et la même chevelure bouclée aux reflets mordorés, ces caractéristiques fonctionnent mieux pour Thierry que pour moi. Je peux passer inaperçue pendant des mois avant qu'un garçon daigne s'intéresser à moi. Ça doit être à cause de ma coupe de cheveux. D'ailleurs, je ne sais toujours pas ce qui m'a traversé la tête. C'était un soir d'été, je m'ennuyais à mourir. Je me suis dégoté une paire de ciseaux et chop ! chop !, dix centimètres de cheveux ont atterri à mes pieds. Mon père m'a engueulée pendant une heure avant de m'envoyer chez le coiffeur. Il était contrarié que j'aie éliminé ma plus grande ressemblance avec maman. Depuis sa mort, il est un peu à cheval sur tout ce qui se rattache à elle : la preuve, on a conservé tous ses effets personnels dans une pièce du sous-sol. Mes mèches bouclées me parviennent tout juste en bas des oreilles, maintenant. Le coiffeur m'a rajouté une frange et j'attends impatiemment qu'elle repousse parce qu'elle me donne l'air vraiment bête.

Lana est déjà installée quand je prends place au pupitre voisin du sien. La tête penchée, sa longue crinière rousse enroulée en queue-de-cheval, elle examine ses ongles avec une moue ennuyée. J'ouvre mon manuel de mathématiques en réprimant un soupir.

— Alors ? Je passe te prendre à quelle heure, ce soir ? lance Lana sans lever les yeux.

— Il y a un petit changement au programme, dis-je sombrement.

Elle me regarde enfin. Me voyant secouer la tête, elle plisse les yeux, son regard émeraude disparaissant presque sous ses cils épais.

— Tu plaisantes ? réplique-t-elle à voix basse parce que le prof, monsieur Grenet, vient d'entrer dans la classe. Tu ne te défiles pas, j'espère ?

— Non, non. Ça risque seulement d'être plus compliqué... Mon frère menace de tout rapporter à mon père si j'y vais.

— Robin, tu n'es plus une gamine ! Tu as encore un couvre-feu à ton âge ?

— Absolument pas ! (même si ce qu'elle dit n'est pas très loin de la vérité) C'est à cause des attaques du Tueur Fou. Je dois trouver un moyen de rassurer mon père là-dessus.

Le visage de Lana s'éclaire.

— C'est simple ! Tu...

— Mademoiselle Sarkys ! glapit monsieur Grenet. Ça vous embêterait de vous intéresser au cours plutôt qu'aux potins de mademoiselle Gordon ?

Nous piquons du nez dans nos notes de cours pendant quelques minutes, puis Lana me donne un coup de coude et reprend en chuchotant :

– Tu n'as qu'à lui dire qu'ils l'ont arrêté. À l'heure qu'il est, tout le monde à Chelston doit être au courant ! Et si ton père s'inquiète encore, dis-lui que tu seras en ma compagnie. Je te prends, je te ramène et voilà, le tour est joué ! Sécurité Sarkys garantie ! Allez, Robin, tu n'as pas le droit de me laisser tomber. Il faut que tu viennes ce soir.

– Te laisser tomber ? Tu n'as pas besoin de moi pour te présenter à une fête.

– Non, mais je ne m'amuserai pas sans toi, insiste Lana.

Il y a des moments où je n'arrive pas à croire que Lana Sarkys est réellement mon amie. Elle est grande et svelte, avec une bouche en cœur tellement adorable qu'elle en est détestable. Elle personnifie tout ce qui est cool et sexy. Elle a même un tatouage hébreu sur la nuque. À ses côtés, je ressemble au vilain petit canard (malade, en prime). Ça fait trois ans que nous fréquentons la même école secondaire, mais c'est seulement depuis le début de ce trimestre que nous nous sommes liées d'amitié. Je suis fascinée par sa beauté, son cran et, bien sûr, je suis flattée par son attention. Il faut cependant que je lui reconnaisse certains caprices. Si elle se met en tête que je dois aller à cette fête en sa compagnie, c'est ça ou la Terre arrête de tourner.

– Et puis, minaude-t-elle en battant des cils, Zack t'a invitée.

Je ne résiste pas au petit rire incrédule qui me vient. Je le transforme rapidement en toux lorsque je croise le regard mauvais de monsieur Grenet.

(Nouvelle séance de fausse concentration pour Lana et moi.)

Au bout d'un moment, je murmure :

– Non, il *t'a* invitée !

– En me précisant de t'inviter par la même occasion. Tu ne me crois pas quand je te dis que tu l'intéresses ?

C'est tout simplement impossible. Zack Bronovov, qui me côtoie depuis des années, ne s'intéresserait pas aussi soudainement à ma petite personne. Lana ment probablement pour me faire plaisir. En tout cas, ça ne m'étonnerait pas qu'elle mente...

– Robbie, si tu ne ramènes pas tes fesses ce soir, je te jure que tu vas le regretter toute ta vie.

– OK, ça va, tu as ma parole ! Ne viens pas me chercher à la maison. Si mon frère aperçoit ta voiture, il devinera tout. J'inventerai une excuse pour te rejoindre.

– Pourquoi tu ne demanderais pas à son copain de t'emmener chez moi ? Il a une sacrée machine en plus !

– Vince ? Il s'est rangé du côté de Thierry quand je leur ai parlé, tout à l'heure. Ne t'inquiète pas, je raconterai que je passe la soirée chez Steph.

– Ton père va te croire ? Surtout après avoir demandé à ton frère de te couvrir ? Il ne tombera pas dans le panneau, lui !

Je souris.

– Je suis très convaincante quand je veux.

– Si tu le dis. En tout cas, j'espère que tu auras un costume sexy à te mettre sur le dos (elle toise mon t-shirt et mon pantalon, les plus moulants que je possède). Tu n'es pas mal aujourd'hui, c'est déjà ça... Mais si tu veux qu'un truc se développe entre Zack et toi ce soir, tu dois être splendide !

– Ça suffit ! gronde notre prof. Mademoiselle Sarkys, changez de place avec monsieur Miller !

– Non merci, je suis très bien là où je suis, monsieur, réplique Lana sur un ton bourru.

Des rires fusent dans la pièce. Je lui pince le bras. Elle grimace et s'exécute de mauvaise grâce. Quelques secondes plus tard, Freddie Miller s'écrase lourdement à mes côtés. J'en tiens à peine compte. Les dernières paroles de Lana résonnent dans mon esprit. *Si tu veux qu'un truc se développe entre Zack et toi...* Je ne veux pas me faire des idées, alors là, non, surtout pas. Mais mon cœur palpite, j'ai des papillons dans l'estomac. Je n'arrive pas à calmer mon imagination : je me vois dans les bras de Zack, en train de danser et de rire avec lui... Je secoue la tête en me ramenant à la réalité. C'est une idée aussi fabuleuse qu'improbable : si le beau Zack Bronovov m'avait enfin remarquée après toutes ces années, ce serait trop pour moi, j'en crèverais.

C'est sûr.

Chapitre 2

— Grenet peut bien aller au diable ! marmonne Lana à la fin du cours de maths. Me placer juste au-dessous de ses grosses narines, c'était vraiment dégueulasse de sa part !

— Ça t'apprendra peut-être à parler moins fort ! dis-je en riant.

Lana me lance un regard impitoyable, mais l'arrivée de mon amie d'enfance l'empêche de me renvoyer une réplique cinglante. Stéphanie (qui a une peau chocolat au lait et des yeux qui rient tout le temps) me saute dans les bras comme si notre dernière rencontre s'était déroulée une décennie plus tôt, alors qu'en fait, nous nous sommes croisées le matin, avant la première cloche. C'est ce petit côté excessif de sa personnalité qui la rend bizarre aux yeux des autres élèves. Ça et sa crêpe de cheveux qui tient toute seule dans les airs.

— Saluuuut ! Ouuuh, super ton jean, Robbie. Je le veux !

— Je te l'ai déjà dit : dans tes rêves.

J'ai appris il y a très longtemps (et aux dépens de ma garde-robe déjà assez limitée comme ça, merci) que je ne dois pas prêter mes vêtements à Steph : je ne les récupère jamais.

— De toute façon, tu n'entrerais pas dedans, remarque Lana. Tu as presque trois fois sa taille.

Steph pivote dans sa direction, les yeux plissés.

— On s'échange nos vêtements depuis des années. Ça n'a jamais posé de problèmes, que je sache. Je glisse dans ses jeans comme ça ! (elle claque des doigts pour appuyer son argument)

— Ou comme ça, se moque Lana en imitant le bruit de la déchirure d'un jean.

— Robbie ! Viens aux toilettes avec moi ! On va lui prouver le contraire, à cette idiote !

— Euh, non. Je ne quitte pas mes pantalons aujourd'hui.

— Attends d'être à la fête de Zack, chuchote Lana, une lueur moqueuse dans les yeux.

Je feins de ne pas comprendre l'allusion. Elle rigole tout en tournant les talons et nous lui emboîtons le pas jusqu'aux casiers. En levant le pouce et l'index, Steph prétend lui tirer une balle dans la tête. Pas besoin d'être un génie pour comprendre qu'elle n'apprécie pas beaucoup Lana. Elle n'est pas encore habituée à la transformation de notre duo en trio.

Nous dépassons le mur d'honneur, là où le tableau des trophées a été remplacé au début du trimestre par une plaque en souvenir d'Anna Rodriguez. Elle est la sixième (et dernière) victime du Tueur Fou, la seule qui provient de notre petite municipalité. Elle faisait partie de la même troupe de théâtre que Lana, mais depuis la mort d'Anna, Lana n'a pas réintégré la troupe. Elle dit que ça fait trop bizarre : Anna et elle partageaient la même case et le même groupe d'amies.

Lana ralentit le pas et contemple la photo de l'élève défunte. Je lève aussi les yeux vers l'effigie d'Anna. Son visage était rond et franc, encadré par de lourdes torsades de cheveux foncés : elle avait l'air plus jeune que ses dix-sept ans. Plusieurs semaines après sa disparition, la police a retrouvé son corps, ou plutôt les *morceaux* de son corps, dans des sacs-poubelles éparpillés à travers Chelston. Pour une petite ville ennuyeuse située non loin de la frontière américaine, c'était tout un choc. Je n'aurais jamais cru que l'une d'entre nous serait victime de ce maniaque qui, pourtant, ne sévissait qu'à Montréal. La mort d'Anna nous a fait réaliser que le danger était plus imminent que nous le pensions. Les filles se promènent maintenant en groupe dès la venue du soir et elles évitent scrupuleusement de converser avec des étrangers. Franchement, je trouve qu'elles exagèrent parfois. J'ai déjà vu une meute de dix filles traverser la rue juste pour se rendre à la bibliothèque municipale. C'était pa-thé-ti-que. Au moins, maintenant que le Tueur Fou croupit derrière les barreaux, on ne verra plus ce genre de troupeaux ambulants.

– C'est vraiment terrible ce qui lui est arrivé, murmure Lana. Je ne souhaite ça à personne... Heureusement qu'ils ont mis la main sur ce psychopathe !

– Avec un peu de chance, il sera condamné à mort, ajoute Steph sur un ton féroce.

– Il n'y a pas de peine de mort au Canada, relève Lana.

– Alors...

Steph cherche ses mots, un peu embarrassée. Lana s'éloigne de la plaque commémorative. Avant de la suivre, Stéphanie lui tire encore quelques balles imaginaires dans la tête, cette fois-ci avec une mitraillette invisible. Je retiens un fou rire.

Ma case est située dans la première rangée de notre aire de casiers. Je m'y arrête en déposant mon sac en bandoulière sur le plancher poussiéreux.

— Pssstt ! Scoop pour toi : Zack regarde dans ta direction ! annonce Steph d'une voix excitée pendant que je m'affaire sur mon cadenas.

— Quoi ? Arrête de déconner, Steph.

— C'est vrai, affirme Lana et, du coin de l'œil, je la vois se retourner elle aussi.

— Qu'est-ce qui vous prend ? (je sens le feu me monter à la gorge) Cessez de le fixer comme ça, ce n'est pas très subtil ! Si ça se trouve, il ne regarde pas vraiment ici. Ou bien il est en train de *te* reluquer, Lana.

— Alors, il a les yeux croches parce que son regard est bel et bien dirigé sur toi !

Je refuse de vérifier leurs dires. Je me penche pour retirer tous les manuels qui encombrent mon sac. J'aimerais qu'elles cessent leurs simagrées.

— Oooooh ! fait soudain Steph.

— *Quoi ?*

— Il vient vers nous ! Je crois qu'il veut te parler !

Me parler ? À moi ? À part les deux ou trois frôlements d'épaules que j'ai récoltés en faisant exprès de marcher trop près de lui, nos contacts sont pour ainsi dire... inexistants. Je ne suis même pas sûre qu'il connaisse mon prénom !

Stéphanie et Lana neutralisent illico toute expression qui trahirait leur excitation. J'essaie de ranger mes livres le plus calmement possible, en m'abstenant toujours de me retourner.

— Hé, salut Zack ! s'écrie joyeusement Lana derrière moi. Ça va ?

— Oui, toi ?

C'est stupide à quel point je m'emballe au son de sa voix grave et veloutée, une voix plus mûre que celle des autres garçons de notre âge. Mon cœur bat à tout rompre, j'ai l'impression que tout le monde dans la pièce peut l'entendre. Deux mots ! Il n'a prononcé que deux mots et des frissons parcourent ma nuque ! Dans ma tête, c'est l'émoi total.

— Saluuuut Zack, susurre Steph d'une voix tellement sucrée qu'il est impossible de penser que c'est naturel. Ouuuh, super, ta montre ! Elle est classe.

Super, ta montre... Elle n'a pas osé parler de sa montre. Elle n'a pas osé ! C'est le commentaire le plus ringard du millénaire ! *Je vais la tuer*, me dis-je, fulminante, *je vais la tuer, je vais la tuer, je vais la tuer...*

— Merci, répond Zack. Au fait, vous venez toutes, ce soir, n'est-ce pas ? La baraque est à nous, je vous promets que ce sera débile !

— Tu peux compter sur nous, acquiesce Steph.

— Et toi, Robin ? Tu viens aussi ?

Je rêve. Il ne vient pas de s'adresser à moi, il ne vient pas de prononcer mon prénom. Je continue de fourrager dans mes manuels. Le pied de Steph s'abat sur le mien et je sursaute en balbutiant :

– Que... quoi ?

Mon regard plonge dans les prunelles de Zack, qui sont de la couleur chatoyante du miel. Je plante aussitôt mes yeux sur son col pour garder contenance. Ce n'est pas dans mes habitudes d'être aussi intimidée ; pourtant, en présence de Zack, je perds tous mes moyens. Presque aussi grand et robuste que mon frère, il arbore une coupe de cheveux excentrique, un peu hérissée (genre mohawk). Il n'y a qu'à lui qu'une coupe pareille donne un air aussi sexy. D'autres garçons de l'école ont tenté de l'imiter et ils ont l'air de parfaits imbéciles.

– Tu viens chez moi ce soir, n'est-ce pas ?

– Oui bien sûr, dis-je au deuxième bouton de sa chemise.

– Parfait, alors. À plus !

Il nous dépasse et je me permets de reluquer ses fesses en soupirant. Il est trop beau, il connaît mon prénom et il a un *derrière d'enfer*.

– Je savais qu'il avait un œil sur toi ! jubile Steph en sautillant sur place.

– Qu'est-ce que tu racontes ? Il m'a seulement demandé si je venais avec vous ce soir.

– Non mais, tu es idiote ou quoi ? s'exclame Lana en arquant les sourcils. Robbie, si tu n'avais pas été aussi obsédée par l'idée de ranger tes stupides manuels, tu aurais remarqué qu'il te dévorait des yeux !

– Elle a raison ! approuve Stéphanie d'un ton fébrile.

Voir Lana et Steph s'entendre sur le même sujet fait presque peur. Peut-être qu'elles n'ont pas tort...

– D'accord, d'accord, d'accord ! Peut-être que je l'intéresse *un peu*.

– Si seulement tu avais été plus vive d'esprit..., soupire Lana. Mais bon, tu pourras toujours te rattraper ce soir. C'est quoi ton déguisement, au fait ?

– Jasmine.

– Excellente idée ! Plus tu en montres, mieux c'est.

– Et voilà, en quelques mots, tu as détruit tout le travail accompli par les féministes au cours des dernières décennies, marmonne Stéphanie en levant les yeux au ciel.

Lana l'ignore.

– Je dois y aller, la cloche va bientôt sonner et mon cours d'histoire est à l'autre bout du monde ! déclare-t-elle. À plus tard ! Robbie, n'oublie pas de m'appeler !

Elle s'éloigne en se dandinant. Je me tourne vers mon amie d'enfance.

– Et toi, ce sera quoi ton déguisement ?

– Surprise, répond-elle avec un clin d'œil.

– Ne me fais pas honte, s'il te plaît.

– Pff ! Ce sera toujours moins honteux que n'importe quelle idée de Lana. Tu n'as pas besoin d'être à moitié nue pour séduire un garçon !

– Jasmine n'est pas à moitié dévêtue !

– Non, elle est juste à moitié vêtue. En tout cas. Est-ce que ton frère a accepté de te couvrir pour la soirée ?

– Non, mais j'ai un plan.

– Lequel ?

– Surprise.

Je lui fais un clin d'œil à mon tour.

Chapitre 3

À la fin des cours, je prends l'autobus jusqu'au club vidéo. Je loue *Nightmare on Elm Street*, l'un de mes films fétiches. En tournant ensuite dans ma rue, j'aperçois Vince qui attend devant le perron de ma maison. Il joue distraitement avec la tête de mort qui pend au bout de sa chaîne en argent. Il a troqué ses lunettes de soleil pour une casquette noire, qu'il a rabattue sur ses mèches blondes. Il délaisse sa chaîne tandis que je me rapproche de lui avec un air faussement désinvolte.

– Salut, Vince ! Tu attends Thierry ? C'est quoi vos plans pour la soirée ?

Il hausse une épaule.

– Je ne sais pas encore. Peut-être une partie de billard.

– Trèèèèèès excitant.

– Et toi, quels sont *tes* plans ? J'espère que tu as changé d'avis à propos de Bronovov et de sa petite fête costumée ?

Du bout de ma chaussure, je déplace un caillou sur le trottoir.

— Tu sais quoi ? Je trouve ça injuste et hypocrite de votre part. C'est excusable, pour vous, de vous balader en plein milieu de la nuit, mais c'est interdit pour moi ?

— Ces temps-ci, c'est plus sécuritaire pour les filles de rester chez elles.

— Est-ce que tu vis sous une roche ? (avec mes mains, je forme un porte-voix autour de ma bouche) Je répète pour les sourds et les malentendants : la-police-a-arrêté-le-Tueur-Fou !!!

— Je sais que cette fête compte beaucoup à tes yeux, soupire Vince. Mais crois-moi, Tueur Fou mis à part, c'est préférable que tu ne fréquentes pas Bronovov.

Je suis de plus en plus agacée.

— Pourquoi ?

— Je le connais, il...

— Faux, tu ne le connais pas ! Vous êtes pareils, Thierry et toi ! Vous vous basez sur la réputation des fêtes de Zack pour vous créer une idée sur lui alors qu'au fond, vous ne savez rien !

Je reprends mon souffle en m'incitant mentalement au calme. Ce n'est pas une bonne idée de m'emporter maintenant.

— De toute façon, cette discussion est inutile. Vous avez gagné. J'ai renoncé à la fête. Content ?

J'attends une réplique qui ne vient pas. Alors, pour changer de sujet, je demande :

– Comment va Phoebe ?

– Bien.

Phoebe est la sœur jumelle de Vince. Elle me déteste. En fait, elle déteste tout le monde sauf Vince et mon frère.

Je m'attarde encore quelques secondes puis, réalisant que la conversation ne ressuscitera pas, j'amorce un pas vers la porte. Vince m'arrête en m'agrippant par le bras. Il me fixe droit dans les yeux. Je ne parviens pas à détourner mon regard du sien, si bleu et si pâle. Je suis surprise chaque fois que je croise ses yeux ; ils sont généralement dissimulés derrière ses lunettes fumées ou à l'ombre de sa casquette.

– Tu as l'intention d'y aller.

Ce n'est pas une question, mais une affirmation. Un courant glacé me traverse l'échine.

– Je te connais, Robin. Quand tu renonces aussi facilement, c'est parce que tu mijotes quelque chose.

– Si... si tu en glisses un mot à mon frère, je ne t'adresserai plus jamais la parole. Je ferai de ta vie un enfer !

Pas très impressionné par mes menaces, il lève un sourcil, celui qui est percé par un anneau d'or. Sa main se resserre sur mon avant-bras.

– Je te le demande une dernière fois. N'y va pas. Ce n'est pas prudent.

– J'ai déjà un père et un frère, pas besoin que tu joues aussi le rôle de chaperon ! Je suis une grande fille, je serai avec mes amis toute la soirée, Lana me ramènera chez moi et je te jure que je ne toucherai à aucune « substance illicite » ! (je mime des guillemets avec mes doigts) Je m'amuserai, puis je rentrerai sagement à la maison et demain tu constateras que j'ai encore tous mes membres !

Sur ces mots, il libère mon bras et je grimpe les escaliers d'un pas décidé. J'entre et, au moment même où je me débarrasse de mes espadrilles, mon frère apparaît dans le vestibule.

— Notre père nous a laissé une espèce de pâte jaunâtre dans la cuisine, déclare-t-il avec fatalisme. Si tu souhaites renoncer à la vie, tu devrais peut-être l'essayer. Sinon, je t'ai commandé une pizza végétarienne comme tu les aimes. Tiens.

Il me tend un billet de vingt dollars. Il y a des fois où je suis bien obligée d'admettre que Thierry a un bon fond. Il s'est même souvenu de commander une pizza qui s'accorde avec mon régime alimentaire.

Je récolte le billet en éclatant en sanglots. Thierry sursaute et recule d'un pas, les yeux écarquillés, l'air un peu répugné.

— Euh, qu'est-ce qui t'arrive ?!?

— Je te déteste ! Pourquoi es-tu allé raconter à papa que j'avais l'intention de sortir ce soir ? Tu m'as grillée avant même que je puisse négocier avec lui !

— Je n'ai jamais...

— Alors comment expliquer qu'il était déjà au courant lorsque je l'ai appelé à la clinique ?

— Je ne sais pas, moi ! Tu connais Chelston, les rumeurs vont vite...

– Tu n'es qu'un sale colporteur, Thierry Gordon ! À cause de toi, j'en suis maintenant réduite à visionner un film nul avec Steph !

Thierry fronce les sourcils, légèrement soupçonneux.

– Un film ? Avec Steph ? Tu n'es pas en train de m'embobiner, là ?

Je lui brandis sous le nez le film que je viens de louer.

– Papa a appelé les parents de Stéphanie ! Elle aussi s'est vu retirer le droit de sortir. Bravo, Thierry ! Tu ne te contentes pas seulement de détruire MA vie, mais celle de tout mon entourage ! Je te hais, je te hais, tu es le pire frère du monde !

Je monte bruyamment les marches et je claque la porte de ma chambre. Je m'appuie contre le battant en comptant mentalement jusqu'à dix. Pile au moment où je termine mon décompte, Thierry cogne à la porte.

– Robin ? Je suis désolé. Je te jure que je n'ai rien dit à papa. Pas encore, en tout cas. Écoute-moi : c'est mieux comme ça. Ta sécurité importe beaucoup plus à mes yeux, tu comprends ? Tu peux toujours venir avec Vince et moi chez...

– Autant crever !

– Bon, si tu veux faire la gueule...

Il s'éloigne en grommelant. Je l'entends ouvrir et refermer la porte d'entrée. Je souris en tamponnant les dernières traces de mes larmes de crocodile. Lana serait jalouse de ma performance, elle qui est supposée être une actrice hors pair. Thierry est tombé dans le panneau. Espérons seulement que Vince la bouclera.

Je descends au salon et j'attrape le combiné sur la table basse. Mes doigts composent le numéro sur le pilote automatique pendant que je toussote pour me donner contenance.

— Clinique dentaire Gordon et Jaubert, bonjour.

— Salut. Je peux parler au docteur Gordon, s'il vous plaît ?

— Il est occupé. C'est pour un rendez-vous ?

— Non, c'est sa fille.

— Il est occupé, Robin.

— Allez, Carolanne, sois gentille, c'est urgent.

Avec un petit grognement, elle transfère la ligne. La *Troisième symphonie* de Beethoven roucoule dans mes oreilles pendant que je surveille l'arrivée du livreur de pizza.

— Robin, soupire enfin papa d'un ton exaspéré. Qu'est-ce qu'il y a encore ?

— Comment ça, *encore* ?

— C'est la fin de l'après-midi, tu m'appelles alors que tu sais très bien que c'est mon heure la plus occupée. Nécessairement, tu as commis une bêtise.

— Bla bla bla. Tu rentres à quelle heure ?

— J'ai une réunion avec mon associé après mon dernier rendez-vous. Je serai de retour vers vingt-deux heures. Je t'ai laissé...

– ... Une chose immonde, jaune et immangeable, oui, Thierry m'a prévenue. T'inquiète, je n'ai pas l'intention d'y toucher. Je veux seulement t'avertir que je sors ce soir.

Je le sens aussitôt sur ses gardes.

– Où ça ?

– Chez Steph. Nous allons regarder un film.

– Hum... bon, je viendrai te chercher à minuit pile.

– Minuit et demi ?

– Minuit et quart.

– Minuit vingt !

– Minuit dix.

– D'accord, d'accord, minuit et quart ! Et pas la peine de te déplacer, Steph me ramènera à la maison. Bonne soirée !

Et toc, je raccroche. Je suis consciente que mon plan n'est pas infaillible : mon père et Thierry n'ont qu'à se parler pour découvrir ma supercherie. Mais, les connaissant, ils ne se rendront pas compte que je leur ai menti avant demain matin et ce sera trop tard, j'aurai déjà assisté à la fête. Je préfère être punie pendant une semaine que de rater la soirée costumée !

Vingt et une heures arrivent très vite. Je suis à l'heure au rendez-vous, à l'angle de la 7ᵉ Avenue. Cinq minutes plus tard, Lana stationne sa vieille Toyota Tercel devant moi. La voiture est aussi repoussante que sa propriétaire est jolie. La rouille ronge le bas des portières et il y a une fissure dans un coin du pare-brise. Après m'être débattue avec la portière du côté passager, je m'installe dans le véhicule, le cœur battant. Dans quelques minutes, je serai chez Zack. Je me sens presque malade d'excitation et de nervosité. La pizza végétarienne remue dans mon estomac, prête à prendre le chemin inverse si mes émotions ne se calment pas.

— Wow ! fait Lana avec un sifflement admiratif. Pas mal, pas mal, Princesse Jasmine.

— Merci.

Je porte le boléro et le pantalon bouffant dénichés dans une friperie la semaine passée, et j'ai camouflé mes cheveux courts sous une longue perruque nattée (qui commence déjà à me gratter derrière les oreilles). J'ai accroché deux anneaux en or à mes oreilles et encerclé mes poignets de bracelets hippies qui appartenaient à ma mère. C'est la première fois que je les mets.

— Ne bouge pas, m'ordonne Lana en sortant sa trousse à maquillage.

Elle applique une ligne de crayon sur mes paupières, du mascara sur mes cils, un peu de rose sur mes joues et du brillant sur mes lèvres.

— Voilà qui est mieux. Tu devrais investir dans des produits de beauté, tu sais.

J'avoue que le résultat reflété par le rétroviseur ne me déplaît pas. J'évalue ensuite le déguisement de Lana, qui a choisi de personnifier la Petite Sirène. Ses cheveux de flammes cascadent sur sa nuque, dissimulant ainsi son tatouage au cryptage hébreu. Elle porte un soutien-gorge en forme de deux coquillages, pareil à celui d'Ariel. Je tire un peu sur mon boléro, pour au moins donner l'impression que je suis équipée. À côté de Lana, j'ai l'air d'une planche de surf. Je lui jette un autre coup d'œil. Je la sais plus expérimentée, plus éveillée que moi. Elle dégage une assurance que j'aimerais posséder, malheureusement, je ne dispose pas du même répertoire d'expériences. Tout ce que j'ai connu jusqu'à présent, ce sont des histoires maladroites ici et là, avec d'anciens camarades de classe.

Lana démarre la voiture. Elle me demande si j'ai eu de la difficulté à m'évader de la maison et lorsque je lui réponds que je dois rentrer à minuit et quart, elle fait la moue. Mon téléphone portable vibre dans la poche de mon pantalon bouffant. Soulagée, je reconnais le numéro de Stéphanie : pendant une seconde, j'ai cru que mon frère avait découvert mon subterfuge.

— Robbie ! Qu'est-ce que vous faites ? Vous ne m'avez pas oubliée, j'espère ?

— Bien sûr que non !

— Est-ce qu'elle est obligée de venir ? soupire Lana.

— Dis-lui que je l'ai entendue ! s'exclame Steph à l'autre bout de la ligne.

— Patience, nous sommes juste à côté ! (je raccroche) Lana, sois gentille avec Steph ce soir.

— C'est elle qui me déteste ! Tu crois que je n'ai pas remarqué toutes les fois qu'elle me pointe un fusil imaginaire sur la tête ?

J'ai de la difficulté à garder mon sérieux.

– Steph n'est pas méchante. Elle n'aime pas la nouveauté, c'est tout. Ça lui prendra un certain temps avant de s'habituer à toi. Et admets-le, tu es souvent vache avec elle.

– D'accord, je ferai un effort juste pour toi. Mais si elle se montre ouvertement hostile, je ne réponds plus de mes actes. Je lui jetterai une grenade invisible en pleine face !

Nous ralentissons devant la maison de Stéphanie. Bouche bée, Lana et moi écarquillons les yeux en voyant un énorme gorille courir vers nous. L'animal arrache sa tête pour laisser apparaître celle de Steph, hilare. Derrière elle, sur le seuil de son domicile, sa grande sœur Katia est également morte de rire.

Lana ouvre sa portière, furieuse.

– Tu plaisantes, j'espère ? Tu ne t'es pas déguisée en King Kong pour vrai !

– Non, je suis Baloo du *Livre de la Jungle* ! rétorque Steph sur le même ton acide.

– Baloo est un ours, pas un singe, lui dis-je.

Un éclair d'incertitude traverse le regard de mon amie d'enfance.

– Tu es censée être sexy, pas *poilue* ! s'exclame Lana. Hors de question que je déambule avec toi dans mes parages !

– Je préfère ressembler à un singe qu'à une garce ! s'écrie Steph d'une voix stridente.

Je lance, d'une voix forte :

– Arrêtez ! Steph, monte dans la voiture. Lana, laisse tomber, d'accord ?

Stéphanie salue sa sœur, l'air beaucoup moins enthousiaste qu'il y a quelques secondes. Il faut un bon cinq minutes avant qu'elle puisse entrer dans le véhicule et encore là, elle est couchée de travers sur la banquette. Je n'en reviens pas qu'elle ait eu l'audace de se déguiser en King Kong. Aucune fille saine d'esprit ne se présente à une fête d'Halloween dans un costume qui ne l'avantage pas. Je m'apprête à en faire la remarque, mais son air misérable me fait changer d'avis.

– Je me suis trompée, murmure-t-elle.

– C'est pas grave, tu peux toujours prétendre que tu es Kerchak, le père adoptif de Tarzan.

Les lèvres serrées, Lana monte le volume de la radio en appuyant sur l'accélérateur. Nous dépassons le MégaProjet, un espace qui promet depuis des années des condos qui n'ont jamais été construits. Le MégaProjet fait face à un lac (originalement surnommé le lac MégaProjet... on ne se casse pas la tête à Chelston). À côté, il y a un boisé (vous l'aurez deviné : le parc MégaProjet) qui s'étend sur plusieurs hectares avant de se transformer en colline. Lana contourne le parc et gare la Toyota dans la rue de Zack.

– Tu ferais mieux de laisser ton sac dans la voiture, me suggère Lana. Il jure avec ton costume.

J'abandonne le sac sous le siège passager et remonte la rue bras dessus bras dessous avec Lana pendant que Stéphanie trottine derrière nous. J'essaie de me composer un air nonchalant tandis que nous nous frayons un passage dans le vestibule. L'endroit est bondé au max ; la fête est commencée depuis longtemps. Je constate que la plupart des invités sont beaucoup plus vieux que nous. Je donne un léger coup de coude à Steph.

– Est-ce que tu vois Zack ?

Elle agite sa tête de gorille de gauche à droite. Impatiente, je me dirige avec mes amies dans la salle de séjour, là où tout le monde émigre. À part quelques futons ici et là, l'immense pièce a été démeublée pour accommoder les invités. Lana est rapidement abordée par plusieurs mâles. Pas de surprise. Elle ne passe certainement pas inaperçue dans son soutien-gorge qui ne laisse planer aucun mystère. Stéphanie accapare aussi l'attention, mais différemment... Je remarque deux Catwoman qui la pointent du doigt en ricanant. Je me promets mentalement de ne plus amener Steph avec moi dans une fête d'Halloween sans avoir d'abord vérifié son déguisement.

Je cherche Zack des yeux. Ne le voyant nulle part, je porte mon attention sur les danseurs qui se trémoussent au rythme de la musique. Ce n'est pas l'endroit idéal pour entamer une conversation sensée : le son qui sort des amplis est assourdissant. Au début, mes tympans protestent contre cet assaut de décibels, puis je relaxe, mon corps répond à l'appel irrésistible de la musique. Je tape du pied en suivant le rythme.

– J'en ai pour une seconde ! Attends-moi ici ! beugle Lana.

Elle disparaît dans la foule. Steph se met à danser. Aussitôt, tout le monde s'écarte d'elle pour ne pas se ramasser une patte dans la figure. Je ne sais pas si je dois éclater de rire ou me cacher derrière un futon. J'opte finalement pour la première option.

Lana réapparaît aussi subitement qu'elle est partie : elle tient trois petits verres de *shooter* en main. Allez savoir comment elle s'y est prise pour ne pas les échapper à travers cette masse de corps en mouvement. Son habileté m'épate. J'accepte celui qu'elle m'offre. Elle en tend un autre à Stéphanie, qui le refuse. Lana hausse les épaules et me remet le *shooter* que ma meilleure amie a décliné.

– Un c'est bien, mais deux c'est mieux ! C'est de la vodka, tu dois les boire d'une seule gorgée !

Elle soulève un *shooter* en attendant ma participation. J'hésite.

– Robin ! C'est Zack lui-même qui te les offre !

Du menton, elle pointe l'autre extrémité du salon, plongée dans le noir et, avec pour unique éclairage, les rayons diffus d'une boule disco. Je plisse les yeux en y repérant un mini-bar. Mon cœur exécute un saut périlleux lorsque je distingue Zack, debout derrière le comptoir, servant trois ou quatre fêtards en même temps. De ce que je vois d'ici, il est torse nu. Wow !

Je reconsidère mes *shooter*. Ce n'est qu'un peu d'alcool. Rien de bien méchant. Je souris à l'intention de Lana. Nous avalons d'un trait le liquide clair. Ça me brûle la gorge et m'enflamme la poitrine. En dépit de mes efforts, je ne parviens pas à réprimer la toux lamentable qui m'échappe. Des larmes me remplissent les yeux et Lana rit de bon cœur. J'avale mon second *shooter*, obtenant la même réaction qu'après le premier. Lana récupère les verres pour les faire disparaître je ne sais où. Elle m'entraîne ensuite vers la piste de danse improvisée au milieu du salon. Après plusieurs minutes, quelques garçons viennent nous rejoindre. Mon amie lève les bras au-dessus de sa tête et virevolte avec une grâce aussi féline que sensuelle. Au début, j'essaie de reproduire le même exotisme, mais je me sens bientôt ridicule alors j'arrête de penser, de faire trop d'efforts. Je reste moi-même. Je dérive au son de la musique en laissant le tempo se répercuter dans ma poitrine, dans mon corps en entier. Ma tête ballotte, mon esprit s'étourdit, les images devant mes yeux s'embrouillent. L'alcool commence à faire son effet. Je ne pensais pas que deux minuscules verres de vodka provoqueraient un tel résultat ! J'ignore le bourdonnement dans mon crâne et je continue de danser. Quelqu'un se rapproche de moi par-derrière. Mon corps se crispe lorsque je sens une main sur mon avant-bras, lorsque je sens un souffle sur ma nuque.

– Robin ?

Je n'ai pas besoin de me retourner. Je reconnaîtrais sa voix entre mille. Je pivote quand même. Zack est enfin là, en face de moi. Pour seul déguisement, il porte un short en imprimé de léopard. Mon regard chute sur ses pectoraux. En tout cas, il a bien choisi son personnage ! Je me force à remonter les yeux vers son visage. De près, il semble encore plus grand, plus séduisant. Il me sourit et je veux mourir là, sur place. Un courant électrique traverse ma colonne vertébrale lorsqu'il me tend les mains pour que je danse avec lui. Tous mes sens sont en ébullition. J'entrelace mes doigts avec les siens, en espérant que mes paumes ne soient pas trop moites. Zack me décoche un demi-sourire, celui qui creuse une fossette dans sa joue droite, mais pas dans l'autre. Mon cœur se niche dans ma gorge et je ne sais plus si c'est à cause de son sourire, de l'alcool ou des deux.

Je sais seulement que c'est maintenant ou jamais.

Je ne tente pas d'être sensuelle comme Lana. Je le séduis à ma façon, c'est-à-dire en m'abandonnant totalement à la musique. Je veux m'immiscer dans l'esprit de Zack, étamper mon visage dans ses pensées, je veux qu'il me désire et qu'il n'ait plus aucune autre fille en tête. Chaque contact de nos deux corps amplifie ma fièvre d'un cran. Une expression de plus en plus ardente assombrit son regard. Il me blottit étroitement contre lui. Son abdomen plaqué contre mon ventre dénudé m'enivre plus que tous les *shooter* du monde. Ses mains sont partout, sur mes bras, sur mes hanches, sur mes fesses... Mes entrailles se contractent, c'est délicieux, c'est effrayant, je vais m'écrouler par terre, non, m'envoler. Sa bouche m'explore aussi, parcourt la ligne de ma mâchoire, s'arrête à la commissure de mes lèvres. Il redresse la tête. Ses yeux me questionnent. Oui, oui, oui, fais-le, embrasse-moi !

Un frisson soudain me saisit l'épine dorsale. Par-dessus l'épaule de Zack, je vois Vince à l'autre bout de la pièce.

Vince ?!

Pendant une fraction de seconde, on dirait que tous les corps qui nous séparent s'évaporent pour que son regard bleu et pâle me transperce comme une pluie d'aiguilles.

Instinctivement, je repousse Zack d'un geste vif.

Chapitre 4

Zack vacille, puis reprend son équilibre, les yeux écarquillés de surprise. Le cœur battant à tout rompre, je fixe à nouveau l'endroit où je viens d'apercevoir Vince. Il a disparu.

— Qu'est-ce qui t'arrive ? lance Zack.

— Euh... euh...

Je me sens idiote de l'avoir repoussé aussi brutalement. Embarrassée, je tente de retracer Vince parmi les silhouettes qui se trémoussent dans la pénombre : sans succès. Est-ce que je l'ai imaginé ? Je l'ai peut-être confondu avec quelqu'un d'autre... Impossible, tout le monde est déguisé alors que Vince ne l'était pas. Je reporte mon attention sur Zack qui continue de me dévisager, éberlué. Je bafouille la première chose qui me traverse l'esprit.

— Je dois aller au petit coin. Maintenant. Ça urge !

La surprise laisse place à la suspicion sur les beaux traits de Zack. *Et la gagnante du prix de « l'Excuse la plus Lamentable de l'Année » est...*

— Première porte à gauche du vestibule.

Je bredouille un merci presque inaudible avant de détaler, mortifiée par mon excuse ultra nulle. Après m'être réfugiée dans les toilettes, je me retiens de me jeter tête la première dans la cuvette et de m'y noyer pour mettre un terme à cette vie pathétique. Merde, merde, merde. Zack était sur le point de m'embrasser et je l'ai carrément rejeté ! Qu'est-ce qu'il doit penser de moi ?

Je vais tuer Vince ! Je le jure sur ma propre tombe, je le tuerai. De quel droit se permet-il de me suivre jusqu'ici et de m'épier ? Est-ce que Thierry est là aussi ? Vont-ils pousser l'audace jusqu'à m'humilier devant tout le monde pour me ramener à la maison ? Je serre les poings, tremblante de rage. Ça ne se passera pas comme ça ! Je ne les laisserai pas gâcher ma soirée !

Je quitte la salle de bains en claquant la porte derrière moi. Un couple à proximité sursaute devant mon accès de fureur. Je les ignore et retourne dans la salle de séjour. Je me fraie un chemin entre les corps qui se frottent les uns contre les autres, je tourne la tête dans toutes les directions, en vain. Peu importe où je pose les yeux, Vince demeure invisible.

Je rejoins Stéphanie, qui s'est écrasée dans un futon, la tête de gorille sur ses cuisses. Sa crêpe de cheveux est aplatie sur son front. En me voyant, elle m'adresse un sourire que je sens un peu forcé.

— Alors, c'était comment, danser avec Zack ? crie-t-elle. En fait, c'est moi qui aurais dû être sa partenaire, nos personnages proviennent du même dessin animé ! (elle remet sa tête de gorille puis grogne, dans une parfaite imitation de Darth Vader)Tarzaaaaan, je suis ton pèèèèère !

— Est-ce que tu aurais croisé Vince, par hasard ?

– Non. Il est ici ?

– Je n'en suis plus certaine...

Steph retire son couvre-chef poilu, n'ayant pas l'air aussi concernée que moi. Ses doigts tripotent distraitement les narines de son costume pendant qu'elle regarde furtivement autour d'elle.

– Je ne le vois pas. Bon, est-ce qu'on peut partir maintenant ? Je suffoque là-dedans et je ne m'amuse pas autant que je l'aurais pensé. Lana et toi, vous m'ignorez depuis le début.

– Je ne...

– Robin, ça fait un siècle que je végète ici et tu ne l'as même pas remarqué ! J'ai eu le temps d'appeler ma sœur pour qu'elle vienne me chercher. Tu as une idée de l'heure qu'il est ?

– Non.

– Il est tard, en tout cas. Viens, nous allons attendre Katia à l'extérieur.

– Et Lana ?

– Je doute que notre départ la dérange. Regarde-la !

Mon amie m'indique le mini-bar où Lana partage une bouteille de rhum avec Jack Sparrow, Wolverine et Jason.

– Je ne sais pas ce qui me scandalise le plus : que Lana continue de boire alors qu'elle doit te reconduire chez toi, ou l'image d'Ariel en train de flirter avec Wolverine, remarque Steph.

– Elle tient encore debout, c'est ce qui compte. Et puis, je ne peux pas l'abandonner toute seule ici.

Pour être honnête, je me tracasse moins au sujet de Lana qu'à propos de ce que Zack pense de moi. Je ne quitterai pas cette fête sans une chance de rattraper mon baiser avec lui ou du moins, sans lui laisser une bonne impression. Combien de filles l'ont déjà repoussé auparavant ? Je n'ai pas envie de passer pour une sainte-nitouche !

– Ma sœur ne devrait pas tarder. Tu es sûre que tu ne veux pas rentrer avec nous ? (je hoche la tête) D'accord. Fais attention à toi.

Elle me quitte après m'avoir donné une bise sur la joue. Malgré ce qu'elle prétend, je ne crois pas qu'il soit *si* tard que ça, on dirait que je suis arrivée il y a dix minutes. Il me reste encore un peu de temps pour réparer les pots cassés avec Zack et vérifier l'état de Lana...

Une quinzaine de minutes plus tard, je renonce à l'idée de retrouver Zack ou même Vince. Les deux se sont tout simplement évaporés. Je réussis à me persuader que l'apparition de Vince n'a été qu'un fragment de mon imagination débridée. À moins qu'il ne soit venu s'assurer de mon état ? Mais alors, pourquoi s'enfuir après que nos regards se sont croisés ?

Parce qu'il te connaît bien, me dis-je en mon for intérieur. *Il sait que tu as l'intention de l'étriper.*

Découragée, je rejoins la Petite Sirène et son cercle d'admirateurs. Je remarque qu'elle tient toujours une bouteille à la main.

– Hé, tu es encore vivante ! s'écrie-t-elle d'une voix pâteuse. Est-ce que tu as parlé avec Zack depuis notre arrivée ? Tu as dansé avec lui ?

Je brode un peu mon récit, pour ne pas avoir l'air d'une parfaite crétine.

— Nous dansions et il allait m'embrasser, mais au dernier moment, j'ai eu envie d'aller aux toilettes alors... voilà.

Super, la broderie. J'aurais mieux fait de lui raconter que je pensais avoir vu Vince. Je me sens deux fois plus stupide. Lana, par contre, a l'air de trouver ça particulièrement hilarant. Elle s'appuie lourdement sur mon épaule et son ricanement empeste l'alcool. Inquiète, je réalise que j'ai peut-être surestimé sa condition.

— Lana, est-ce que tu es en état de prendre le volant ?

— Mais oui, mais oui ! Tiens, bois ça. Ça va te détendre.

Je refuse en secouant la tête. Lana engloutit le reste de sa boisson et fait signe aux garçons de la suivre sur la piste de danse. Elle manque de tomber deux fois en cours de route. Génial ! Dans cet état, ce n'est pas chez moi qu'elle va me ramener, mais droit à la morgue ! J'aurais dû repartir avec Steph !

Je me mords la lèvre inférieure et prends place sur un futon, les bras croisés, livide de colère. Le salon se vide petit à petit. Les derniers fêtards ont l'air blasé... ou très soûl. Quelques couples s'avalent la bouche dans des positions indécentes. Des individus, ivres morts, oscillent d'une pièce à l'autre. Près du mini-bar, trois garçons reniflent quelque chose de louche. Thierry n'avait peut-être pas tort quant aux rumeurs sur les fêtes de Zack... et toujours aucun signe de ce dernier...

Lana se frotte à présent contre un Hercule beaucoup trop maigre pour son rôle. C'est évident que je perds mon temps ici ! Tant pis, quelqu'un d'autre me raccompagnera à la maison ! Avec un peu de chance, je trouverai un camarade de classe assez gentil. Malheureusement, une fois dehors, je ne reconnais personne. Je fais les cent pas, désemparée.

Un vertige me saisit. Je vacille, reprends difficilement mon équilibre et me réfugie sous un hêtre au milieu du terrain. Je m'appuie contre le tronc, la tête baissée, le souffle court, nauséeuse. La vodka et moi, ça ne fait franchement pas bon ménage. Au bout de quelques minutes, mon estomac reprend sa place habituelle, mais mon crâne continue de bourdonner. Je ferme les yeux en respirant lentement. Lorsque je les rouvre, mon regard tombe presque immédiatement sur la moto.

C'est une Ducati 1975 rouge et noir. Garée dans l'entrée du voisin. Je la reconnaîtrais même avec les yeux bandés. C'est celle de Vince. Personne d'autre dans ce pays ne conduit une telle antiquité ! Je n'ai donc *pas* imaginé son apparition dans le salon ! Il est ici, il m'espionne et il a le culot de dissimuler sa moto dans l'allée du voisin ! En plus, il m'a fait louper le baiser de Zack ! Où est-il ? Je vais lui flanquer la gifle de sa vie !

Malgré ma colère, je me sens soulagée : quelqu'un peut me ramener à la maison, même si ça signifie un retour inconfortable à califourchon derrière ce malotru, sur sa « motonausore ». Je retourne prestement à l'intérieur. Ce faisant, je me cogne contre quelqu'un.

– Désolée, dis-je sans l'être vraiment.

Deux mains robustes se referment sur mes bras et m'attirent vers le corps à moitié nu auquel elles appartiennent. Zack. C'est maintenant qu'il réapparaît ? C'est une blague ou quoi ?!

– Hé, Zack, c'était chouette comme soirée, mais je dois absolument rentrer chez moi.

– Déjà ?

– Je n'ai pas le choix.

Il a l'air déçu. Je pensais qu'il était vexé par ma rebuffade. Où était-il passé durant tout ce temps ?

– Tu as une voiture ? demande-t-il en levant les sourcils.

– Bien... c'est-à-dire que... Je suis venue avec Lana mais je ne crois pas qu'elle soit en état de me ramener.

– Tu pourrais prendre le bus. Qu'est-ce que tu en dis ? Tu habites loin ? Le 125 descend jusqu'à la 7e Avenue.

– La 7e Avenue ? C'est la rue voisine de la mienne !

– Il passe bientôt. J'attendrai avec toi, si tu veux.

Un battement plus violent que les autres fait battre mon cœur. Je le dévisage et je vois que sa proposition est sincère. Tout mon corps vibre à l'idée de hurler : « Oui, oui, laisse-moi profiter encore un peu de ta présence ! » Je lui souris en hochant la tête. Bien sûr, prendre l'autobus ne m'exalte pas, mais comment refuser l'occasion de passer quelques minutes de plus en tête à tête avec Zack ?

Pendant qu'il enfile une veste sur son torse nu, je ressens une pointe de culpabilité en songeant à Lana. Au même instant, celle-ci réapparaît dans mon champ de vision, hilare et toujours en train de se déhancher. Toute trace de culpabilité me quitte. Bah ! Tant pis pour elle ! Ce n'est pas comme si je l'abandonnais toute *seule*. Elle est tellement occupée à flirter qu'elle m'a complètement rayée de ses pensées. Je ne lui pardonnerai jamais ça !

– Tu es sûr que ça ne te dérange pas ? Après tout, c'est toi l'hôte de la soirée, dis-je à l'intention de Zack.

Il lance un regard désabusé autour de lui.

– Je ne crois pas qu'on va remarquer mon absence, princesse, assure-t-il en me décochant un sourire étincelant qui me donne envie de me pâmer à ses pieds.

Je m'engage avec lui dans l'allée qui mène à la rue. Nous devons former une belle paire tous les deux, lui en short de léopard et moi habillée comme une danseuse de baladi. Je refoule le gloussement qui me vient à cette pensée et je cherche quelque chose d'intelligent à dire. C'est le néant total. Je croise alors les bras, frissonnante.

– Tiens, me dit promptement Zack en retirant sa veste.

Il recouvre mes épaules. Presque aussitôt, je me sens mieux et la chair de poule sur mes bras disparaît. Je le remercie en baissant les yeux. C'est trop galant de sa part de s'inquiéter de mon confort alors qu'il se balade à moitié nu. Je me demande s'il pense à la même chose que moi... s'il pense à notre baiser raté.

– Ce n'est plus très loin d'ici, déclare-t-il.

Nous descendons sa rue, puis nous traversons celle au carrefour. J'ai la vague sensation d'être observée. Je me retourne discrètement pour jeter un coup d'œil derrière nous : peut-être qu'il s'agit de Vince. Non, la rue est déserte. J'essaie d'ignorer la sensation.

– Tu sais, je suis content que tu sois venue, avoue Zack à mi-voix.

Alors pourquoi as-tu disparu pendant la moitié de la soirée ? ai-je envie de me plaindre. Je garde le silence et resserre les manches de sa veste autour de moi.

— Je sais qu'on ne s'adresse pas souvent la parole..., ajoute-t-il.

(Aussi bien dire jamais !)

— Mais je t'ai remarquée, Robin. Tu n'es pas comme les autres.

— Qu'est-ce qui te fait croire ça ?

Nous franchissons une troisième rue. Elle est mal éclairée et les maisons y sont plus espacées les unes des autres. Nous avons quitté le beau quartier résidentiel. Je me rapproche imperceptiblement de Zack. J'aperçois une partie du Méga-Projet, plus désolée, avec des arbres décharnés. Pas étonnant qu'ils ne les vendent jamais, leurs condos.

— Tu sors de l'ordinaire, répond Zack.

— Est-ce une bonne ou une mauvaise chose ?

J'ose enfin le regarder. Il me sourit. Mon cœur s'agite, j'ai les tempes fiévreuses. Le souffle me manque. Une nouvelle vague de nausée m'assaille. Oh non, ce n'est vraiment pas le moment !!!

— Hé, ça va ? demande Zack quand il me voit me plier en deux.

— Juste... donne-moi deux secondes...

Le cœur au bord des lèvres, je me tiens l'estomac en cherchant ma respiration.

– Doucement, viens par là, appuie-toi ici, me conseille Zack en m'entraînant vers un lampadaire. Respire lentement, prends ton temps... c'est ça. Tu vas mieux ?

Je le rassure d'un hochement de tête, même si ce n'est pas tout à fait vrai. Pendant quelques secondes, je suis saisie d'une crise de paralysie : je ne parviens pas à remuer un seul muscle. L'épisode est de courte durée, mais il m'impressionne quand même.

– Tu es sûre que ça va ? s'enquiert Zack, d'un ton soucieux.

– Oui, oui. Juste un petit malaise.

– Trop bu ?

– Euh... en fait... j'ai consommé deux *shooter*. Je ne pensais pas que ça me retournerait l'estomac comme ça.

– Tu n'es pas très tolérante, remarque-t-il en me tapotant la joue comme s'il prenait ma température.

Un sourire lui vient, aussi imprévisible et agréable qu'une percée de soleil dans un ciel nuageux. Mon cœur s'affole une fois de plus, de bonheur cette fois. Je souris faiblement, le regard accroché au sien. Je suis pleinement consciente du fait que Zack me domine de toute sa taille et que je suis coincée entre lui et le lampadaire. Sa main ne quitte pas ma joue.

– Tu te montres tellement froide à l'école, chuchote-t-il.

– Et toi, alors ? C'est à peine si tu me jettes un regard !

– Je t'observe plus souvent que tu le penses.

Il se penche sur moi. Nos visages sont tout près l'un de l'autre. Ma main se referme sur son poignet et je l'arrête.

– Nous devrions peut-être y aller, dis-je en maudissant intérieurement ma soudaine lâcheté. L'autobus...

– Ne t'inquiète pas pour l'autobus. L'arrêt est juste au prochain coin de rue. Tu l'entendras venir.

– D'accord, mais...

– Ne sois pas si timide, Robin.

Pourquoi résister ? Ce n'est qu'un baiser après tout. Et je le désire depuis si longtemps, avant même la fête d'Halloween, dès le moment où j'ai posé les yeux sur Zack pour la première fois. Je ferme les yeux et j'entrouvre les lèvres. Sa bouche touche à peine la mienne qu'il sursaute et me relâche. J'entends une vibration et je réalise qu'il s'agit de son portable, accroché à l'élastique de son short. Zack soupire en prenant connaissance du numéro.

– Un instant, Robin... Allô ? Qu'est-ce qui se passe ? (il fronce les sourcils) Quoi ? D'accord, d'accord, j'arrive !

Il raccroche d'un air exaspéré.

– Je suis vraiment désolé, je dois filer. Un crétin vient de piquer un plongeon dans la piscine du voisin. Je dois aller arranger ça.

Je dissimule ma déception en souriant bravement.

– OK, je comprends.

– L'arrêt est juste là, répète-t-il en désignant l'endroit exact. Le bus arrive dans cinq minutes. Ça ne te dérange pas ?

Je sais que je t'ai promis d'attendre avec toi, mais il faut vraiment que je file, je suis le seul qui a encore toute sa tête.

— C'est bon, vas-y. Je peux attendre un bus pendant cinq minutes comme une grande.

Sérieusement ?! Il va m'abandonner ici ? On s'en fout du crétin, qu'il se noie et qu'il nous fiche la paix !

— Garde ma veste, m'offre Zack. Tu me la remettras la semaine prochaine, à l'école. Prends soin de toi, d'accord ?

J'opine de la tête. Il commence à s'éloigner, puis revient sur ses pas pour m'agripper par les épaules : sa bouche happe la mienne dans un baiser aussi bref que fulgurant, qui me laisse sans voix.

— Bonne nuit, Robin Gordon, murmure-t-il contre mes lèvres avant de repartir avec un petit rire.

Je touche fébrilement mes lèvres, n'osant pas y croire. Il m'a embrassée ! C'est arrivé d'un coup, c'était fantastique, mon corps entier tremble d'excitation...

... une excitation qui se transforme en horreur lorsque je constate que je ne tiens plus debout. Je suis tout à coup accroupie sur le sol. Mon corps tremble *vraiment*. Il est secoué d'un séisme qui m'empêche de respirer. Une brûlure vive s'empare de mes tripes et se répand dans ma poitrine, dans ma gorge...

J'incline la tête vers l'avant et j'expulse douloureusement tout le contenu de mes entrailles sur le trottoir.

Chapitre 5

Du revers de la main, je m'essuie faiblement le menton, encore secouée par la violence de mon malaise. J'inspire de grandes bouffées d'air frais afin de clarifier mon esprit et d'apaiser mon estomac. Au bout de quelques minutes, je respire d'une façon régulière, sauf que mes bras sont toujours traversés par des tressautements. Je me relève avec beaucoup de précautions et m'éloigne de l'endroit où j'ai vomi. Par chance, Zack n'a pas été témoin de ma disgrâce. Dégobiller devant le garçon qui vient de vous embrasser... La honte totale ! D'un geste empressé, je vérifie que je n'ai pas souillé sa veste. Ouf, elle est intacte.

Mes jambes engourdies me dirigent mollement vers l'arrêt de bus.

J'ai peut-être avalé quelque chose de périmé. Cette pizza, maintenant que j'y pense, me semble louche. Les champignons n'étaient peut-être pas aussi frais qu'ils en avaient l'air.

Un vrombissement de moteur me fait relever la tête. Encore étourdie, j'aperçois l'autobus qui s'arrête brièvement au coin de la rue avant de reprendre son chemin. Je suis trop affaiblie pour courir et même lorsque je remue les bras pour signaler ma présence au chauffeur, il poursuit sa route sans hésiter. Je laisse tomber, désespérée. J'atteins l'arrêt d'autobus et je consulte l'horaire. Génial. Aucune information sur le prochain passage du 125. Ce n'est vraiment pas ma soirée ! Je reçois un baiser de Zack que je n'ai pas le temps d'apprécier, je rate le dernier bus de la nuit et oh, mon père m'attend probablement avec un bazooka à la maison.

J'hésite un peu. L'idée de revenir sur mes pas et retrouver la fête ne me plaît pas particulièrement. Zack pensera que j'ai fait exprès, que je suis revenue pour jouer les sangsues. *Vince, c'est le moment parfait pour réapparaître ! J'ai mal au cœur, j'ai besoin d'une tisane, je dois affronter mon père...*

Je tâtonne mon pantalon bouffant avec l'intention d'en retirer mon cellulaire pour appeler Vince ou, peut-être, la sœur de Steph. Puis je me souviens que je l'ai abandonné dans mon sac... sous le siège passager de la voiture de Lana ! Merde !

Je n'ai pas d'autre choix que de retourner chez Zack.

Je rebrousse chemin en me fiant à mon sens de l'orientation. Je dépasse le Parc Mégaprojet d'un pas hâtif. Une fois de plus, la sensation d'être observée me picore la nuque. Je jette des coups d'œil alarmés autour de moi. Personne.

La sensation persiste tout de même.

D'une voix fluette, j'appelle :

– Vince ?

Mais c'est bête de ma part. Connaissant Vince, il ne s'amuserait pas à me faire peur ainsi, ce n'est pas son genre.

Les maisons les plus proches se trouvent derrière le parc et pour les atteindre, je dois non seulement contourner ce dernier, mais aussi passer devant des immeubles désaffectés. Je marche plus vite, puis je m'arrête en ressentant une nouvelle crampe à l'estomac. J'ignore la douleur et je poursuis ma route. Je pourrais gagner le quartier résidentiel plus vite si je traversais le parc au lieu de le contourner. Je m'engage sur la pelouse en regardant furtivement derrière moi. Mon œil tombe sur une silhouette qui se détache du mur d'un bâtiment, pas très loin, à ma gauche. J'adopte mon air le plus naturel. Je ne dois pas avoir l'air effrayée, surtout si ce n'est qu'un passant inoffensif... Cependant, une idée me traverse l'esprit : et si c'était le Tueur Fou ?

Calme-toi, Robbie ! Ne commence pas à t'imaginer des trucs ! Le maniaque est en prison ! Et même s'il s'était échappé de sa cellule en limant les barreaux avec ses dents, il ne serait pas assez stupide pour attaquer une fille dans un quartier résidentiel ! Je me répète ça plusieurs fois, j'essaie même d'en rire. Thierry a raison, je dramatise tout. Si ça se trouve, le passant a déjà pris un autre chemin...

Quand je regarde par-dessus mon épaule, je vois que la silhouette est toujours là.

Elle évite les passages éclairés par la lumière crue des lampadaires. OK, *ça* ce n'est pas un comportement normal ! L'angoisse me gagne. Je veux accélérer le pas et pourtant, mon rythme ralentit. Chaque pas est plus difficile que le dernier. Je *dois* me rendre de l'autre côté du parc. Il *faut* que j'arrive de l'autre côté. Avant lui. Tout de suite. Maintenant. Je ne veux pas qu'il me rattrape !

Un gémissement m'échappe : la douleur qui perfore mon ventre se propage dans tout mon corps. Haletante, j'essaie de me rassurer, de me concentrer sur ma respiration. *Hé, Robin, qu'est-ce que tu ne comprends pas dans « calme-toi » ? Respire lentement. Avance. Ne regarde pas derrière toi. Ne te retourne pas. Ne te retourne pas. Ne te retourne pas.*

Je me retourne.

J'ai le temps d'entrevoir une carrure sombre et un front dégarni. C'est un homme. Il se fond précipitamment dans les ombres.

Tant pis pour les apparences : je décampe ! Je dois à tout prix atteindre l'autre côté du parc, là où je pourrai hurler et alerter tout le monde si on m'agresse. Chaque muscle que j'étire dans ma course envoie une vrille de douleur dans tous mes membres. Je manque rapidement de souffle. Je trébuche sur une stupide roche qui se trouve en plein milieu de mon chemin et ma tête frappe durement le sol. Je me redresse prestement, surveillant mes arrières. L'homme est là et il ne se cache plus. Il passe sous un autre lampadaire.

Ma bouche s'ouvre sur un cri muet.

Ce n'est pas un homme.

Du moins, pas un homme ordinaire. Je n'ai jamais rien vu de tel. On pourrait confondre ses traits avec ceux d'un être humain. Il est nu, mais sa physionomie ne se rapproche pas du tout de l'anatomie masculine que j'ai étudiée en biologie. Son corps est décharné, sa peau grisâtre ; ses muscles saillent sous l'épiderme. Son visage... son *visage* ! Une figure oblongue, étroite, avec un front bombé ; des oreilles longues et pointues qui se dressent de chaque côté de sa tête. Je cligne des yeux, je me demande si j'hallucine... non... la... la créature humanoïde est bel et bien réelle, là, juste devant moi. Elle émet un grognement, puis avance d'un pas.

Ce n'est pas le Tueur Fou.

C'est pire.

Je détale sans demander mon reste.

Cette fois-ci, l'adrénaline pulse dans toutes mes veines. Je ne ressens plus la douleur ni la nausée, seulement la terreur, une terreur plus profonde que tout ce que j'ai vécu dans ma vie. Quelque chose m'agrippe brutalement par la nuque, mes pieds ne touchent plus le sol. Je n'ai pas le temps de comprendre ce qui m'arrive : la seconde d'après, je m'écrase contre le tronc d'un arbre. Je me relève en titubant. L'effroi m'empêche de m'évanouir malgré la force de l'impact. C'est à peine si je remarque que mon front s'est ouvert et que le sang gicle sur mes cils. Je bats furieusement des paupières pour empêcher ma vue de s'obstruer.

La créature s'accroupit à quelques mètres de moi. De près, ses traits sont encore plus cauchemardesques. Ses yeux sont deux lézardes enfoncées dans les replis de sa peau avec pour prunelles des fentes verticales aussi écarlates que le sang. Des trous béants lui font office de narines, et de l'écume dégouline de sa bouche. Mon œil affolé s'arrête sur ses mains qui se terminent en griffes acérées. Je ne sais pas comment elle a réussi à me propulser aussi loin. Elle m'a bousculée avec une telle *force*... Et cette rapidité... Je hurle à pleins poumons.

En fait, *j'essaie* de hurler.

Ma voix s'échappe plutôt dans un gargouillis à peine audible. En face de moi, la chose se courbe sur elle-même, comme un animal prêt à charger. Mon instinct de survie prend le dessus. Je retire mes sandales et les lance de toutes mes forces sur la figure de la créature. Celle-ci grogne en se prenant la tête entre les griffes. Je profite de ce bref répit pour m'enfuir à travers les arbres du parc, sans tenir compte des ronces et des cailloux qui m'écorchent la plante des pieds. J'entends derrière moi des rugissements terribles, des sons qui me glacent le sang. Je vacille, je tente de crier plusieurs fois, sans succès. Elle me talonne, je le sais, j'entends son souffle saccadé. Je remarque une branche plutôt massive, par terre. Je la ramasse, pivote sur moi-même et l'abats sur la tête de la créature, sur son buste, sa tête... Encore et encore. Je veux détruire cette chose, la réduire en bouillie !

Le monstre lâche un glapissement et s'éloigne de moi dans ce qui semble, à première vue, un geste défensif : il s'accroupit une fois de plus, le dos arqué. Il se passe alors quelque chose d'inimaginable : le monstre se *transforme*. De nouvelles jointures apparaissent sous sa peau et l'étirent. Ses membres s'allongent, se déploient, se durcissent. Deux bosses déforment son dos qui ressemble maintenant à une carapace. Son visage se tord sur une mâchoire aux crocs abominablement immenses. Je veux déguerpir, mais reste pétrifiée sur place ; j'ai l'impression que mes jambes ont été coulées dans le béton.

La créature bondit sur moi et nous projette toutes les deux dans les bosquets. Ses griffes tranchent l'air, puis la peau de mon ventre se déchire dans un son semblable à un claquement de fouet. Sans trop savoir comment, je retrouve la force de mouvoir mes jambes et de me relever en chancelant, pour ensuite courir dans la confusion totale.

C'est un cauchemar. C'est un cauchemar. C'est un cauchemar. Je vais bientôt me réveiller. C'est impossible que tout cela soit réel, *impossible*. Plus je cours, plus je ralentis. Tout ralentit, même mon souffle, même le temps. Mes jambes s'alourdissent, se raidissent, je perds le contrôle de mes mouvements... je tombe... je roule... ma chute m'envoie dans un fossé... Je baigne dans mon propre sang, sciée en deux par une souffrance intense. Je ne sais pas si la créature m'a vue chuter dans le fossé, et si ce n'est pas le cas... si ce n'est pas le cas, j'aurai peut-être la chance de m'en sortir... ou peut-être pas... Je ne peux plus bouger, je suis paralysée de la tête aux pieds, je ne peux même pas ramener une main sur mon ventre et arrêter l'hémorragie ; pas un doigt n'obéit à ma volonté, seuls mes yeux sont mobiles. Une odeur immonde effleure mes narines. *Elle* est là. Tout près. Les feuilles bruissent sur son passage. Je retiens mon souffle. Je l'entends fureter au-dessus de ma tête. Elle émet des sons à mi-chemin entre le grognement et le marmonnement. Ma terreur se mue en épouvante et un sanglot se niche dans ma gorge. Je le refoule au risque de m'étouffer. C'est un cauchemar, je ne suis pas en train de mourir, je ne veux pas mourir, je ne veux pas finir dévorée par ce monstre, je veux retourner en arrière, je veux rester près de la moto de Vince, je veux repartir avec Steph, je veux remettre ce stupide film au club vidéo, je veux rester à la maison, je veux obéir aux mises en garde de mon frère... Thierry... Papa... je suis désolée... S'il vous plaît, Dieu, n'importe qui, ne me laissez pas crever ici ! Je *sais* que je vais mourir. Si ce n'est pas sous les crocs de la créature, ce sera au bout de mon sang. Mon corps est une statue de sel que je ne peux plus déplacer. J'ai beau le souhaiter avec toute la volonté du monde, je demeure immobile et ma vie me glisse entre les doigts... si vite...

Puis, un craquement sonore, un cri guttural qui n'a rien d'humain, un bosquet qui s'écarte. Le visage abominable de la créature, au-dessus du mien. Elle m'a retrouvée. Les larmes remplissent mes yeux. Du regard, je la supplie de me laisser la vie sauve. La créature se désintéresse de mon visage, les trous lui servant de narines s'élargissent en reniflant la plaie béante de mon abdomen... Sa main griffue joue dans celle-ci... un lancinement aigu traverse tout mon corps... Le monstre suce ses doigts imprégnés de sang, *mon* sang. Ses traits sont défigurés par un rictus sinistre, diabolique. Son visage plonge soudain dans mon ventre. Ma conscience s'effrite en même temps que la douleur atteint son paroxysme.

Je ferme les yeux et je me laisse mourir, impuissante...

Je me réveille. En hurlant.

Qui suis-je ?

Où suis-je ?

J'ai mal. Tellement. Mal.

Une main. Sur mon épaule.

Quelqu'un. Avec moi.

Une silhouette.

Floue.

Nausée.

Je dégurgite. Un liquide. Épais. Amer.

Des sons. Des paroles. Une voix.

Robin.

Robin. Robin.

69

Robin, s'il te plaît. Ne recrache pas.
Bois. Tu y es presque.

Continue de boire.
Un poignet sur. Ma bouche.

Je mords. Je bois. J'avale.

Spasmes. Tourments. Images.

Deux enfants aux cheveux bouclés courent,
main dans la main.

Le regard vide d'un homme barbu,
une bouteille de gin devant lui.

Des lunettes de soleil, une tête de mort
au bout d'une chaîne.

Une veste, accrochée à un arbuste.

Le regard diabolique d'une créature sanguinaire.

NON ! NON ! NON !

Je repousse le poignet. Je me débats.

Un homme blond. Penché vers moi.

Sa voix. Dans mon oreille.

Continue de boire. Ne t'arrête pas !

Son poignet contre ma bouche.

Je lèche la morsure.

Le sang.

Toujours aussi chaud. Amer.

Spasmes. Tourments. Images.

Un mocassin, dans l'escalier.

Une femme au visage bleui, pendue au plafond.

Une poursuite à travers des arbres décharnés.

Un abdomen déchiré, qui vomit tripes et boyaux.

NONNNNNNNNNNNNNNNNN !!

Je reviens à moi. L'homme blond réapparaît. Il me serre contre lui. Il écarte les cheveux sur mon front. Son pouce fébrile essuie mes lèvres.

– Chut, Robin. Je suis là. Tout va bien. Tu n'as plus rien à craindre.

Je m'agrippe à lui en pleurant. Sa voix. Sa voix m'est familière. Son nom... son nom... son nom...

... Vince.

Je sombre dans l'inconscience.

DEUXIÈME PARTIE

Chapitre 6

Je bats doucement des cils.

Une lumière diffuse m'empêche de discerner les environs. Je suis couchée sur un lit inconfortable et ma tête repose sur de larges oreillers. Des voix murmurent autour de moi.

« Je peux aller te chercher un café si tu veux. »

« Non, ça va, fiston. Ne te donne pas cette peine. »

« Papa, tu ne tiens plus debout... »

Entendre la voix de Thierry insuffle en moi une telle émotion que je me débats contre la torpeur afin de prononcer son nom.

– T... T-T-T-Thierry ?

J'entends des mouvements brusques, puis un bras m'enlace soudainement.

– Elle est réveillée ! Dieu merci, elle est consciente !

— Doucement ! Tu vas l'étouffer ! Ce serait bien malin de ta part !

La poigne de Thierry se desserre à peine. Son visage apparaît graduellement, comme à travers une brume. Je cligne des yeux plusieurs fois. Nous sommes dans une pièce sobrement décorée, que je ne reconnais pas. Mon père aussi est à mon chevet. Il sourit malgré les sanglots qui secouent ses épaules. Je tends faiblement la main vers lui ; il la serre avec encore moins de délicatesse que Thierry.

— Ma chérie, j'ai cru que...

La voix de papa se brise. Nos doigts s'entrelacent au point de me casser les jointures.

— Qu'est-ce qui se passe ?

Ma voix est rocailleuse, comme si je n'avais pas parlé depuis plusieurs jours. Mon père et Thierry échangent un regard hésitant.

— Où suis-je ?

— À l'Hôpital général de Chelston, répond prudemment Thierry.

L'anxiété doit se lire dans mes yeux parce qu'il caresse tout de suite mon front pour me rassurer.

— Tu vas mieux maintenant, c'est ce qui compte.

Je remarque alors les appareils qui sont à côté de mon lit. Je suis nourrie par intraveineuse. Incrédule, j'écarte lentement les draps et je constate qu'un large pansement fait le tour de ma taille en me recouvrant l'abdomen. Je touche mon front : ma tête aussi est enveloppée d'un bandage.

– Papa ! Qu'est-ce qui m'est arrivé ?!

– Nous t'expliquerons tout ça en temps et lieu. Thierry, va avertir le médecin.

– Tout de suite ! Je vais prévenir Vince aussi, ça fait des heures qu'il poireaute dans la salle d'attente.

Vince ! Des images refluent dans ma mémoire : Vince, me serrant contre lui, son poignet sur ma bouche... Un frisson d'horreur me parcourt. Ce sont des images troublantes, je n'y comprends rien...

– Papa ?

– Calme-toi chérie, répète-t-il en posant ses lèvres sur mon front. Tout va bien, tu n'as plus rien à craindre.

Tu n'as plus rien à craindre...

Vince m'a dit la même chose avant de... ou après que... *quoi* ? Je ne parviens plus à décrypter le passé. Je me recouche sur les oreillers, ayant la sensation que mon corps pèse une tonne. On dirait que j'ai couru sur plusieurs kilomètres sans m'arrêter. Tous mes muscles sont endoloris. Mon père m'ébouriffe les cheveux en déposant une pluie de baisers sur mon visage. Je lui souris faiblement, mais je demeure confuse. Je bouge discrètement mes pieds et mes jambes sous les draps afin de m'assurer qu'ils sont encore fonctionnels. J'ai visionné trop de ces films pathétiques où le protagoniste reprenait conscience à l'hôpital, complètement paralysé. Mes membres remuent au gré de ma volonté et ça me soulage un peu.

Un peu seulement.

La porte s'ouvre et Thierry entre en compagnie d'un homme en blouse blanche. Vince n'est pas avec eux. Le médecin s'approche de moi avec un air affable.

— Alors, Robin, lance-t-il en me prenant les mains. Comment se sent-on aujourd'hui ?

— Bizarre, dis-je franchement.

Il rit, bientôt imité par mon frère. Je ne trouve pas ça aussi rigolo qu'eux.

— C'est tout à fait normal, explique le docteur. Tu viens de subir une importante chirurgie et ton corps doit se remettre de ce traumatisme. Tu nous as donné une belle frousse : tu es restée inconsciente pendant trois jours.

— Trois... trois jours ? (je balbutie, tellement je n'en crois pas mes oreilles) Qu'est-ce qui m'est arrivé ?

— On t'a retrouvée atteinte de multiples blessures, répond le médecin. Tu as eu beaucoup, beaucoup de chance. Tes organes vitaux ont été sérieusement endommagés. Nous avons même cru que... enfin, l'important, c'est que tu aies survécu malgré des lésions aussi graves. Tu es un miracle, Robin ! Lorsque le corps humain veut absolument survivre, il développe des facultés de guérison fabuleuses. Tu t'es rétablie très vite.

Il tâte mon front pour vérifier mon pansement. Son expression devient pensive.

— Très *très* vite, marmonne-t-il plus pour lui-même que pour mon bénéfice. Tu n'auras bientôt plus besoin de ce bandage-là.

– Je ne comprends toujours pas ce qui m'est arrivé. Je ne me souviens de rien !

– Elle ne souffre pas d'amnésie, j'espère ? s'inquiète Thierry. Tu ne te souviens de rien, Robin, rien de rien ?

– Je... je ne sais pas. Quelques images...

– Vous n'avez pas à vous inquiéter, rassure le médecin. Elle est encore sous le choc. Laissez-lui un peu de temps. Il vaut mieux qu'elle ne se souvienne pas de tout en même temps.

Une fois de plus, je surprends Thierry à échanger un regard perplexe avec papa. Est-ce qu'ils font exprès de tourner comme ça autour du pot ? Ma question est pourtant très claire ! Je veux une explication et je la veux maintenant ! Je demande plus fermement :

– Comment me suis-je retrouvée inconsciente ? Est-ce que j'ai eu un accident ?

Le bref silence qui suit ne me dit rien qui vaille. Je décoche un regard dur à mon frère, le forçant ainsi à me donner une explication.

– Tu n'as pas vraiment eu un... accident, lâche-t-il après s'être raclé la gorge. Tu as été agressée, Robin.

Papa inspire brusquement, comme si la pensée même lui était insupportable. Je me sens de plus en plus épouvantée. Des fragments de scènes me traversent l'esprit, des images que je ne saisis pas tout à fait, qui m'échappent. Le visage de Vince ne cesse de revenir devant mes yeux. En fait, on croirait que mon esprit m'empêche d'accéder aux souvenirs.

79

— Agressée par qui ? Je me souviens de Vince, mais...

Les traits de Thierry se détendent.

— C'est lui qui t'a sauvée ! D'ailleurs, il arrive, il est d'abord allé passer un coup de fil à tes amies.

Songer à Steph et à Lana me ramène d'autres images : un salon tamisé, de la musique qui joue à fond, des corps qui se trémoussent... La fête ! La fête d'Halloween ! Un intense sentiment de culpabilité m'envahit. Des larmes roulent sur mes joues.

— Pardonne-moi, papa, pardonne-moi... Je t'ai menti... Je vous ai menti, je vous ai caché que j'allais à cette fête !

Mon père se raidit, mais lorsqu'il reprend la parole, son ton se veut conciliant.

— Ne t'en fais pas pour ça, Robin.

— Ouais, jette Thierry avec un sourire. Quand tu seras complètement guérie, papa aura plein d'idées sur la façon de te punir. J'ai même quelques suggestions.

— Thierry, grogne notre père. Ce n'est pas le moment.

À cet instant précis, Vince apparaît dans l'entrebâillement de la porte. Il est vêtu d'un chandail sombre qui contraste avec son visage anormalement pâle. Ses cheveux blonds et désordonnés s'éparpillent sur son front. Je croise son regard bleu pastel et la mémoire me revient aussi promptement, aussi clairement que si je ne l'avais jamais perdue. Je me rappelle tout : la poursuite hystérique à travers le parc lugubre, la créature terrifiante se jetant sur moi, la douleur insoutenable et puis... mon réveil brutal dans les bras de Vince. Une montée de chaleur s'empare de ma nuque et de mes joues. Quelque chose ne va pas. Vraiment pas.

— Vince, entre ! s'écrie Thierry en apercevant son meilleur ami.

— J'ai essayé de les retenir, nous prévient ce dernier en se détachant de l'encadrement de la porte.

Il est flanqué de trois hommes : deux policiers et un autre homme habillé en civil. Malgré l'absence d'uniforme, ce dernier semble appartenir à un rang plus élevé dans la hiérarchie que ses compagnons. Je ne suis pas du tout intéressée par leur présence. Mes yeux sont rivés à ceux de Vince, qui ne me quittent pas non plus, pas même lorsque papa lui offre une accolade. Ses yeux me rappellent l'expression tourmentée qu'il avait quand je me blottissais dans ses bras, pendant qu'il... qu'il...

Pendant qu'il me faisait boire son sang.

Mes mains tremblent. Je les dissimule sous les draps. Thierry, papa et le médecin sont trop occupés à dévisager les nouveaux arrivants pour surprendre l'échange muet entre Vince et moi. Celui-ci s'approche de mon lit et je ne peux m'empêcher de me tasser sur moi-même. S'il perçoit mon geste, il n'en tient pas compte et se penche pour me faire la bise.

— Content de te revoir parmi nous, Robin, énonce-t-il aimablement.

Ses lèvres effleurent ma joue. Elles demeurent plus longtemps que nécessaire sur ma peau. Je sens son souffle sur mon oreille.

« Ne dis rien. »

Je lève les yeux vers lui, le cœur battant à tout rompre. Une sueur froide coule dans mon dos lorsque je le vois hocher discrètement la tête, que je comprends que je n'ai pas rêvé, qu'il a bel et bien chuchoté ces derniers mots. Il reprend sa place auprès de mon père et détourne la tête.

– Inspecteur Richard King, se présente l'officier qui est habillé en civil. Nous sommes chargés de l'enquête concernant le tueur en série surnommé le Fou par les médias. Je suis conscient, ajoute-t-il à l'intention de mon père, que vous préférez que nous patientions avant de rencontrer la victime. Mais son récit risque d'être beaucoup plus fidèle si nous l'interrogeons maintenant.

– Elle vient juste de se réveiller ! réplique Thierry. Elle n'a pas encore retrouvé la mémoire ! Il ne faut pas la bousculer.

Disons que ce n'est plus tout à tout fait vrai depuis l'arrivée de Vince... Mes souvenirs sont troués de failles et d'éléments qui me semblent tirés par les cheveux, mais ils sont là quand même. Je scrute le visage de Vince. Ses yeux sont perdus à travers la fenêtre de la chambre, son dos est raide et je le vois enfoncer ses poings crispés dans les poches de son jean. Je me demande si je suis la seule à remarquer qu'il est tendu.

Monsieur King demande à tout le monde de sortir de la chambre sauf papa, le médecin et un autre officier. Il installe ensuite un magnétophone sur la table près de mon lit, puis avance une chaise. J'humecte nerveusement mes lèvres.

Ne dis rien.

Je suis sûre que Vince faisait allusion à la créature.

— Bonjour, Robin, déclare monsieur King en adoptant un ton complaisant. Je sais que tu viens de vivre un choc alors, pour l'instant, je veux juste te poser quelques questions. Tu es la seule survivante des attaques du Tueur Fou et ça te met encore plus en danger que les prochaines victimes potentielles.

Wow. Pour quelqu'un qui sait que je suis toujours sous le choc, il a vraiment le tour !

— Je croyais que le Tueur Fou avait été arrêté ! lance papa, incrédule.

— Le suspect que nous détenions a été relâché le lendemain de l'agression de votre fille. Apparemment, ce n'était pas le bon coupable. Robin, raconte-nous ce qui s'est passé cette nuit-là. Sache que le moindre détail donné, aussi insignifiant semble-t-il à tes yeux, nous aidera à mettre la main sur ton agresseur avant qu'il récidive.

— Je ne me souviens pas de grand-chose, dis-je très rapidement.

— Ce n'est pas grave. Fais de ton mieux.

J'inspire profondément tout en évitant de regarder dans la direction de mon père. Je raconte la fête d'Halloween en tentant de fournir le plus de détails possible, sans, bien sûr, revenir sur les *shooter* que j'ai bus (papa n'a pas besoin de savoir ça). Cependant, l'inspecteur m'interrompt en plein milieu de mon récit :

— Qu'est-ce que tu as consommé durant la soirée ?

Et pan ! Honteuse, je baisse les yeux en triturant anxieusement les draps. Puis je finis par murmurer :

83

– Deux *shooter* de vodka.

– Qui te les a offerts ?

Je me demande pourquoi l'inspecteur est si intéressé à la question, je ne vois pas en quoi ça concerne mon agression.

– C'est très important, Robin, insiste-t-il en surprenant mon expression. Nous pourrons retracer la personne qui t'a empoisonnée, grâce à cela.

– Empoisonnée ? Comment ça, *empoisonnée* ?

– Nous avons décelé des traces de neurotoxines dans ton échantillon sanguin ou, plus précisément, des résidus de « Neige Blanche », m'informe le médecin. C'est un paralysant puissant, mais lent à agir lorsqu'il est ingéré en petites quantités.

Dans un éclair, je me revois malade, devant la maison de Zack... et ensuite sur le trottoir près de l'arrêt de bus, puis couchée dans le fossé, incapable de bouger ou de crier ma détresse. Paniquée, je remonte le fil de la soirée : l'image de Lana et moi, en train d'engloutir nos *shooters*, me revient sans peine. J'en fais part au détective, qui me demande si j'ai vu qui a procuré les verres à Lana. Je secoue la tête.

– As-tu vu ou entendu que quelqu'un d'autre à la fête ressentait les mêmes malaises que toi ? Une fille, plus précisément ?

– Euh... je ne sais pas. Tout le monde était soûl. Je croyais que je subissais moi aussi les effets de l'alcool.

– As-tu remarqué quelqu'un de suspect, de plus âgé peut-être ? Qui ne semblait pas à sa place ou qui t'observait plus longtemps que nécessaire ?

– Non, je...

Je revois Vince, appuyé sur le mur, les yeux rivés sur moi pendant que je dansais avec Zack. *Lui*, c'est certain, il n'était pas à sa place.

Monsieur King suit mon regard vers la porte, que je fixais sans m'en rendre compte.

– Qu'est-ce qui se passe, Robin ? veut-il savoir.

– Rien, je... Je me souviens seulement d'avoir remarqué la présence de Vince.

– Vince ?

– Vincent Salmoiraghi, spécifie papa.

– Tu trouves que sa présence était louche ? me questionne le policier en fronçant les sourcils.

– Non, dis-je de mon ton le plus convaincant.

– Vincent Salmoiraghi, répète le deuxième policier (il consulte son calepin de notes). Dix-sept ans, ami de la famille, c'est lui qui a retrouvé Robin. Nous avons déjà sa déposition. Il a mentionné avoir fait un tour à la fête.

– Ah, oui..., grommelle monsieur King. Il va falloir que je vérifie ça. Robin, comment t'es-tu retrouvée si loin de la maison de Zack ?

– Mon amie Lana était trop soûle pour me reconduire chez moi alors Zack m'a suggéré de prendre l'autobus de nuit. Il m'accompagnait jusqu'à l'arrêt, lorsqu'il a reçu un appel urgent. Il s'est excusé puis est reparti.

— Il t'a laissée seule ?

— Nous n'étions qu'à un coin de rue de l'arrêt...

— Donc, il t'a laissée seule, me coupe le détective. Ensuite ?

— J'ai commencé à vomir. Quand je me suis relevée, le bus est passé et je l'ai raté. J'ai décidé de revenir à la fête pour demander à Vince de me ramener et j'ai senti... je savais que... quelqu'un me suivait. Je le sentais. J'ai commencé à paniquer.

— De quoi avait-il l'air ?

Ne dis rien.

J'hésite pendant une fraction de seconde. J'ai le choix d'obéir à la requête de Vince ou d'avouer la vérité et risquer qu'on me prenne pour une détraquée.

— C'était un homme... chauve...

Je n'en reviens pas. Je mène les policiers sur une fausse piste ! Ils continueront de penser que c'est le Tueur Fou qui m'a agressée alors que ce n'est pas le cas ! À moins que... que le Tueur Fou et la créature ne soient la même personne ? Ce monstre est peut-être à l'origine de la mort des six autres victimes ? Mais comment cette créature aurait-elle réussi à m'empoisonner avant de m'attaquer ? Ce n'est pas comme si elle pouvait passer inaperçue dans le salon de Zack !

— Continue, insiste l'inspecteur.

— Je ne me souviens plus de son apparence, de son visage, de sa taille. Et puis, j'étais trop malade pour comprendre ce qui m'arrivait. Je courais et je suis tombée. Je n'arrivais plus à bouger. Tout est arrivé si vite ! C'est confus... je ne sais pas ! Je ne sais pas ! Je suis désolée !

– Ça va, Robin, tu as fait de ton mieux, déclare papa en me tapotant l'épaule. Tu n'as pas besoin de te forcer davantage.

Le détective dissimule péniblement sa déception. Il fait signe à son collègue d'ouvrir la porte.

– Faites entrer le jeune Salmoiraghi.

Mon cœur rate un battement. Vince entre dans la pièce, l'air impassible. Ses poings sont encore crispés. Son regard croise le mien. Je baisse immédiatement les yeux. Il se demande sûrement si je n'ai *rien dit*.

– Vincent, c'est ça ? l'aborde monsieur King.

– Oui.

– Avais-tu un motif particulier d'être présent à la fête ?

– Je m'assurais que Robin allait bien.

– Pourquoi ? Tu avais des doutes sur ce qui allait se passer ? s'acharne l'inspecteur.

Je vois Vince tiquer. Son visage reprend rapidement une expression indéchiffrable. Je me demande si les policiers l'ont remarqué aussi.

– J'ai déjà répondu à toutes ces questions. J'y suis allé parce que je connaissais la réputation des fêtes de Zack Bronovov. Robin est comme une sœur pour moi ; je voulais vérifier qu'elle rentre chez elle en sécurité. Je me suis inquiété quand elle a disparu alors que son amie Lana était encore là. Je suis parti à sa recherche, j'ai marché dans les alentours, et je l'ai entendue hurler.

Mes oreilles bourdonnent. C'est impossible. Aucun son ne s'est échappé de ma gorge pendant que je me faisais attaquer ! Comment aurait-il pu m'entendre hurler ? La peur déferle sur moi. J'ai envie de tout déballer, de parler du monstre et de ce que Vince m'a fait par la suite.

Mais qu'est-ce qu'il m'a fait au juste ?

Ma survie, ma guérison miraculeuse... non, ce n'est pas un coup de chance. Je n'ai pas frôlé la mort. *J'étais* morte. Et je suis revenue. Dans les bras de Vince, en proie à des douleurs atroces. Il est impliqué dans ce retour à la vie, c'est lui qui l'a causé, je me souviens très bien de son poignet contre ma bouche...

J'étais morte.

Vince m'a ramenée à la vie.

Grâce à son sang.

Chapitre 7

J'ai beau tourner et retourner l'idée dans ma tête, je ne comprends pas comment un événement aussi extraordinaire a pu se produire. Quel genre de mortel peut bien ressusciter quelqu'un ? Vince possède-t-il un don comme les super-héros à la télé ? Son sang est-il différent des autres, détient-il des facultés particulières, surréelles ? Est-ce que Vince est un vampire ? Un vrai, sorti tout droit des œuvres de fiction et des films d'horreur ?

— Bon, Robin, ce sera tout pour l'instant, conclut monsieur King. Repose-toi et reprends des forces. Si quelque chose te revient, n'hésite pas une seule seconde à nous en informer. Nous laisserons à ton père un numéro spécial pour nous joindre.

— Vous pensez vraiment que le Tueur Fou est un des adolescents présents à cette fête ? demande papa, dubitatif.

L'inspecteur reboutonne sa veste en secouant la tête, mais je ne sais pas si c'est pour dire oui ou non. Il répond pendant que Thierry rentre dans la chambre, accompagné du deuxième agent.

– Nous ne pouvons plus commettre d'erreurs comme celle avec le dernier suspect. Voilà pourquoi nous avons passé au peigne fin la liste des invités. Ils ont tous été interrogés.

– Alors, peut-être que le Tueur Four a un complice ? propose Thierry avec l'aisance de quelqu'un qui aurait assisté à toute l'entrevue. Un complice parmi les invités qui aurait donné le poison à ma sœur ?

– C'est une éventualité, admet l'un des officiers.

Je sais que mon frère songe à Zack. Je n'arrive pas à croire qu'il entretienne de telles présomptions !

– N'importe qui aurait pu glisser le poison dans le verre de Robin, ajoute le chef de police. Nous continuerons de régulariser les allées et venues de tous les visiteurs ici. Étant la seule victime à avoir survécu au Tueur Fou, il représente encore une menace pour elle.

Pff ! Encore une fois, le détective fait preuve d'un très grand tact en ma présence. Je l'en félicite ! Pendant qu'il remet ses coordonnées à mon père en lui promettant que mon nom sera protégé des médias, je frissonne sous les draps. Si je me fie au dire de l'inspecteur, le Tueur Fou pourrait revenir à l'assaut, mais... est-ce que la créature pense comme un homme ? Est-ce qu'elle demeure un danger pour moi ? Qu'est-ce qui s'est passé exactement sur les lieux de ma mort ? Est-ce que Vince et la créature se sont battus ?

Nauséeuse, je laisse mon regard errer à travers la fenêtre. Derrière la vitre, la vue n'est pas des plus fabuleuses : elle tombe directement sur le toit du bâtiment inférieur à celui de l'hôpital.

– Robin, ton frère et moi n'avons pas encore déjeuné, m'annonce papa.

Je cligne des yeux, ayant la vague sensation d'avoir été déconnectée de la réalité pendant quelques secondes. Les policiers ont déjà déserté la chambre.

– Tu vas rester un petit moment avec Vince (papa se tourne vers ce dernier). Le policier est juste derrière la porte s'il arrive quoi que ce soit.

Vince hoche la tête, silencieux. Mes tempes redeviennent fiévreuses. Je ne veux pas me retrouver seule en sa compagnie. Je suis toutefois incapable de formuler la moindre protestation lorsque Thierry et mon père quittent la chambre avec le médecin. L'atmosphère se tend brusquement. J'entends tous les bruits que je n'ai pas perçus jusqu'à maintenant : le ronronnement de la machine à mes côtés, le klaxon des véhicules dans la rue, les voix disparates dans le couloir...

Vince ferme la porte et les voix se taisent. Je me recroqueville dans mon lit en m'efforçant de ne pas afficher un air trop anxieux. Il se dirige vers la fenêtre, se rapprochant ainsi de moi. Je le suis des yeux.

– Tu devrais te reposer, suggère-t-il doucement en appuyant son front contre la vitre.

Je sais qu'il s'agit de Vince. Ce même Vince qui est ami avec mon frère depuis des années. Je sais que c'est lui qui m'a sauvée, qui m'a ressuscitée. J'ai quand même peur de lui et de ses pouvoirs étranges. Alors, me reposer en sa présence ?

JAMAIS.

– Je n'arriverai pas à dormir.

Ma voix s'extirpe de ma gorge dans un trémolo. J'attends qu'il place un mot ; il n'ajoute rien et continue de contempler le toit du bâtiment d'à côté.

– Que s'est-il réellement passé, Vince ? ai-je enfin le courage de chuchoter.

Il ne répond pas. M'a-t-il seulement entendue ? Ou m'ignore-t-il ? Il me semble que j'ai le droit de savoir, non ? Il ne gardera pas pour lui toutes les explications concernant mon retour à la vie !

En observant sa silhouette élancée, je note les cernes bistrés qui soulignent ses yeux, pâlissant ceux-ci encore plus. Il semble sur le point de s'écrouler, comme s'il n'avait pas dormi plusieurs jours d'affilée. J'oublie momentanément ma crainte.

– Est-ce que tu vas bien, Vince ?

Il esquisse un sourire. Son regard se détache lentement de la fenêtre pour rencontrer le mien.

– Maintenant que je te sais consciente, oui, tout va bien.

Sa voix est presque un murmure, pourtant je distingue chaque mot, chaque intonation. Je me sens troublée. Je ne sais pas si c'est à cause de ce qu'il vient de me dire, mais je n'ai pas l'occasion de me pencher sur la question : la porte de la chambre s'ouvre subitement sur Stéphanie.

– ROBIN ! hurle-t-elle en se jetant sur moi.

Mon lit bondit, l'appareil auquel je suis reliée par le bras est pratiquement propulsé à l'autre bout de la chambre. Ma meilleure amie me serre contre elle sans reprendre son souffle.

– Robin... Oh, Robin ! J'ai eu la peur de ma vie !

— Doucement, la réprimande Vince en la tirant par la manche. Tu la renvoies presque dans le coma en l'assommant comme ça !

Malgré moi, je laisse échapper un gloussement et la tension dans la pièce se dissipe. Steph parle tellement vite que j'ai beaucoup de difficulté à suivre tout ce qu'elle dit.

— La terreur que j'ai ressentie ! Robbie, je te jure, je t'aurais tuée si tu avais osé mourir ! Toute la ville ne parle que de toi en ce moment ! Tu es une espèce de phénomène de foire maintenant...

— Je croyais que mon nom serait protégé des médias ?

— Oh, pas besoin, tout le monde est au courant de ton « accident » ! lâche Steph en balayant l'air d'une main insouciante. Tu guéris super vite à ce qu'il paraît, les infirmières racontent que tu es un miracle ! Je savais que tu n'étais pas normale !

— C'est un compliment ça ?

— Dans ces circonstances, oui !

— Une chance que je t'ai demandé de la ménager, soupire Vince en levant les yeux au ciel. Pourquoi ne pas l'achever à coup de cuiller pendant que tu y es ?

Il relâche mon amie, qui me saisit la main en me souriant. Son menton tremble. Ses yeux sont rouges et boursouflés. Elle ressemble à un zombie.

— Puisque tu es là, poursuit Vince, je vais y aller. Il faut toujours quelqu'un en sa présence, alors ne la laisse pas seule et, surtout, donne-lui un peu de temps pour se reposer.

– Non ! dis-je dans un souffle.

Il s'immobilise en face de la porte. Sans me regarder, il m'assure qu'il reviendra, sauf que je ne le crois pas. Je me retiens de crier : « Tu me dois des explications ! » Comment balancer ça sans piquer la curiosité de Stéphanie ?

– Je reviendrai, répète Vince.

Il consent à m'offrir un dernier regard. Avec le mien, j'essaie de lui faire comprendre que je le déteste, je le déteste de m'avoir forcée à mentir aux policiers, je le déteste parce que lui-même ne me révèle pas toute la vérité !

Il m'accorde un sourire fugace avant de quitter la pièce à grands pas.

– Ne t'inquiète pas, lance Steph. Je suis là. Je ne t'abandonnerai pas, cette fois.

Nous nous dévisageons pendant quelques secondes.

– Tu as une sale dégaine, Gordon, commente-t-elle finalement dans une pauvre tentative de combler le silence. Je savais que tu n'étais pas une *fashion victim*, mais c'est quoi ce turban que tu as sur la tête ? Nouvelle mode « hosto » ?

– Tu parles, tu n'es pas mieux avec ton air de zombie. Pas très sexy.

– Oh, tu peux m'insulter autant que tu veux, parce que je le mérite, je ne me suis jamais sentie aussi coupable de ma vie ! J'ai l'impression que tout est de ma faute ! Si tu étais morte, je n'aurais pas survécu moi non plus, geint-elle en se tordant les mains.

– Ne t'en fais pas. J'ai été idiote de rester avec Lana.

– Cette Lana ! crache mon amie, haineuse. Si je la croise, je lui envoie mon poing sur la figure ! Je ne l'ai pas revue depuis la fête, sauf au poste de police, lorsqu'ils interrogeaient tout le monde. Elle n'est pas venue ici une seule fois, tu te rends compte ?! Pas une ! Elle n'ose peut-être pas, avec Thierry qui est constamment sur son dos ! Je l'ai vu engueuler Lana dans le bureau de police.

– Mon frère a fait ça ?

– Bien..., hésite Stéphanie avec une grimace, il m'a engueulée aussi. Ce n'était pas une partie de plaisir, mais c'était rien comparé à ce qu'il a fait subir à Lana !

– Je m'en fiche. Elle l'a mérité.

Steph jubile devant mon haussement d'épaules. Je suis fâchée que Lana se soit montrée irresponsable et qu'elle n'ait pas pris la peine de me visiter à l'hôpital. Coma ou pas, c'est la moindre des choses, quand il s'agit de votre « amie ». Surtout que c'est en grande partie de sa faute si je me retrouve dans cet état. Je la chasse de mon esprit et je reporte mon attention sur Steph. Sa présence me fait oublier mes angoisses concernant Vince. Enfin, pour l'instant.

Je finirai bien par lui tirer les vers du nez.

Je me réveille plusieurs heures plus tard, confuse. La nuit est tombée depuis longtemps. Une petite lampe éclaire la chambre. Papa s'est aménagé une place peu confortable sur une chaise, à côté de mon lit. Il somnole, enroulé dans une couverture qu'il a rapportée de la maison. Un oreiller est coincé sous sa tête. Je ne sais pas comment il arrive à supporter cette position.

Il relève le menton lorsqu'il m'entend bouger.

— Ça va ? chuchote-t-il.

— Oui... Je me suis probablement endormie pendant la visite de Steph...

Je bâille, puis j'étudie le visage de mon père dans la pénombre : ses traits réguliers, sa bouille d'enfant dans le visage d'un homme. Il s'est mal rasé durant les derniers jours. Malgré sa barbe naissante, il affiche encore un petit air innocent. Parfois, c'est difficile de le prendre au sérieux, même quand il se montre tyrannique. Je regrette tellement de lui avoir menti au sujet de cette fête. Dans quelle torture l'ai-je donc plongé ? Il s'était très mal remis de la mort de maman : il ne dormait plus, ne travaillait plus, ne nous parlait plus. Il passait de longues soirées à boire et à regarder la télé et il faisait « mmm-mm » à tout ce que nous lui demandions. C'est une période de notre vie familiale dont nous ne parlons jamais entre nous.

Quel supplice ça a dû être pour lui... veiller sur moi à l'hôpital, ne sachant pas si j'allais rendre l'âme à mon tour...

— Papa... Je t'aime et je suis sincèrement désolée de t'avoir fait subir une telle épreuve.

— Je t'aime aussi.

Son regard brille. Il pleure. J'aimerais me jeter en bas du lit et le serrer contre moi pour le bercer.

– Ne pleure pas, papa, dis-je dans un sanglot. Sinon, je ne serai pas forte pour toi.

– Tu n'as pas besoin d'être forte pour moi. Tu l'as déjà suffisamment été comme ça.

J'essuie mes joues du revers de la main et je change de sujet pour alléger l'atmosphère.

– Je ne savais pas qu'ils étiraient les heures de visite à l'hôpital.

– Quelqu'un doit rester avec toi en tout temps. Crois-moi, c'est insupportable, tu ronfles comme une camionnette ! Ma fille n'a aucune grâce !

Je lui tire la langue, puis je souris en relevant les draps jusqu'à mon menton.

– Je peux avoir un bisou ?

Il se débat un instant avec sa couverture avant d'abandonner et de la traîner avec lui jusqu'à mon chevet. Il m'embrasse le front, puis les joues, puis les paupières pour que je les ferme.

– Bonne nuit, Irène.

Je frissonne en entendant le prénom de ma mère. Je garde les yeux clos sans piper mot. Mon père est plus éprouvé qu'il ne le laisse paraître. Je resserre les paupières afin de retenir de nouvelles larmes. Papa soupire et caresse doucement mes cheveux.

– Désolé. Ce n'est pas ce que j'ai voulu dire.

– Je sais. Ce n'est pas grave.

– Bonne nuit, mon cœur. Je t'aime plus que tout au monde.

Je me rendors avec sa main dans ma chevelure.

Deux fractures au pied gauche.

Trois ligaments déchirés dans la jambe droite.

Un tendon étiré à l'avant-bras.

Une contusion à la tête.

Un segment manquant de mon intestin grêle.

Voilà l'étendue de mes blessures. Ou du moins, l'étendue de ce que le médecin m'a énuméré avant que je le supplie d'arrêter. Mettre un nom sur mes blessures me donne le vertige. Par contre, ce qui me remonte le moral, ce sont les visites que je reçois de mes camarades de classe. Je ne pensais même pas avoir un semblant de notoriété à l'école. Non seulement il y a les élèves, mais aussi certains de mes profs. Bien sûr, je sais qu'il y a une grosse part de curiosité derrière cette soudaine empathie. Après tout, je suis la seule survivante parmi les victimes du Tueur Fou et, de surcroît, je guéris à la vitesse de l'éclair. Il n'en fallait pas plus pour alimenter les potins de Chelston.

Trois jours après mon réveil, en fin d'après-midi, Zack cogne à la porte de ma chambre. Affolée, je m'inquiète de mon apparence, de l'énorme pansement qui me recouvre la tête. Bien sûr, Zack est beau à tuer, comme d'habitude. Ses cheveux sont coiffés dans cette espèce de mohawk qui lui sied à merveille. Il piétine sur le seuil, visiblement gêné.

– Je peux entrer ?

Je hoche la tête. Il n'y a personne d'autre dans la pièce. Steph vient tout juste de partir pour aller chercher mon frère à la cafétéria, au rez-de-chaussée. Zack s'avance en me tendant un bouquet de marguerites orange et bleu.

– Tu les aimes ?

– Je les adore.

Je ne lui dis pas que j'ai déjà reçu les mêmes cinq fois.

Il se rapproche de mon lit et je trouve ça encore plus mortifiant. De près, il remarquera mes cernes, mes traits tirés, ma pauvre mine. Je joue distraitement avec un pan de mon drap pour éviter de croiser son regard.

– Je suis sincèrement désolé à propos de la fête. Tu ne sais pas combien je me méprise de t'avoir abandonnée à l'arrêt de bus. Rien de tout cela ne serait arrivé.

Zack, s'excuser à mon chevet ? C'est trop beau pour être vrai. Mon cœur palpite, j'ai des papillons dans le ventre. Je réussis quand même à lever les yeux sur lui en adoptant une mine plus ou moins neutre.

– Ne t'en fais pas pour ça, Zack. Je ne t'en veux pas. Je sais que ce n'est pas ta faute.

Ses doigts effleurent mon pansement.

– Ouh là, ce n'est pas très joli, commente-t-il avec un sourire. On dirait une rescapée de guerre.

Je ris comme une crécelle, troublée par sa proximité, l'odeur de son après-rasage, ses doigts sur ma peau. Je me souviens du bref baiser que nous avons échangé et j'aimerais répéter l'expérience, cette fois-ci en prolongeant la session afin de la savourer pleinement. Les lèvres de Zack sont là, tout près, je pourrais l'inciter à se pencher davantage en lui attrapant le poignet. Je n'ose pas. Aux dernières nouvelles, une rescapée de guerre, ce n'était pas très séduisant.

– Tu m'as l'air d'aller assez bien, ajoute-t-il. Tu devrais quitter l'hôpital sous peu, non ?

– Je ne sais pas. Ils veulent me faire passer encore quelques tests.

– Promets-moi une chose, alors. Dès que tu auras ton congé, j'aimerais que tu acceptes de sortir avec moi, un de ces soirs.

Second rire de crécelle.

– Tu n'es pas obligé de te sentir coupable à ce point-là, dis-je en détournant la tête vers la fenêtre, honteuse d'avoir ri comme une idiote.

Il prend mon visage entre ses mains et me force à le regarder. C'est la lambada dans tous mes organes vitaux.

– Je voulais te le demander depuis longtemps, même avant l'Halloween, murmure-t-il. Je t'assure que ça n'a rien à voir avec la culpabilité.

Je retiens mon souffle. Les yeux de Zack sont toujours aussi ensorceleurs.

— Est-ce que tu peux me promettre ça ? Juste une soirée ? chuchote-t-il.

— Hum-hum, grogne quelqu'un derrière nous.

Zack et moi sursautons. Vince est appuyé contre le chambranle de la porte, les bras croisés. Je vois Zack se raidir. Son regard ricoche de Vince à moi. Il ébauche enfin un sourire et le salue.

— Tu ferais mieux de partir, lui répond froidement Vince.

— Pourquoi ? demande Zack, les sourcils froncés.

Un silence accueille sa question. Je palpe une tension que je ne comprends pas, qui n'a pas sa place. Je darde un regard colérique sur Vince. J'ai l'impression qu'il dramatise la situation plus que nécessaire. Je contiens difficilement ma contrariété.

— Vince, il a le droit de me visiter comme tous les autres !

— Non, pas tout à fait, rétorque ce dernier sans abandonner sa posture glaciale. Il est parmi les premiers noms sur la liste des suspects de ton agression. Tu ne dois pas rester seule avec lui.

— Je suis innocent, lance Zack en empruntant aussi un ton glacial.

— Vince ! Laisse-nous tranquille ! Tu es ridicule !

— Si son frère te trouve ici, ça va barder, avertit Vince en m'ignorant complètement.

Zack hésite, puis il s'incline vers moi en soupirant.

— Il faut que je file, désolé. Je ne veux pas m'attirer les foudres de Thierry.

Pendant qu'il me baise la joue, je remarque qu'il décoche un regard de défi à Vince.

— Ce n'est pas ton petit ami, quand même ? souffle-t-il d'une voix assez audible pour que Vince l'entende.

— Aucune chance.

— Me voilà soulagé, alors. Je reviendrai te voir.

— Tu peux t'en passer, lâche Vince.

— Il ne s'adressait pas à toi !

— Je ne m'adressais pas à toi non plus, réplique Vince à mon intention.

Non mais, pour qui il se prend ?! Il croit détenir le droit de gérance sur mes fréquentations parce qu'il m'a sauvé la vie ? Qu'il aille au diable !

Zack quitte la pièce. J'inspire plusieurs fois, profondément, en refoulant les mots amers qui me viennent à la bouche. Vince est revenu me voir, il a tenu sa promesse, mais il ne pouvait pas choisir pire moment que celui-là ! Il a ruiné mon tête-à-tête avec Zack.

— Est-ce que tu vas bien ? me demande-t-il comme si de rien n'était.

— Fiche-moi la paix.

Du coin de l'œil, je le vois décroiser les bras et enfoncer ses poings dans ses poches.

– Combien de fois il faudra qu'on te répète de te méfier de Zack Bronovov ?

– Commence d'abord par m'expliquer pourquoi je ne devrais pas me méfier de *toi* ! Qu'est-ce que je dois penser d'un gars qui ramène les autres à la vie ?

– *Tais-toi !* siffle Vince en devenant livide.

Thierry entre alors en coup de vent dans la pièce, accompagné d'une fille aux longs cheveux de jais et aux lunettes de soleil perchées sur son nez. Vince reprend immédiatement une expression détendue.

– C'est vraiment Bronovov que je viens de croiser ? grogne Thierry en plissant les yeux.

– Il est venu me voir. Ça te pose un problème ? (je relève le menton dans un geste de défi)

– Tu le fais exprès ou quoi ? Vince, tu ne l'as quand même pas laissée seule avec lui ?!

– Il était déjà là quand je suis arrivé, s'empresse de préciser ce dernier.

Je m'écrie, outrée :

– Si Zack était l'un des suspects, la police ne lui aurait pas permis de me rendre visite ! Ce n'est pas lui mon agresseur !

– Non, parce qu'il est probablement son complice ! rétorque mon frère.

— Qu'est-ce que tu en sais ? T'as étudié en criminologie, peut-être ? Zack n'a rien à voir avec le Tueur Fou ! C'est la cré...

Je m'arrête avant que le mot « créature » ne m'échappe. Vince est tellement blême qu'on dirait qu'il va être malade. J'essaie de rattraper ma bévue.

— Le coupable, c'est quelqu'un d'autre.

— Ouais, grommelle Thierry. On verra bien. Pour l'instant, Zack n'a plus le droit de t'approcher. J'en glisserai un mot aux policiers.

Je détourne la tête en étouffant ma fureur. Mon regard tombe sur la fille qui accompagne mon frère. Phoebe, la jumelle de Vince. La revoir après si longtemps m'étonne tellement que ma colère s'évanouit.

Je ne me souviens pas exactement de la dernière fois où je l'ai vue. Elle se tient toujours à l'écart de tout le monde, elle mène sa propre vie et ne s'intéresse pas aux autres. Elle fréquente notre école, mais je la croise rarement. À part mon frère, je doute qu'elle ait des amis. J'imagine que je dois faire assez pitié pour mériter son déplacement.

— Bonjour, Robin, dit-elle quand elle constate que la dispute s'est calmée. Contente de voir que tu te rétablis rapidement.

Elle retire ses lunettes de soleil et lance un coup d'œil à son jumeau, comme si c'était plus fort qu'elle. Est-ce qu'elle est au courant du pouvoir de son frère ? Détient-elle le même ? Je ne veux pas qu'elle s'approche de mon lit, je n'aime pas son attitude polie ni son sourire qui n'atteint pas ses yeux vert olive très pâle. Heureusement, Phoebe garde ses distances. Je me sens soudainement épuisée par les visites de la journée et, surtout, par l'émotion qu'a soulevée en moi le passage de Zack. Mon corps guérit peut-être très vite, n'empêche qu'il se fatigue tout aussi rapidement.

Je ferme les yeux et je m'assoupis.

Pas pour longtemps.

« Qu'est-ce qui t'a pris ?! Tu as complètement disjoncté ou quoi ? »

« Que voulais-tu que je fasse ? »

Au début, je pense que je rêve. Toutefois, les voix sont bien réelles : une querelle a lieu dans ma chambre. Je garde les yeux clos et reste parfaitement immobile. Je reconnais la voix de Vince, à la fois basse et sur la défensive.

« Je ne pouvais pas la laisser dans cet état-là... »

« Si, tu le pouvais très bien ! Tu te rends compte du pétrin dans lequel tu nous as mis ? »

L'autre voix, acide, appartient à Phoebe. J'entrouvre à peine les yeux et je les aperçois. Ils se font face. Phoebe me tourne le dos et Vince est toujours adossé contre le mur, sauf que cette fois, on dirait qu'il y a été acculé par sa sœur. Thierry a disparu.

« Baisse le ton, tu risques de la réveiller », ordonne Vince.

Je referme rapidement les yeux lorsque je sens qu'ils regardent dans ma direction. Il y a un bref silence durant

105

lequel je retiens mon souffle, puis Phoebe reprend la conversation sur un ton encore plus bas. J'ai l'impression que les oreilles m'allongent tellement je souhaite percevoir chaque mot. Pourtant, je ne comprends plus rien ; Phoebe et Vince s'expriment dans une autre langue. Ça ressemble à de l'italien. Je suis frustrée, du moins jusqu'à ce que Phoebe s'exclame à nouveau, en français :

« Elle guérit trop rapidement pour que les autres ne se doutent de rien ! Ils savent ce que tu as fait, Vince. Tu nages dans la merde jusqu'au cou ! »

« Nous ne sommes pas obligés de la mettre au courant... »

« Ha ! La bonne idée ! Et que va-t-il arriver lorsque les premiers symptômes se manifesteront ? Tu penses sérieusement que ça va passer inaperçu ? Tu crois qu'elle ne se posera pas de questions ? La Confrérie... »

« Je m'en fiche de la Confrérie ! » tranche Vince.

« Non, tu es très loin de t'en ficher ! Il suffit de voir comment tu angoisses depuis quelques jours ! Explique-moi seulement pourquoi tu as décidé de tout risquer ? »

Mon rythme cardiaque augmente tandis que la réponse de Vince tarde à venir.

« Je ne pouvais pas la laisser mourir », répond-il finalement, à contrecœur.

Phoebe le gifle de toutes ses forces. Un cri de surprise m'échappe. Les jumeaux se retournent vers moi.

— Ne manquait plus que ça ! s'exclame Phoebe, les traits tordus de rage.

Elle quitte la chambre sans demander son reste. Vince porte la main à sa joue et pendant un moment, ni l'un ni l'autre ne pipons mot. Je serre les poings sous mes draps et je réussis à prendre la parole sur un ton calme.

– Tu me dois des explications, Vince. Maintenant.

Chapitre 8

Vince s'approche de moi et ce mouvement l'éloigne de la fenêtre. La clarté du jour qui décline lui octroie une aura à la fois énigmatique et inquiétante.

— Tu as tout entendu ? s'enquiert-il à voix basse.

— Assez pour être encore plus confuse.

— Je ne peux rien te révéler pour l'instant. Je le voudrais bien, mais je ne peux pas.

— Je suis la principale concernée, j'ai le droit de savoir ce qui se passe ! (je hausse le ton) Est-ce que tu m'as ressuscitée, oui ou non ?

Vince examine une de ses mains, l'air absent. Au bout d'un moment, il laisse tomber, laconique :

— Oui.

Oui. J'étais bel et bien morte. La sécheresse envahit ma bouche, j'ai beaucoup de difficulté à formuler la question suivante.

– Est-ce que tu es un... vampire ?

Vince rit doucement. Le son est à la fois amusé et amer.

– J'aimerais bien.

Je demande, incrédule :

– Mais alors, comment es-tu parvenu à me ramener à la vie ?

Il penche la tête sur le côté, les sourcils légèrement froncés, les yeux dans le vague... mais je connais cette position. Il donne l'illusion qu'il réfléchit à la question alors que ce n'est pas le cas, il n'a tout simplement pas l'intention de me répondre. J'attends quand même. En vain.

Je finis par m'impatienter.

– Alors, dis-moi, Vince, ce truc qui m'a attaquée, c'était bien réel, n'est-ce pas ? Qu'est-ce que c'était ?

– Un golem.

– Un... quoi ?

Je ratisse ma mémoire à la recherche d'une information, d'une explication, d'une définition quelconque associée à ce mot : peine perdue. Je lui demande de préciser et il adopte, encore une fois, son attitude faussement réfléchie. Exaspérée, je martèle mes poings serrés sur mon lit, et des larmes de frustration inondent mes yeux.

– Vince ! Je veux savoir ! J'exige la vérité, toute la vérité ! J'en deviens complètement folle, tu DOIS tout m'expliquer !

– Je ne peux pas, Robin ! Arrête de faire la gamine et essaie de comprendre ma situation ! objecte-t-il, perdant patience à son tour.

La gamine ! Si je n'étais pas alitée, je lui sauterais à la gorge juste pour ça !

– Quelle situation ? Si j'ai bien compris, tu as déjà foiré en me sauvant la vie ! Qu'est-ce que ça change une transgression de plus ou de moins ?

– Je te jure, si je pouvais tout te révéler sans conséquences fatidiques, je le ferais. Ce n'est malheureusement pas le cas. Je suis dans l'eau chaude en ce moment... En choisissant de te sauver la vie, j'ai mis la mienne en danger, lâche-t-il dans un souffle.

Cette déclaration me surprend. Je suis quand même décidée à ne pas me laisser dissuader aussi facilement.

– Si tu ne me dis rien, je raconterai tout ce que je sais à Thierry et aux autres. À propos de la créature, de ce que tu m'as... (je déglutis) de ce que tu-sais-quoi.

– Ils ne te croiront jamais, assure Vince en secouant la tête.

– Je suis très convaincante quand je veux. Thierry me croira !

Son expression devient lugubre.

– Ne dis rien à ton frère, me somme-t-il. Tu ne ferais qu'aggraver la situation.

– Dans ce cas, montre-toi plus coopératif, tu veux bien ? Tu as déjà mentionné le golem. Comment as-tu réussi à t'en débarrasser ?

Il s'abstient de répondre. Une pensée terrifiante me traverse alors l'esprit. Je balbutie :

— Est-ce que... est-ce que tu as réussi à t'en débarrasser ?

— Non, réplique-t-il sèchement.

La fenêtre est close. Pourtant, un vent glacial souffle sur ma peau et hérisse chacun de mes poils. Je déglutis péniblement, la gorge nouée.

— Non ?

— Il s'est enfui, rétorque Vince du bout des lèvres, ses yeux surveillant attentivement la porte de la chambre.

— Est-ce que ça signifie que cette chose reviendra à ma poursuite ?

— Ne t'inquiète pas pour ça. Nous prenons la situation en main.

— Qui ça, « nous » ?

Vince se mord la lèvre inférieure. Et toc ! Il vient de commettre un impair.

— Il y en a d'autres comme toi, n'est-ce pas ? Phoebe ? C'est pour ça qu'elle me déteste ?

— Elle ne te déteste pas. Où es-tu allée chercher ça ?

— Je l'ai déduit de votre dispute. Elle me préférerait morte...

— Tu n'y es pas du tout ! C'est beaucoup, beaucoup plus compliqué que ça.

Mon frère réapparaît dans la chambre, une bouteille de boisson gazeuse dans une main et une tasse de café dans l'autre. Vince pivote aussitôt vers lui. Des larmes de rage roulent sur mes joues. Thierry tend la tasse fumante à Vince en lui demandant où est passée sa jumelle.

– Elle a décidé de rentrer plus tôt que prévu.

– Tu m'étonnes (Thierry lève les yeux au ciel). Tu lui diras que sourire de temps en temps ne lui ferait pas de tort (il se tourne vers moi). Hé ! Qu'est-ce qui t'arrive ? Tu as mal quelque part ?

– Non, je remerciais justement Vince de m'avoir sauvé la vie. Tu sais, j'aurais pu *mourir*. Une chance qu'il était *là*, au *bon* moment, au *bon* endroit.

J'essuie mes joues tandis que Vince manque de s'étouffer avec son café. Je me recouche en refusant de lui accorder davantage mon attention. Il ne m'a rien appris de concret et je suis encore plus confuse qu'avant. Je veux savoir ce qu'est exactement un golem. Pourquoi n'ai-je pas eu vent de l'existence de ces créatures avant ? Qu'est-ce que Vince sous-entendait par « nous prenons la situation en main » ? Qui sont les autres qui font partie de ce « nous » ? Qu'est-ce que la Confrérie ? Grâce à quel pouvoir magique m'a-t-il res-suscitée s'il n'est pas un vampire ? Je me souviens très bien d'avoir bu son sang !

Le policier qui garde ma chambre vient nous annoncer que les heures de visite sont terminées. J'enfouis mon visage dans mes oreillers, sans tenir compte des adieux de Vince ni du bavardage de Thierry qui s'aménage une place à mon chevet.

Je réalise à quel point je connais peu de choses au sujet des Salmoiraghi, en dépit de toutes ces années à les côtoyer. Les parents de Vince et de Phoebe sont retraités, mais retraités de quoi ? Aucune idée. Ils voyagent souvent, ils ne participent pas aux activités communautaires de la ville et ne sont membres d'aucune organisation sociale. Enfin, pas que je sache. Ils habitent près du canal, à vingt minutes de mon quartier. J'ai mis les pieds chez eux une fois seulement.

Tout ça n'a pas de sens : les golems, le pouvoir de Vince, la prise de bec entre sa sœur et lui... Il me manque trop de morceaux du casse-tête.

Les médecins ont beau me faire passer tous les tests, ils ne trouvent plus d'excuses pour me garder à l'hôpital. Papa exerce une pression constante sur mon médecin pour qu'on me laisse enfin rentrer à la maison. Je reste deux jours supplémentaires à l'hôpital avant qu'il accepte finalement de signer mon départ. Je reçois donc congé un dimanche après-midi, neuf jours après mon hospitalisation. Dès notre arrivée à la maison, mon père m'installe au salon pour me faire une mise à jour de ses restrictions.

— Tu n'as plus le droit de sortir sans m'avertir. En fait, tu ne peux pas sortir sans que je l'autorise. J'exige aussi une liste complète de numéros où je peux te joindre et tu dois être à la maison à dix-neuf heures tapantes tous les soirs de semaine...

— Papa, tu exagères !

— ... et vingt et une heures le week-end, si je l'ai autorisé. Je ne veux pas non plus que tu fréquentes ce Bronovov. J'ignore ce qui se passe entre vous deux, mais ça ne me plaît pas du tout.

J'ouvre la bouche, stupéfaite. Adossé contre le montant de la porte du salon, Thierry évite scrupuleusement mon regard.

– C'est de l'abus ! Tu ne connais même pas Zack ; il n'a rien à voir avec le Tueur Fou !

– Possible. Par contre, je n'aime pas la réputation qu'il traîne avec lui.

Je me retiens de répliquer quelque chose de cinglant. Vaut peut-être mieux que je ne proteste pas (pour l'instant). Après tout, je mérite ces sanctions. Mon agression n'aurait pas eu lieu si je n'avais pas menti à mon père.

– Ah ! Et ton cellulaire doit toujours être ouvert, ajoute-t-il.

Je pousse un gros soupir.

– C'est Lana qui l'a. Je l'ai oublié dans sa voiture.

– J'irai le récupérer, propose Thierry.

– Oh, ça va, hein, je peux bien le faire toute seule, merci !

Je fais la moue, mais pas pour très longtemps. Mon père me serre contre lui en m'embrassant sur le front. Je lui rends son étreinte et j'en oublie mes nouvelles obligations.

Je retrouve ma chambre dans l'état chaotique où je l'ai abandonnée avant la fête d'Halloween. Avec une petite pensée pour ce qu'a été le sort (inconnu) de mon déguisement, je ramasse ce qui traîne. Je déteste quand ma chambre est en désordre. Je jette ce qui est inutile, plie soigneusement mes vêtements, replace mes flacons de parfum sur ma commode, aligne mes Converse à côté de ma dernière paire de sandales. J'essuie mon bureau, l'écran de mon ordinateur, les portes de ma penderie, le battant de ma fenêtre... J'éprouve un sentiment bizarre, je ne me sens plus à ma place. Après avoir sorti un miroir de poche de mon bureau, j'étudie mon visage, tâchant d'y déceler un changement flagrant. À part les quelques cicatrices sur mon front, tout est pareil : le teint basané, les yeux légèrement en amande et les boucles rebelles héritées de ma mère, le petit nez et le menton têtu de mon père. Je reste prostrée, les yeux dans le vague, tentant d'identifier l'origine de cette sensation irritante.

– Hé, dit Thierry en entrant dans ma chambre comme si je l'y avais invité. Tout va bien ?

– Tu parles ! J'ai a-do-ré le magnifique tableau de Zack que tu as dépeint à papa !

– Merci, ce fut un plaisir, réplique Thierry sur le même ton sarcastique. Ne te fais pas d'illusion, ce n'était pas par hasard que la « Nuit Blanche » circulait chez lui, ce soir-là.

– Premièrement, c'est « Neige Blanche ». Deuxièmement, n'importe qui aurait pu en apporter et troisièmement, je ne veux plus en parler avec toi, ça ne sert à rien !

Je me laisse tomber sur mon lit, non sans lancer un de mes oreillers à la figure de mon frère. Thierry le rattrape au vol et le comprime distraitement entre ses doigts, tout en se rapprochant de moi.

– Quand j'ai appris que tu étais à l'hôpital, j'ai prié pour la première fois de ma vie.

Le changement de conversation me prend de court. J'ouvre la bouche sans répondre, les yeux rivés sur lui.

— Je refusais de perdre ma petite sœur comme j'ai perdu ma mère, poursuit-il. Après son accident, je me suis juré que je prendrais soin de toi. Alors, ne m'en veux pas si tu me trouves surprotecteur. C'est seulement pour ton bien, tu sais.

Sans parvenir à émettre un son, je tapote maladroitement sa main. Thierry performe quelques pas de danse, histoire d'alléger l'atmosphère.

— Le souper sera prêt dans dix minutes, déclare-t-il. C'est papa qui l'a cuisiné, donc prépare ton estomac à toute éventualité !

Je souris en guise de réponse et j'attends patiemment qu'il disparaisse dans le couloir avant de verser quelques larmes. La mort de maman est un sujet tabou. Un après-midi, quelques semaines après mes dix ans, elle a été heurtée au coin de la rue par un automobiliste. Nous n'avons jamais retrouvé l'auteur du délit de fuite. Les événements entourant la tragédie sont vagues dans ma mémoire, comme si un nuage noir plombait sur mes souvenirs. Tout ce dont je me souviens, c'est que j'étais chez Steph (sa sœur nous gardait après l'école), que Thierry est venu me chercher après son entraînement de hockey, que nous étions près de la maison quand la voisine nous a forcés à entrer chez elle et à attendre l'arrivée de papa. Le reste est encore plus flou, tout s'est enchaîné tellement vite, je ne revois que les images : le visage blafard de papa quand il nous a annoncé la nouvelle, la main de Thierry qui tremblait pendant les funérailles, mes grands-parents qui chuchotaient en nous lançant des regards à la dérobée, le cercueil, la fosse, le silence. Ensuite, les souvenirs deviennent plus cohérents, plus douloureux aussi. La dépression et le bref épisode d'alcoolisme de papa, la soudaine maturité de Thierry, les longues soirées à trois où personne ne se parlait.

J'essuie furtivement mes yeux du bout des doigts alors que l'idée subite, impérative, de visiter l'antre de maman s'impose à moi. L'antre est la pièce du sous-sol dans laquelle papa a entreposé tous les effets personnels de ma mère après son accident. Les derniers bijoux qu'elle a confectionnés, ses albums de photos, ses livres, ses vêtements, ses chaussures, ses accessoires de toilette, absolument tout ou presque y est. Nous n'avons jamais eu le cœur de les jeter, ni même de les trier. Je n'ai pas remis les pieds dans cette pièce depuis que j'y ai surpris papa en train de sangloter.

Je ne sais pas si c'est à force de fuir le sujet, s'il s'agit de ma façon de réagir au drame ou si c'est parce que nous avons enfoui dans le sous-sol tout ce qui lui appartenait, mais avec les années, même le visage de ma mère s'est effacé de mes souvenirs.

J'emprunte l'escalier qui mène au sous-sol. Au passage, une agréable odeur de steak chatouille mes narines. Ça doit être bon signe. D'habitude, lorsque papa cuisine, ça sent le ranci.

Il fait plus sombre et plus frais en bas. Le plancher est glacé sous mes pieds nus. Un frisson me parcourt. L'antre est à l'autre bout du couloir et, déjà, je n'ai plus envie de m'y rendre. Quelque chose m'arrête, une drôle d'impression ou, plutôt, un pressentiment. Le sous-sol m'apparaît tout à coup comme un territoire inconnu, presque dangereux. Sans que je sache pourquoi, ça me rend nerveuse. Un souvenir essaie de remonter à la surface, mais ma mémoire le bloque, l'empêche de se manifester. Un souvenir très déplaisant.

Je remonte rapidement à l'étage supérieur.

118

Au souper, mon père me présente une assiette de légumes et de purée de pommes de terre, enrobés d'une sauce aux champignons crémeuse et odorante. Mon estomac fait presque des cabrioles quand je hume l'effluve savoureux qui émane de mon repas.

– Ne mange pas trop vite, me lance papa. Le médecin t'a prescrit un régime, mais je me permets de te gâter un peu, surtout après ces pseudo-repas qu'ils te servaient à l'hôpital.

– Et c'est *lui* qui se permet de critiquer ? murmure Thierry à mon intention. Lui qui nous cuisine *toujours* des pseudo-repas ?

– Papa, dis-je en ignorant mon frère, tu as réussi le souper ! C'est une première !

– Attends de goûter d'abord, marmonne Thierry en enfonçant lentement un couteau dans la chair moelleuse de son steak saignant.

– Tu as toujours été un fils encourageant, le nargue papa en se servant à son tour. Non, ce soir, je ne crois pas que je vais vous empoisonner. J'ai reçu un peu d'aide.

– De qui ? La voisine ? s'enquiert Thierry. Est-ce que madame Stellas t'a aussi montré comment allumer le four ?

Pendant qu'ils plaisantent, je me penche au-dessus de la table pour me couper un morceau de steak que papa a omis de mettre dans mon assiette. Je divise la viande en quatre, en me délectant d'avance de la chair juteuse et rouge, que je badigeonne de sauce avant de mâcher un morceau. Le goût est riche et indescriptible. On dirait que je n'ai pas mangé quelque chose de décent depuis des mois.

Je lève les yeux lorsque je réalise que mon père et mon frère ont interrompu leurs taquineries pour me dévisager avec des yeux incrédules. J'avale ma bouchée.

– Quoi ?

– C'est bon ? interroge Thierry d'un air bizarre.

– Oui ! Je te jure, c'est tout à fait mangeable.

Ils continuent de m'observer pendant que je mastique un autre morceau.

– *Quoi ?*

– Finalement, dit papa, à la fois amusé et sceptique, je pense bien que ton séjour à l'hôpital t'a laissée un peu amnésique...

– Tu as oublié que tu étais végétarienne ? demande Thierry.

Ah.

Je comprends maintenant pourquoi mon père a « négligé » de me servir du steak. Je fixe mon assiette en sentant monter dans ma gorge un début de nausée. Du steak. Saignant. Pas étonnant que le goût me soit indescriptible : je suis végétarienne depuis l'âge de neuf ans ! Comment ai-je pu oublier ça ?! Pendant sept ans, j'ai refusé de toucher un repas mitonné à partir d'un animal qui avait déjà été en vie ! Je veux repousser mon assiette, mais en même temps, l'odeur de la viande est si sulfureuse que mon estomac crie sous la torture.

– Tu es sûre que tu aimes ça ? veut savoir Thierry.

Je hoche la tête sans répondre. Une partie de moi souhaiterait se détourner avec répulsion, l'autre anticipe la prochaine bouchée.

Je mâche.

Non ! Ne bouffe pas ce truc. Tu es contre ! Contre !

J'avale le tout en ingurgitant un peu d'eau et je me coupe une autre tranche.

Stop, stop !

— Robin, tu sais que tu retournes à l'école demain, dit papa.

— Hum-hum.

— Tu devras t'habituer à la présence de deux policiers en civil autour de toi. Ils te surveilleront pendant une semaine ou deux. Ils veulent s'assurer que tu ne cours plus aucun danger. Ils veulent aussi identifier des suspects potentiels dans ton entourage.

Robbie, tu commets le plus terrible des sacrilèges. Tu es vé-gé-ta-ri-en-ne ! C'est un principe de vie. Tu ne peux pas déguster ce steak !

— Ils ne t'embêteront pas, continue mon père sur le même ton. Ils feront tout pour ne pas attirer l'attention.

— OK, tant qu'ils ne me suivent pas jusqu'aux toilettes, dis-je entre deux bouchées.

Papa sourit. Mon estomac gargouille de satisfaction. À dire vrai, les histoires de flics et de filature me laissent indifférente. Ce qui m'importe en ce moment, ce sont les golems, les Salmoiraghi et le sourire de Zack. Je *sais* que le Tueur Fou n'a rien à voir avec ma récente agression. Peut-être n'existe-t-il même pas, alors...

Saignant, Robbie, saignant. C'est le summum de la sauvagerie. Arrête-moi cette comédie !

Je termine mon assiette.

Chapitre 9

Le lendemain matin, Stéphanie sonne à notre porte à huit heures et demie. Elle porte ses plus vieux jeans et son manteau d'automne. Elle a recouvert ses cheveux indomptables d'un foulard rouge coquelicot.

— Tadaa ! s'écrie-t-elle joyeusement. Devine qui t'offre une petite balade jusqu'à l'école aujourd'hui ?

Je la suis jusqu'à la Honda Civic de sa sœur aînée, maugréant intérieurement contre le froid de novembre. Je cligne des yeux en louchant. Il y a deux types qui traînent près de la maison, je les ai remarqués hier soir. Mes fameux gardes du corps. Roger et Roger, comme je m'amuse à les surnommer. Je les salue de la main.

— Crois-moi, personne ne va te lâcher les baskets aujourd'hui, me prévient mon amie tandis que ma sœur met la clé dans le contact. Tout le monde veut savoir ce qui t'est arrivé.

— Merci pour le scoop, Steph.

Je joue nerveusement avec la boucle de ma ceinture de sécurité. J'ai raté une semaine d'école. Je me demande si je saurai rattraper la matière que j'ai manquée.

— Ne t'inquiète pas, tente de me rassurer Stéphanie. J'ai pris des notes pour toi.

Vu le succès de Steph dans notre dernier examen de chimie (D- !), je doute que ses notes me servent à grand-chose...

Nous arrivons enfin dans le stationnement de l'école. Je remercie Katia et sors du véhicule au moment même où Vince se gare en trombe juste à côté, me prenant ainsi par surprise. Je ne m'attendais pas à le revoir aussi rapidement, encore moins au sourire qu'il m'offre après avoir retiré son casque de moto. Il nous salue de la tête, Steph et moi.

— Tu n'es pas revenu me voir à l'hôpital, dis-je sur un ton accusateur.

— Je sais et j'en suis désolé. J'ai eu quelques complications familiales. De la visite et...

— Une réunion de la Confrérie, peut-être ?

Vince conserve son sourire, mais je sens que derrière ses lunettes fumées, son regard se durcit. Je regrette aussitôt ce que je viens de dire.

— Ton humour me laisse parfois perplexe, Robin, rétorque-t-il sans se démonter. À plus tard, les filles.

Il s'éloigne avant que je puisse m'excuser.

— Mouais, Gordon, pas fameuse ta blague, jette Stéphanie. Allez, viens, on va être en retard !

Je lui emboîte le pas jusqu'aux portes principales. Sur mon passage, plusieurs têtes se retournent et les conversations vont bon train. Beaucoup d'élèves me souhaitent un bon retour ; certains me félicitent carrément d'avoir survécu à l'attaque du Tueur Fou, comme si je l'avais convoqué en duel.

– Robin !

Lana s'impose devant moi. Ses cheveux, qui cascadent habituellement en torsades de feu sur ses épaules, sont lâchement retenus dans une queue-de-cheval sans prétention. Des cernes noircissent ses yeux et son teint est de craie. Pour la première fois depuis que je la côtoie, je ne suis pas subjuguée par son charme. De toute manière, avec sa pauvre mine, du charme, elle n'en a pas trop en ce moment.

– Tu es dans notre chemin, lui fait remarquer froidement Steph.

– Est-ce que tu vas bien ? s'informe la rouquine en faisant la sourde oreille.

Je susurre avec un sourire faussement radieux :

– Aussi bien qu'une personne récemment éventrée puisse aller. Et toi, ça boume de ton côté ?

Un silence inconfortable s'installe. Ni moi ni Steph n'essayons de le briser. Lana tripote les cordons de son pantalon de jogging, une tenue décontractée qui n'est pas du tout son style d'ordinaire. Elle délaisse ses cordons pour fouiller dans son sac. Mon téléphone cellulaire apparaît dans sa main.

– Tu l'avais oublié dans ma voiture, la nuit de... où... quand...

— Oh, chouette ! lance Steph en lui arrachant l'appareil. Robin, c'est quoi la fonction pour effacer son numéro ?

Lana lui décoche un regard rempli de haine.

— J'aimerais te parler en privé, me dit-elle.

— Elle n'est pas intéressée, réplique Stéphanie en fermant le rabat de mon téléphone.

— Robin, me supplie Lana (des larmes s'accumulent dans ses yeux émeraude).

Depuis que je la connais, je ne l'ai jamais vue verser une seule larme. Qu'elle sanglote devant moi est à la fois étrange et satisfaisant.

— Je suis désolée ! Vraiment, vraiment désolée ! Pardonne-moi, s'il te plaît, j'ai agi comme une...

— Grosse vache, complète Steph, implacable.

— Comme une idiote ! termine Lana en haussant la voix. Je me sens immonde !

— Tu devrais, murmure Stéphanie.

— Tu n'es jamais venue me voir à l'hôpital, Lana.

— Je sais, la culpabilité... et ton frère qui piquait une crise chaque fois qu'il me croisait... je n'ai pas osé. Je m'en excuse. Qu'est-ce que je dois faire ? Dis-moi ! Je veux que tout redevienne comme avant !

Les larmes inondent maintenant ses joues. Je deviens rapidement mal à l'aise, je ne sais plus où regarder. Je suis moins rancunière que je le pensais.

— C'est bon, c'est bon, sèche tes larmes.

Lana me serre dans ses bras dans un déluge d'excuses et de remerciements. Derrière elle, je vois Stéphanie faire semblant de vomir. Lana me libère enfin de son étreinte avec un petit rire embarrassé et me promet de me rejoindre à l'heure du dîner. Après son départ, je croise le regard furibond de Steph.

— Il fallait vraiment que tu croies à ses larmes de crocodile, hein ? ronchonne-t-elle.

— Elle était sincère !

— Elle joue au théâtre, Robbie ! s'indigne mon amie en levant les bras au ciel. Elle pourrait te faire croire n'importe quoi ! On a vu son vrai visage, le soir de l'Halloween ! C'est une égoïste qui ne pense qu'à profiter des autres !

Steph continue de se plaindre pendant que nous descendons dans la salle des casiers. Je ne tiens pas compte de son discours ; je sais que c'est le ressentiment qui l'anime. Ainsi qu'une petite dose de jalousie qu'elle n'ose pas s'avouer.

Zack est appuyé contre ma case. Mon cœur bondit littéralement dans ma gorge. Je vérifie que Vince ou mon frère ne sont pas dans les parages.

— Steph, on se revoit plus tard !

Je hausse les sourcils pour lui faire comprendre que je veux rester seule en compagnie de Zack. Froissée, elle disparaît dans la direction opposée. Zack décroise les bras à mon approche et son demi-sourire crée la fameuse fossette que j'adore.

— Bon retour, Robin.

Il se penche pour me baiser les joues. Ses lèvres atterrissent près des miennes à chaque bec. Je frissonne délicieusement.

— Tu m'as l'air dans une forme splendide, ajoute-t-il.

J'aurais préféré avoir mis un peu plus d'efforts dans ma tenue, j'ai l'air trop négligée. Bon, tant pis. Zack aime le résultat quand même.

— Merci, toi aussi, tu n'es pas mal.

FAUX ! « Pas mal » est un terme faible parce qu'en réalité, il est beau comme une star, comme un héros mythique, comme un dieu. Il s'écarte de ma case afin que je puisse l'ouvrir. Sa présence à quelques centimètres de moi m'embrouille totalement l'esprit.

— Est-ce que tu te rappelles notre entente ? chuchote-t-il à mon lobe d'oreille.

— Notre entente ? (les souvenirs de sa visite à l'hôpital me reviennent) Tu veux dire... sortir avec toi un de ces soirs ? Je ne crois pas avoir eu le temps de te promettre quoi que ce soit, dis-je avec un petit sourire.

— Ça peut s'arranger, non ?

Mon rythme cardiaque s'emballe. Je sens une certaine tension monter entre nous. Je pourrais palper le désir qui émane de lui. Mes mains tremblent légèrement. Je n'ai qu'une envie : sauter sur Zack et l'embrasser comme jamais il n'a été embrassé de sa vie. Mon ventre se crispe à l'idée de goûter ses lèvres, de glisser ma bouche sur son menton, sur sa jugulaire, croquer dans sa pomme d'Adam, sentir le sang qui...

Mes pensées me ramènent brusquement à la réalité. Je refoule tant bien que mal mes fantasmes bizarres. D'abord le steak saignant de la veille, maintenant ça... Ma parole, je me transforme en cannibale !

– Alors, qu'est-ce que tu en dis ? me relance Zack. Un tête-à-tête, toi et moi.

– Euh... oui, ça peut sûrement s'arranger.

J'ai chaud partout, c'est incroyable. C'est une sensation merveilleuse et étourdissante. Le doigt de Zack caresse la courbe de ma joue. Je suis certaine que ma peau est brûlante. Ses yeux de miel demeurent accrochés aux miens pendant plusieurs secondes. Une éternité. Il me prend doucement la main.

– Viens, suis-moi.

Docile, je me laisse entraîner jusqu'au troisième étage. La cloche sonne, mais on ne s'en préoccupe pas ni l'un ni l'autre. Il ouvre la porte d'un laboratoire de chimie désert et me tire à l'intérieur avant de me coincer contre la porte. Il pose une main de chaque côté de ma tête. Son regard est enflammé, il consume chaque parcelle de mon visage. Sa bouche s'entrouvre et se rapproche de la mienne. Son souffle effleure mes lèvres, l'odeur de sa peau et de son eau de toilette me fait chavirer... J'agrippe sa chemise et l'attire à moi d'un geste fluide. Sa bouche fond sur la mienne et l'engloutit dans un baiser fiévreux, extraordinaire. Mon cœur bat à toute vitesse, j'entends le sang qui afflue dans mes artères. Mes jambes deviennent toutes molles. J'embrasse sa gorge. Sous mes lèvres, sa jugulaire tressaute, je mords dans sa peau, pas trop fort, juste assez pour laisser des marques. Il grogne et me mordille l'oreille. Ses doigts deviennent tout à coup plus insistants, plus curieux...

– Non, ça suffit, stop, dis-je, à bout de souffle.

Il obéit aussitôt à ma requête et appuie son front contre le mien. Nous reprenons tranquillement notre respiration.

– On se revoit après les cours ? (il me baise brièvement les lèvres) Je t'amène quelque part où nous pourrons parler.

Je remarque alors que mon t-shirt est presque remonté jusqu'à ma poitrine. Avec un sursaut de pudeur, je le redescends d'un geste sec de la main et j'évite le regard de Zack.

– Oui, d'accord. Ce serait une bonne idée de *parler*...

– Je t'attendrai devant ta case.

Ses lèvres effleurent les miennes une dernière fois et je le laisse passer pour sortir du labo. Je reste appuyée contre la porte un petit moment pour calmer mon excitation. Qu'est-ce qui vient de se passer ?! Tout ça a été fulgurant ! J'ai l'impression d'avoir vécu l'un de ces moments dignes d'un film à l'eau de rose, où les deux protagonistes ne résistent plus à l'attraction qu'ils exercent l'un sur l'autre et se laissent emporter par la passion. C'était tellement... w-o-w. Mes cuisses tremblent rien que d'y penser. C'est l'expérience la plus sensuelle que j'ai connue de ma vie et j'en veux encore, je veux en connaître plus, je veux franchir la barrière, oublier le reste, me laisser guider par mes instincts les plus sauvages...

Je quitte le laboratoire d'un pas chancelant. J'ai la sensation de marcher dans une bulle... une bulle qui éclate lorsque je tombe nez à nez avec Phoebe. Je m'arrête, étonnée. Je me demande si elle est là depuis longtemps ou si elle vient tout juste d'arriver.

– Euh... salut, Phoebe...

Elle me fixe sans répondre. Je perçois sans peine la colère qui irradie de tout son être.

– Qu'est-ce qui te prend ? siffle-t-elle enfin entre ses dents. Tu ne comprends rien à ce qu'on te demande ou tu fais exprès de jouer les imbéciles ? Qu'est-ce que tu fichais avec Bronovov ?

La fureur me gagne à mon tour.

– Est-ce que tu m'épiais ?! Je n'arrive pas à y croire ! Ce que je fais avec lui ne te regarde pas ! (je la dépasse, abasourdie) Et encore moins ton frère !

Avant même que je puisse faire un pas de plus, elle m'empoigne par un bras et me plaque contre le mur. Le choc et la douleur me font momentanément monter les larmes aux yeux. Son visage est déformé par le mépris.

– Écoute-moi, petite nigaude. Tes histoires, ta vie, je n'en ai absolument rien à cirer ! Mais mon frère s'est mis dans le pétrin pour sauver ta misérable existence. Il sera puni pour ça. Ne rends pas son sacrifice inutile et obéis : évite Zack Bronovov comme la peste ! Est-ce que tu m'as bien entendue ?

Sous son regard de jugement dernier, je couine lamentablement :

– Oui.

Elle me relâche, puis s'éloigne à grands pas. Je m'écarte du mur en frottant mon avant-bras douloureux. Je suis époustouflée. Qu'est-ce qu'ils ont tous à croire que Zack me veut du mal ? Je sais qu'il n'a rien à voir avec mon agression, c'est une certitude aussi puissante que celle qui m'habitait quand j'ai compris que j'allais mourir.

J'erre dans les couloirs, trop perturbée pour me rendre à mon premier cours. Puis, me souvenant que les surveillants

131

risquent de me surprendre, je me mets à l'abri dans les vestiaires du gymnase, m'installe sur un banc et réfléchis. Je dois parler à Vince. Il faut au moins qu'il m'explique cette histoire de punition.

Quand je t'ai sauvé la vie, j'ai mis la mienne en danger.

Je n'ai pas réalisé la gravité de ces paroles lorsqu'il les a prononcées dans ma chambre d'hôpital. Pourquoi Vince a-t-il mis sa vie en jeu pour la mienne ? Qu'est-ce que ma « misérable existence » lui apporte au point qu'il veuille se sacrifier ?

Éviter Zack est une tâche qui se révèle à la fois pénible et quasi impossible. Il est continuellement dans mon champ de vision. À la sortie de la cafétéria, il m'a souri et j'ai baissé les yeux, coupable, tourmentée. Je n'ai pas le choix de lui faire faux bond après les cours. Il est absolument hors de question que Phoebe me surprenne en train de quitter l'école avec lui. Après la sonnerie de la dernière cloche, je ne descends pas dans l'aire des casiers, où je sais que Zack m'attend. À l'extérieur, je louche sous la lumière. Je cligne des yeux et ma vue est temporairement embrouillée par des taches blanchâtres. On dirait bien que mon long séjour entre quatre murs d'hôpital a fragilisé ma vue. Je vois mes deux Roger, je les salue discrètement puis me dirige vers la Ducati de Vince. Je le vois, plus loin, en compagnie de mon frère. Thierry lui tape l'épaule avant de partir dans la direction opposée, une fille blonde accrochée au bras. Vince s'avance vers moi. Il ne dit rien, enfile son casque et attend que je parle la première. Le soleil miroite sur sa visière, me faisant loucher de nouveau.

– Excuse-moi pour ce matin (je prends un air penaud pour appuyer mes propos).

Il hoche la tête et je continue, avec plus d'assurance :

– J'aimerais bien qu'on discute au sujet de...

En silence, il grimpe sur son engin. Je recule, à la fois résignée et frustrée devant son manque d'intérêt. Mais, à ma surprise, il me tend un deuxième casque.

– Monte.

Chapitre 10

Je m'agrippe plus fermement à la taille de Vince lorsque la moto effectue un virage à droite plutôt rude et s'arrête dans une station-service. Vince retire son casque et consulte son rétroviseur.

– Il y a une voiture qui nous suit depuis un moment.

– Oh... Il s'agit de mes gardes du corps attitrés, Roger et Roger.

– C'est stupide, ils ne sont même pas subtils. Celui qui veut ta peau attendra qu'ils cessent de te filer avant de récidiver.

– Ah, merci, Vince ! Ça c'était rassurant !

Il sourit.

– Je t'ai déjà dit de ne plus t'inquiéter. Accroche-toi, on redémarre.

Ce n'est qu'en distinguant le lit du canal que je comprends qu'il nous amène chez lui. Bientôt, nous remontons une colline et traversons une banlieue cossue, aux maisons dissimulées derrière des rangées de peupliers. Vince propulse la moto dans une rue à sens unique. Il éteint le moteur devant la grille de sa demeure. Je retire mon casque en appréciant l'air frais qui s'infiltre dans mes narines, puis je vérifie que mes deux Roger nous ont bien suivis. Une voiture sombre se gare un peu plus loin. Je leur fais un signe de la main et j'emboîte le pas à Vince. Je piétine tandis qu'il enfonce ses clés dans la serrure : je n'ai pas encore oublié ma rencontre désagréable avec Phoebe...

— Ma sœur assiste à son cours de piano et mes parents sont absents, dit Vince comme s'il avait lu dans mes pensées. Nous serons tranquilles.

Il m'invite à l'intérieur. Je frotte mes espadrilles sur le paillasson en parcourant le hall d'entrée du regard. Rien n'a changé depuis ma dernière visite. Les mêmes portraits de famille décorent les murs et le même vase japonais repose sur la petite table lustrée du couloir. Oscar Furibond, un chat persan tout gras, dresse la tête à notre arrivée. C'est Phoebe qui l'a baptisé ainsi. Je n'ai jamais compris pourquoi, il est tellement placide. Il est blanc de la tête aux pattes, hormis la tache noire qui lui obscurcit l'œil gauche. On dirait qu'il a reçu un coup de poing.

Vince m'entraîne dans la cuisine et me propose quelque chose à boire. Ça tombe bien, ma gorge est sèche. Plus que quelques minutes avant la fameuse conversation...

Pendant qu'il me sert un jus d'orange, je cherche autour de moi un signe quelconque, n'importe quoi, qui trahirait l'appartenance de la famille Salmoiraghi à une secte ou à un autre truc du genre. Il n'y a pas un seul bibelot étrange, pas de gravure avec des signes kabbalistiques ni d'objets fétiches nulle part. Tout paraît normal. Vince me tend mon verre, puis m'indique la porte-fenêtre qui donne sur la cour arrière.

Les Salmoiraghi ne possèdent pas de piscine ni de barbecue, mais un énorme jardin dans lequel on retrouve une quantité formidable de spécimens floraux durant l'été. En ce moment, l'approche de l'hiver dépouille le jardin de sa beauté estivale. Nous nous avançons jusqu'à une balançoire qui est en fait une longue planche de bois, assez grande pour deux, arrimée par des cordes aux branches de deux peupliers. Je m'assois timidement pendant que Vince s'installe à califourchon.

Du pied, il met fin au balancement de notre banc.

— Je n'ai pas apprécié ton petit commentaire ce matin. Surtout devant Stéphanie.

— Je me suis déjà excusée. Steph n'a rien compris de toute façon.

— Peut-être, mais les murs ont des oreilles, Robbie. En plus, tu es tombée pile sur la vérité.

— Il y a vraiment eu une réunion de la Confrérie chez toi ?

Je scrute les alentours, avec l'impression que des hommes encapuchonnés à la *Da Vinci Code* vont surgir de nulle part.

— Nous sommes seuls, me rappelle Vince en me voyant agir.

— Qu'est-ce que tu entends par « les murs ont des oreilles » ?

— Disons... qu'il n'est pas à mon avantage qu'on découvre ce que j'ai fait, répond-il après quelques secondes d'hésitation.

– Je croyais que la Confrérie était déjà au courant ?

– Un cercle restreint de gens seulement.

Malgré moi, un sourire de dérision me vient aux lèvres. J'essaie de tenir une conversation sur un sujet dont je ne sais absolument rien ! J'avale d'un trait le reste de mon jus et je triture le verre entre mes doigts.

– Regarde-moi, Robin.

J'obéis et sursaute légèrement lorsque Vince me soulève le menton du bout de ses doigts. Pendant une seconde de panique absurde, je pense qu'il veut m'embrasser. Mais il ne fait que maintenir mon visage entre ses longs doigts, tout en me fixant droit dans les yeux. Son expression change et me rappelle celle que monsieur Grenet affiche lorsqu'il est sur le point de m'annoncer que j'ai coulé un examen.

Pas très réconfortant.

– Tu louches un peu, déclare Vince.

– C'est parce que tu es à un centimètre de mon visage, dis-je dans un souffle.

– Non, tu louches depuis ce matin. Je l'avais remarqué (son ton devient insistant).

– Mouais... La fatigue.

– Non. Ce sont les premiers symptômes qui apparaissent.

– Les premiers symptômes de quoi ?

Il se repositionne sur la balançoire, qui proteste en grinçant contre ce nouveau transfert de poids.

– Robbie, on ne revient pas du monde des morts sans en payer le prix.

Ses mots ont l'effet d'une douche froide. Je serre les bras sur ma poitrine, frissonnante. Vince ne semble pas se rendre compte de mon malaise.

– Qu'est-ce que tu veux dire par là ? je chuchote, les nerfs à vif.

Il riposte par une autre question :

– Est-ce que tu possèdes des lunettes de soleil ?

– Quelle question ! *Toutes* les filles de mon âge ont des lunettes de soleil ! Pourquoi ?

– Parce que dans quelques jours, tu ne supporteras plus le soleil. Tu auras la sensation qu'il te brûle les yeux, peu importe son intensité.

Cette nouvelle me laisse perplexe. Je réfléchis à vive allure.

– C'est pour ça que tu portes presque toujours des lunettes fumées ? Tu n'y vois rien sans elles, à l'extérieur ?

– On peut dire ça. Au début, ce sera difficile de t'ajuster : tu t'habitueras avec le temps. Il suffit que tu patientes jusqu'à la fin de la période de transition (silence). En te ressuscitant, Robin, je t'ai transformée à jamais. Il y a plein de choses chez toi qui changeront, si ce n'est pas déjà fait.

Le souper de la veille me revient brusquement en mémoire, comme une bulle de savon qui éclate. La révulsion monte en moi.

– J'ai dévoré du steak hier soir, alors que je suis végétarienne depuis sept ans ! Ça me dégoûtait parce que je violais l'un de mes principes et pourtant, je ne pouvais pas m'empêcher de manger cette viande ! Est-ce qu'il s'agit d'un autre symptôme ?

– Est-ce qu'elle était saignante, ta viande ?

– Oui.

Il secoue la tête en soupirant.

– Tu n'auras plus jamais le même appétit. Tu ne te satisferas plus des repas que tu appréciais jusqu'à présent. Tu auras soif d'autre chose...

Je songe à mon assiette de la veille. Je n'ai pas touché une seule fois aux pommes de terre ni aux légumes. Je les ai même ignorés pour me servir une deuxième portion de steak ! L'horreur se propage en moi comme de la poudre à canon.

– Que m'arrive-t-il, Vince ???

– La nuit de ta mort, j'ai fait de toi l'une de nous. Je t'ai Maudite à jamais pour que tu puisses reprendre vie.

J'entends les feuilles bruisser autour de nous. Je frissonne... mais pas de froid.

– La Malédiction date du milieu du XVe siècle, reprend Vince dans un murmure, et elle a été proférée à notre encontre par un groupe de femmes qui prétendaient pouvoir « commander les cieux et les ténèbres ». Partout où ces femmes nomades passaient, des choses étranges se produisaient :

par exemple, des maux mystérieux frappaient ceux qui s'opposaient à elles, ou les récoltes pourrissaient dans les terres qui leur refusaient passage (il sort distraitement son collier de l'encolure de son t-shirt). La méfiance s'est vite répandue dans toute l'Europe et pour calmer la terreur des habitants, une poignée de familles nobles, de différentes régions, a pris les choses en main.

Je fixe les doigts de Vince alors qu'il joue fébrilement avec la tête de mort qui oscille au bout de sa chaîne. J'ai envie de lui dire d'arrêter, parce que ça me rend presque aussi nerveuse que son récit.

— Une chasse aux sorcières a été organisée pour éliminer ces femmes, continue-t-il. Une fois retrouvées et arrêtées, elles ont été traînées au bûcher sans aucune autre forme de procès. Avant de périr, elles ont lancé un sort à leurs tortionnaires, leur jurant qu'ils seraient condamnés à une longue vie de tourments que rien ne pourrait soulager, pas même la mort.

Je reste coite, rivée aux paroles de Vince. Il poursuit, l'air de plus en plus sinistre :

— Peu de temps après, chaque seigneur qui avait contribué à la mise à mort de ces nomades, ainsi que tous les membres de leur famille, ont développé les symptômes de la Malédiction. Leur appétit avait disparu ; leur seule manière de se désaltérer était de s'abreuver de sang animal ou humain. Le jour les éblouissait et les forçait à se cloîtrer chez eux tandis que la nuit, ils étaient tourmentés par les Autres. Certaines familles ont perdu la totalité de leurs biens, ont été persécutées ou obligées de s'exiler pour éviter d'être accusées d'hérésie à leur tour (il délaisse son collier tout en poussant un long soupir). Ma famille est une lignée directe de l'un de ces Maudits et, en te ressuscitant, je t'ai Maudite aussi parce que je t'ai fait boire mon sang. C'était égoïste de ma part parce qu'à présent, tu portes le fardeau de ma famille.

Perturbée, j'inspire lentement, mais sans me laisser le temps d'assimiler ces terribles informations, Vince enchaîne rapidement :

— J'ai cru pendant un instant que tu ne développerais pas les symptômes (et je sens dans sa voix qu'il essaie d'atténuer son ton fataliste). Le contraire m'a été prouvé. Ta vue qui défaille, ta Soif de sang, bientôt ce sera les Autres. Tu seras sensible à leur présence, tu les verras tout le temps. Eux aussi te verront et ils te hanteront. Certains chercheront à te faire du mal...

— Mais de qui parles-tu !?

Le regard de Vince se plante dans le mien.

— Les morts, chuchote-t-il.

Je sursaute violemment, glacée d'effroi.

— Il doit bien avoir un moyen de briser ce sort, non ?!

— Aucun. Et si l'intensité de certains symptômes – comme notre vision pendant le jour – a diminué avec les années, ça ne change rien. Nous tentons de restreindre le nombre de Maudits en nous unissant entre nous autant que possible. Bien sûr, il y a des exceptions. Tu en es une et il y en aura sûrement d'autres. Maudire quelqu'un est gravement punissable par la Confrérie... parfois même de mort.

— Vous n'êtes pas immortels ?

Un sourire triste apparaît sur ses lèvres.

– Non, mais c'est vrai que je suis difficile à... éliminer, disons. Je peux survivre à la plupart des blessures et maladies graves, bien que je reste vulnérable à leur douleur. La Malédiction stipule clairement que nous devons souffrir le plus longtemps possible, jusqu'à ce que la mort daigne nous rendre grâce.

– Guérir rapidement, c'est quand même un plus dans tout ça...

Ma réplique récolte un froncement de sourcils de sa part.

– Tu es la seule que je connaisse qui guérit à une telle vitesse, Robin.

J'exerce une légère pression sur mon pied appuyé par terre afin de donner un petit élan à la balançoire. Étrangement, le mouvement qui suit, accompagné du craquement de la planche, me fait recouvrer un peu de sang-froid. Ça redonne un semblant de normalité à une situation macabre, complètement tirée par les cheveux. D'une voix plus calme, je récapitule :

– Donc, en me ressuscitant, tu as enfreint les lois de ta Confrérie.

– Oui. Tu ne seras jamais totalement comme nous parce que tu ne proviens pas d'une souche pure. Mais bon, au train où tes symptômes se développent, je ne vois pas trop la différence, conclut-il dans un haussement d'épaules un peu trop défaitiste à mon goût.

– Et qu'est-ce que la Confrérie, exactement ?

143

– C'est l'autorité qui représente les familles Maudites.

– Ce n'est pas une secte ?

Il éclate franchement de rire. C'est le premier son joyeux qui émane de lui depuis le début de notre discussion.

– Pas du tout ! Tu imagines vraiment mon père à la tête d'une secte ? Tu nous voyais comment ? Accroupis autour d'un pentacle à invoquer des esprits sinistres ?

– Ton père est à la tête de la Confrérie ?

Le sourire de Vince s'efface. Il écarte quelques brins d'herbe du bout de sa chaussure.

– En quelque sorte... Les Salmoiraghi tiennent la barre de la Confrérie. Les décisions finales sont énoncées par mon grand-père. C'est probablement pour ça que j'éviterai la peine de mort, pour t'avoir ressuscitée. On a tenu un conseil de famille durant lequel mes cousins et mes oncles les plus proches ont débattu de mon sort.

Je déglutis péniblement.

– Quelle est ta... punition ?

Vince adopte sa fameuse posture songeuse et garde le silence. Je maugrée, résignée :

– D'accord, laisse tomber... Seulement, est-ce que tu avais besoin d'avouer que tu m'as ressuscitée ? Tu aurais pu garder ça secret, non ?

– Justement, c'était impossible, ce que j'ai fait était trop évident ! Tes blessures, ta guérison « miraculeuse »... et comme par hasard, c'est moi qui t'ai retrouvée ! Ça se sait lorsque quelqu'un devient Maudit. Ça se sent. Tu n'aurais pas pu te cacher longtemps.

Quelque chose dans sa façon détachée de répondre me prévient qu'il ne me dit pas tout. Je n'insiste pas, j'ai déjà beaucoup trop d'informations épouvantables à absorber pour le moment.

— Aussi, ajoute-t-il après une légère hésitation, tu n'es pas censée connaître notre secret. En général, nous tuons ceux qui l'apprennent... Mais j'ai plaidé ta cause, affirme-t-il précipitamment tandis que j'écarquille les yeux, sous le choc. Ma punition devrait suffire à ce qu'on te laisse tranquille. Dans le meilleur des cas, après mon châtiment, on t'acceptera comme membre de la Confrérie.

« Dans le meilleur des cas »... Dit comme ça, je ne me sens pas plus rassurée !

— Et dans le pire des scénarios ? Qu'est-ce qu'il adviendra de moi ?

— Ne t'inquiète pas pour ça maintenant. Rien de tout cela ne se réglera avant la fin de ma punition.

— Et combien de temps va-t-elle durer ?

Vince hausse les épaules.

— Aucune idée. Ça dépend de la Confrérie. La notion du temps n'est pas la même pour nous que pour les autres. Les jours ressemblent aux semaines, les semaines ressemblent aux mois, les mois aux années. Alors disons plusieurs mois, si je suis chanceux.

Vince, puni pendant des mois ? Pour m'avoir ramenée à la vie ? Je frissonne, encore et encore. Mon sort n'est pas scellé. Comme si ce n'était pas suffisant d'apprendre que je serai vouée à une « longue vie de tourments » ! À présent, c'est pire, je ne suis même pas assurée d'avoir droit à une longue vie, point !

L'angoisse engendrée par toutes ces nouvelles menace de s'ancrer pour de bon. Encore une fois, je donne un élan à la balançoire, mais le truc ne marche plus vraiment, j'ai toujours une boule dans la gorge, l'estomac noué et les doigts glacés.

D'une voix anxieuse, j'attaque l'autre sujet qui me préoccupe :

– Parle-moi des golems.

Vince réfléchit quelques secondes.

– Considère-les comme des marionnettes vivantes. Il existe un assortiment d'entités dans ce monde, dont tu ne pourrais même pas soupçonner la présence. Les morts, les démons, les... (il s'interrompt en voyant mon expression épouvantée) Bon, revenons aux golems : ils n'agissent jamais seuls, jamais de leur plein gré. Ils appartiennent tous à un maître qui les contrôle, celui-là même qui en est le créateur. Chaque golem est identifié par une inscription, qu'on trouve généralement sur sa bouche ou sur son front. Ce sceau offre plusieurs indices. Il peut s'agir d'un mot ou d'un ordre qui indique exactement ce que la créature doit accomplir. Ça peut aussi être le nom auquel il répond ou le nom de son créateur. Arracher le sceau rend le golem inactif, complètement inutile. Un peu comme si tu retirais les piles d'un jouet.

Vince fait un geste vague de la main.

– J'ai eu l'occasion d'étudier quelques golems auparavant. La plupart servaient leurs maîtres uniquement à titre de domestiques ou d'animaux de compagnie ; des tâches inoffensives. Ils étaient façonnés dans l'argile ou le bois. Par contre... le golem qui t'a attaquée a été fait à partir d'un corps humain. Dans ce cas, il s'agit d'une expérience mettant en scène les sciences occultes.

La voix de Vince descend d'un cran, comme s'il se parlait à lui-même.

– La conception d'un golem de chair est strictement prohibée par la Confrérie. Ça implique obligatoirement l'utilisation de cadavres et de forces surnaturelles trop dangereuses.

Perplexe, je questionne :

– Celui qui a créé mon golem est aussi un Maudit ?

– Pas nécessairement. N'importe qui peut en avoir un, il suffit seulement de savoir comment le créer. Je ne connais qu'une seule personne qui ait déjà eu l'audace de produire un golem humain...

Vince s'arrête et passe une main dans ses cheveux. J'en déduis qu'il ne m'en dira pas plus à ce sujet-là non plus. Je demande alors :

– Est-ce que tu penses que le Tueur Fou existe réellement ? Que le golem et lui sont reliés ?

– Oui. La « Neige Blanche » que les victimes ingurgitent, les corps dépecés... Je ne sais pas exactement ce que le Tueur Fou recherche en massacrant ses victimes comme ça.

— Tu m'as dit à l'hôpital que tu n'as pas réussi à te débarrasser du golem qui m'a attaquée. Comment es-tu parvenu à le faire fuir, alors ?

— *Il* s'est enfui à mon approche, rectifie Vince, contrarié. À cause de ça, je n'ai pas eu le temps de lire le sceau qui l'identifie.

— Mon golem n'en a pas, donc on ne peut pas l'arrêter, c'est ça ?

— C'est impossible qu'il n'ait pas de sceau.

— Crois-moi, j'ai bien vu sa gueule et son front de près ! Il n'en avait pas, Vince !

— Ça signifie seulement que le Tueur Fou l'a dissimulé ailleurs.

Je ne vois pas où un sceau peut se cacher sur le corps nu d'un golem et sincèrement, je préfère ne pas trop y songer.

— Peut-être que le Tueur Fou a perdu le contrôle de la créature ! Peut-être même que le Tueur Fou n'existe pas et que c'est un golem déchaîné qui agit seul depuis le début !

Vince lève les mains en porte-voix et, dans une parfaite parodie de moi-même, il lance :

— Je répète pour les sourdes et les malentendantes : *le golem ne peut pas agir sans un sceau* ! (je lui fais les gros yeux) Crois-moi Robbie ! Il est manipulé par quelqu'un de bien réel ! Ce n'est pas par hasard que la « Neige Blanche » est impliquée dans ces massacres, c'est un geste prémédité et non « déchaîné », comme tu dis. Ce n'est pas non plus une coïncidence si le poison circulait chez les Bronovov cette nuit-là : l'un des invités était le maître du golem.

Penser à Zack me fait penser à Phoebe, ce qui me rappelle les menaces qu'elle m'a faites à l'école. Je réprime un grognement.

— Et bien sûr, tu es persuadé que le coupable est Zack ! Désolée, mais je l'imagine très mal cacher un golem dans sa cour arrière.

— Humm, marmonne Vince sans se trahir. Ou bien, il s'agit d'un autre membre de sa famille qui...

— Ses frères étaient à l'extérieur du pays ! La police a déjà recueilli toutes ces informations !

— Robbie, tu ne comprends pas. La bestiole qui t'a tuée a servi d'alibi au Tueur Fou. Elle lui a permis de rester loin des scènes de crime.

— Mais sérieusement, Vince, penses-y un peu : Zack ? Massacrer des filles à travers la région ? Absurde ! Ce n'est même pas lui qui m'a offert le verre empoisonné !

— Est-ce que tu peux le confirmer avec certitude ? Tes souvenirs étaient très flous, à l'hôpital.

— Oui, dis-je sans hésiter.

Une image me revient brusquement en mémoire. Lana, tout sourire, me tendant l'un des *shooters* en criant par-dessus la musique : « Robin ! C'est Zack lui-même qui te les offre ! » Vince a dû sentir mon soudain malaise parce qu'il répète en insistant sur les mots :

— Avec *certitude* ?

— Oui ! C'est trop facile d'accuser Zack. Il y avait une cinquantaine d'invités à cette soirée. Tu l'as bien vu, tu y

149

étais ! N'importe qui aurait pu glisser ce poison dans le verre. Les policiers l'ont affirmé.

Il soupire et s'appuie contre le tronc du peuplier derrière lui. Son geste entraîne la balançoire avec lui et mes pieds touchent à peine le sol, maintenant.

— Robbie, est-ce que je peux te poser une question ? Franchement ?

— Euh, oui, dis-je sans réfléchir, surprise de devenir le centre d'intérêt.

— Qu'est-ce que tu lui trouves vraiment, à Zack ? Qu'est-ce qui t'attire chez lui ?

La réponse me vient aussitôt à l'esprit : son regard ensorceleur, ses lèvres pleines, son sourire à une seule fossette, son corps viril, sa voix grave, tout ce qui se dégage de lui...

Mon doigt trace le sillon du bois de la balançoire. Au bout d'un moment, je murmure, un peu gênée :

— Tu ne comprendrais pas.

— Essaie quand même.

J'avale laborieusement ma salive.

— Je suis amoureuse de Zack. Je ne pense qu'à lui, je fonds chaque fois que je le croise, je connais toutes les intonations de sa voix et je...

— Tu ne connais pas l'amour, Robin, coupe Vince en secouant la tête.

– Bien sûr que si ! J'ai peut-être seize ans, mais ça ne signifie pas que je ne ressens aucune émotion !

– Je n'ai pas dit que tu étais incapable de ressentir des émotions, précise-t-il. Ça, j'y crois, mais ce que tu éprouves pour Bronovov, ce n'est pas de l'amour. Tu ne le connais pas plus qu'il ne te connaît.

– Comment peux-tu en juger ? Est-ce qu'il a besoin de savoir ma couleur préférée pour passer le test ? Même Steph n'en a aucune idée !

– Jaune.

La vitesse à laquelle il réplique me cloue le bec. Je fronce les sourcils, énervée. C'est la bonne réponse.

– OK, mais...

– Tu préfères le jaune depuis que ton frère t'a offert une jonquille le jour où tu t'es blessée au genou, en bicyclette. C'était pour te consoler. Tu avais sept ans. Le jaune te rappelle la quiétude, le citron, les journées ensoleillées, la présence de Thierry. Tu es un vrai garçon manqué même si, parfois, tu essaies d'imiter Lana Sarkys. Tu as un sale caractère et tu t'emportes très vite, mais le feu s'éteint aussi rapidement qu'il s'allume : c'est facile de te distraire et de te calmer. Tu n'es pas rancunière pour un sou. Tu adores les couchers de soleil, tu détestes lire, tu ne sais pas nager (il tend la main et saisit une boucle de mes cheveux entre ses doigts, un air pensif sur son visage). Tu t'es coupé les cheveux sur un coup de tête, un soir de juillet. Ça t'a permis de mettre fin au deuil de ta mère. Tu es devenue végétarienne à neuf ans. Tu fronces le nez lorsque tu n'obtiens pas ce que tu veux. Tu raffoles des films d'horreur. Tu mens très bien, mais je te connais trop pour tomber dans le panneau chaque fois. Je te connais par cœur, Robin.

151

Silence. Avec une certaine irritation, je me demande combien de fois Vince m'a scrutée derrière ses lunettes de soleil sans que je m'en rende compte.

– Zack ne sait rien de tout ça. Et tu ne pourrais pas énoncer une seule particularité qui le concerne, parce que tu n'en sais pas plus sur lui que lui sur toi. Donc, tu ne connais pas l'amour, achève-t-il en baissant la voix.

Sa main quitte lentement mes cheveux. Je détourne la tête, loin de ses yeux bleus, de son visage sérieux, et bafouille maladroitement :

– Oui... eh bien... Nous étions en train d'avoir une conversation à propos de tes origines, ne change pas de sujet, d'accord ?

– D'accord.

Je cherche une question à lui poser afin de me distraire du trouble dans lequel il vient de me plonger.

– Quand est-ce que les symptômes sont apparus chez toi ? À moins que tu sois né comme ça ?

– Les symptômes surgissent toujours à la puberté pour ceux qui sont de véritables Maudits. Je les ai eus à treize ans. Ma sœur, à douze.

– Vous l'avez bien caché ! Je n'arrive pas à croire que je vous ai fréquentés pendant toutes ces années sans me douter de quoi que ce soit !

Ses doigts tripotent sa chaîne une nouvelle fois, nerveusement.

– Robin, je dois t'avouer autre chose qui risque de ne pas te plaire, alors là, pas du tout.

Je vois qu'il mâche ses mots, qu'il pèse les conséquences qu'auront ses paroles sur ma réaction. Je me sens encore plus tendue. *Quoi encore ?* Qu'est-ce qui risque de ne pas me plaire après tout ce que je viens d'apprendre ?!

Il secoue la tête, prenant finalement la décision de se lancer :

– J'habite ici depuis seulement un an.

Je lève un sourcil.

– Je ne suis pas sûre de comprendre ce que tu veux dire.

– Tous les souvenirs que tu as de moi, et qui datent de plus d'un an, sont faux. Truqués. Les moments que nous avons passés ensemble alors que nous étions enfants n'ont jamais existé.

Je souris.

– Robbie, je suis sérieux.

– Tu crois vraiment que je vais avaler un truc pareil ? D'accord pour la résurrection, pour le golem, pour la Confré-rie... Mais un lavage de cerveau ? Franchement, tu peux trouver mieux !

– Souviens-toi d'un seul moment que nous avons vécu ensemble avant tes quinze ans.

– Facile. Il y a la fois où nous... je...

Le souvenir m'échappe, disparaît.

– Il y a... ah ! Le match préliminaire de hockey ! La fois où Thierry a marqué trois buts de suite ! Tu étais venu avec mon père et moi...

Le souvenir m'est difficile à récupérer et lorsque j'y pense, je ne revois que mon père et moi, debout sur les bancs de l'aréna, en train de hurler le nom de Thierry avec fierté. Frustrée, je me débats avec ma mémoire. Aucune image de Vince à huit, dix, treize ou seize ans ne me revient, seulement les plus récentes où il a déjà dix-sept ans. Rien, *nada*.

– Tu m'as embrouillée avec toutes tes révélations ! Normal que je sois confuse !

– Tu ne retrouveras pas ces souvenirs. Ils n'ont jamais été vrais et, en te ressuscitant, notre charme ne fonctionne plus sur toi. Tu es immunisée.

Mon cœur s'affole, j'ai les tempes brûlantes.

– Je ne comprends pas. Des... des faux souvenirs ?!

– Il s'agit d'un de nos charmes. Un genre... de lavage de cerveau, comme tu dis.

– Pourquoi faites-vous ça ?!

– Pour justifier notre apparence ou notre présence dans certains lieux. Je te l'ai dit, la notion du temps n'est pas la même pour nous que pour vous. Après la puberté et l'apparition des symptômes, nous vieillissons plus lentement. Beaucoup, beaucoup plus lentement.

– Ce qui veut dire ?

Ma voix sonne comme un claquement de fouet.

– Que nous gardons notre apparence de jeunesse très longtemps.

Je ne suis toujours pas certaine de comprendre, ni certaine que tout cela ne soit pas, au final, qu'un mauvais rêve.

– Si ce que tu avances est vrai... quel âge as-tu réellement, Vince ?

Une ombre d'hésitation traverse le bleu de ses iris.

– *Quel âge as-tu ?!*

Comme il ne répond toujours pas, je bondis sur mes pieds. La balançoire ballotte sous la rudesse de mon geste. Je m'écrie, d'une voix chevrotante :

– Tu sais quoi ? Laisse tomber ! Je ne veux pas le savoir ! Je ne veux pas savoir si tu as dix-sept ou cent ou vingt mille ans ! Parce que ça ne change rien, ça ne change pas le fait que je vis dans le mensonge depuis un an ! Ce que je croyais connaître de toi, de ta famille, n'est qu'une illusion que vous m'avez imposée !

– Calme-toi, reviens t'asseoir et ...

– Non ! Je ne veux plus rien entendre ! La Confrérie, les golems, la Malédiction, tout ça pouvait *peut-être* passer encore, mais mes souvenirs préfabriqués ? C'était de trop ! C'est la goutte qui fait déborder le vase !

J'avance de quelques pas, je recule, je fulmine sur place, je ne sais plus quoi faire de mon corps.

— Et Thierry ! Qui te considère comme un frère ! Qui ne jure que par toi ! Tous ses sentiments et ses souvenirs... des illusions !

— Nous ne touchons pas aux sentiments, ils se forgent d'eux-mêmes...

— Qu'est-ce que t'en sais ? Nos sentiments découlent de ces fausses expériences ! Alors ne me fais pas croire que tu n'influences pas ce que je ressens ! Une chose est sûre, je ne continuerai pas à observer mon frère gober ces mensonges !

— Ne dis rien à Thierry ! ordonne Vince. C'est très important qu'il ne sache rien à propos de moi ou de ma famille : tu le mettrais en danger de mort si tu lui disais quelque chose. Personne ne doit savoir notre secret. Ce n'est pas le moment de commettre des bêtises !

Je serre les poings.

— Tu appelles ça une *bêtise* ?! Est-ce que tu te rends compte de l'immensité de ce que tu viens de m'avouer ? De l'impact que ça provoque sur toute ma vie ? Créer des souvenirs dans la tête de quelqu'un est un acte tellement...

Haletante, je cherche le mot juste.

— ... Irrespectueux ! Je me sens... mentalement violée ! Voilà ! C'est une violation de mes pensées ! De quel droit vous vous permettez de vous introduire dans la vie des autres comme ça ? Combien de choses ai-je crues, aimées, et qui sont fausses à présent ? (mon menton tremble) Que vas-tu m'annoncer, maintenant ? Que la mort de ma mère est un faux souvenir aussi ? Qu'elle est vivante et exilée sur une île déserte ?

Vince se lève à son tour de la balançoire. Je recule lorsqu'il s'approche de moi.

– Robin, je suis désolé, dit-il patiemment. Ta mère est bel et bien morte. Nous n'avons pas la force de contrôler les événements. C'est seulement ce qui *nous* concerne qui est faux.

Il fait quelques pas supplémentaires dans ma direction.

– Ne t'approche pas de moi ! Reste là où tu es !

– Calme-toi, Robbie...

– Ne m'appelle plus comme ça ! C'est fini les surnoms, tu es un étranger ! Je ne sais plus rien de toi !

Je lutte contre les larmes et la panique. Une vie maudite, maintenant des faux souvenirs ! C'est un cauchemar ! J'enfouis mon visage dans mes mains.

– Je rentre chez moi !

– D'accord, mais...

– Je ne veux plus te voir, Vince. Apprendre que tout ce que je sais de toi n'est qu'un énorme canular, je... J'ai besoin de réfléchir et de digérer ça.

– Robin, je t'en prie, ne pars pas fâchée contre moi.

Je m'enfuis littéralement à travers le jardin. Vince m'appelle plusieurs fois, mais je ne me retourne pas. Je cours vers l'auto des deux Roger, ouvre une des portières arrière et me jette sur la banquette.

– Ramenez-moi à la maison, dis-je devant leur air ahuri.

Chapitre 11

Je regarde sans le voir le paysage défiler devant mes yeux. Plus j'y pense, plus l'histoire de Vince et de sa famille me semble complètement absurde. Tout est faux. Ça n'existe pas les malédictions, les démons, les golems et la possibilité de créer des souvenirs chez les gens. Mais alors... comment expliquer mon attaque, ma mort puis mon retour à la vie ?

Je regrette tellement d'être allée à la fête de Zack ! Rien de tout ça ne serait arrivé, j'aurais poursuivi ma vie tranquillement, avec mes rêves, mes préoccupations quotidiennes...

... Mais ce serait une vie bernée par les faux souvenirs de Vince. Comment peut-il prétendre me connaître si ça fait seulement un an qu'il habite ici ? Comment expliquer qu'il soit au courant des événements que j'ai vécus alors que je n'avais que sept ans ? Ma blessure au genou, la jonquille que mon frère m'a offerte... Est-ce qu'il lit aussi dans mes pensées ? S'il peut modifier mes souvenirs, de quoi d'autre serait-il capable ?!

— Tout va bien ? demande Roger, celui qui est au volant.

— Oui.

— Une dispute avec ton petit ami ? interroge le deuxième Roger.

— Ce n'est pas mon petit ami ! dis-je sèchement.

Les deux Roger échangent un sourire de connivence. Ça m'énerve encore plus et je détourne les yeux vers la fenêtre, ayant hâte plus que jamais de rentrer à la maison.

— Ne prends pas l'habitude de nous utiliser comme chauffeurs, m'avertit Roger en retrouvant son sérieux. Ça ruinerait notre mission. Nous devons nous familiariser avec ton entourage et te suivre pour ta propre protection, tout en passant inaperçus. Nous ne sommes pas à ton service pour te conduire à travers toute la ville.

Je marmonne avec mauvaise grâce, le regard toujours fixé sur ma vitre :

— D'accord. Je garderai ça en tête.

Devant la maison, je les remercie poliment et me dépêche de rentrer. C'est presque l'heure de mon couvre-feu. Je n'ai pas vu le temps passer chez Vince.

La notion du temps n'est pas la même pour nous que pour les autres...

À mon grand soulagement, Thierry n'est pas encore de retour. Je n'aurais pas pu le regarder en face après tout ce que je viens d'apprendre. Je monte dans ma chambre en secouant la tête pour chasser ces pensées. Fini Vince, finis les Salmoiraghi et finies leurs histoires rocambolesques. Je dois songer à quelque chose de plus plaisant, de plus « normal ». J'aimerais appeler Steph afin qu'elle me change

160

les idées, mais alors il faudrait que je lui explique pourquoi j'ai quitté l'école sans elle, que je lui raconte le baiser torride que j'ai échangé avec Zack...

Je m'étends sur mon lit, contrariée. En dépit de tous mes efforts, les révélations de Vince ne cessent de me tarauder l'esprit. Le sang bouillonne en moi, la peur aussi. Je ne sais pas ce qui m'attend, je ne sais pas comment réagir face à tout cela. L'idée que je croiserai des morts pour le reste de ma vie n'est pas reluisante pour un sou. Le silence de la maison me semble de moins en moins naturel. Suis-je réellement seule ? Ou suis-je entourée de fantômes que je ne vois pas encore ? Je frissonne en songeant à l'antre de maman. Est-ce que j'y verrais ma mère ? Sous quelle apparence ? Quand Vince me parlait des morts, ceux-ci n'avaient pas l'air très sympathiques. Je préfère penser que maman veille sur moi, du haut du ciel. Je me recroqueville sur mon lit en fermant les yeux.

Malgré mon angoisse, je sombre rapidement dans le sommeil.

Un petit bruit sec me réveille.

Ma chambre est plongée dans l'obscurité. Je jette un coup d'œil sur le réveil. Une heure du matin. Je me frotte les tempes en me redressant à moitié. À cette heure-ci, Thierry et papa doivent être rentrés. Je tends l'oreille. Il me semble percevoir un son étrange, assourdi... Ce n'est pas le même bruit qui m'a réveillée. C'est plutôt un... un son de tambour. De deux tambours. Bam-bam. Bam-bam. Bam-bam-bam. Serait-ce... Non.

Impossible.

Pourtant, plus je tends l'oreille, plus j'en suis persuadée... Ces bam-bams sont les battements de cœur de Thierry et de mon père ! La chair de poule apparaît sur mes bras. Avant que je puisse assimiler ce qui m'arrive, le son sec qui m'a réveillée recommence.

Quelqu'un cogne à la fenêtre de ma chambre.

Je me fige sur mon lit. Je n'ose pas bouger, j'ose à peine respirer. Ma chambre est située au deuxième étage, je ne vois pas comment quelqu'un pourrait y grimper. À moins que... *Un mort ?!*

– Robbie !

C'est la voix de Vince. Je me précipite pour lui ouvrir la fenêtre, à la fois incrédule et quelque peu rassurée.

– Enfin ! halète-t-il en se hissant à l'intérieur. Je commençais à croire que je devrais casser la vitre !

– Qu'est-ce que tu fiches ici ?!

Je me plante devant lui pour l'empêcher d'avancer plus loin dans ma chambre. Il soupire et se retourne pour fermer la fenêtre. Je poursuis sur le même ton sans équivoque :

– Je croyais m'être clairement fait comprendre quand je t'ai dit que je ne voulais plus te voir !

Il ne m'écoute pas. Il scrute dehors, l'air alerte.

– J'ai été suivi.

– Bien sûr. Tu as déjà oublié mes Roger ? Avec un peu de chance, ils t'ont vu entrer et ils vont t'arrêter. J'en serais bien contente, remarque !

– Pas de danger, réplique Vince. Ils sont en train de ronfler devant la maison. D'ailleurs, tu devrais leur dire de surveiller la cour arrière. N'importe qui peut accéder à ta chambre. Ils sont stupides et inutiles.

Ses fréquents coups d'œil par la fenêtre me rendent mal à l'aise. Je demande, d'une voix que j'aurais souhaitée moins craintive :

– Qui t'a suivi, alors ?

– Une Autre.

La terreur se répand dans tous mes muscles.

– Elle est encore là ? dis-je dans un souffle.

– Oui. Dans la cour.

– Qu'est-ce qu'elle fait ?

– Rien. Elle reste plantée là. Non, jette-t-il fermement lorsque je m'approche à mon tour. Tu ne la verrais pas de toute façon. Pas encore.

Il m'éloigne de la fenêtre. Son regard bleu est translucide dans la pénombre. Mon cœur se remet à battre plus vite. En écho, j'entends ceux de mon père, de Thierry... et de Vince. Je fixe son torse, ayant l'impression que je pourrais *voir* son cœur. Troublée, je balbutie :

– Qui est-ce ?

– Je ne sais pas, je ne la reconnais pas. Écoute, ne t'inquiète pas, elle ne fera rien, elle est juste... là.

– Ah oui, ça me rassure !

– Les Autres ne peuvent pas entrer chez toi à moins d'y être invités. Ne les invite jamais à l'intérieur, c'est important. On va se créer un code pour la prochaine fois : je cognerai trois fois de suite et tu sauras que c'est moi.

– Quelle prochaine fois ? Je ne veux pas que tu reviennes ! (je fulmine) D'ailleurs, comment as-tu réussi à monter jusqu'ici ? Nous sommes au deuxième !

– J'ai grimpé sur le chêne.

– Est-ce que les morts peuvent grimper aussi ?

– Oui.

– Génial !

Je m'assieds sur mon lit, les bras croisés. Vince s'appuie contre la porte de mon garde-robe en enfouissant ses mains dans les poches de son jean. Nous nous dévisageons pendant un moment, en silence. Je pousse enfin un soupir contrarié.

– Je ne voulais pas te revoir, Vince. Pas si tôt, en tout cas.

Il hausse les épaules à moitié.

– C'est moi qui avais besoin de te revoir, murmure-t-il. Ma punition commence demain et je ne sais pas combien de temps elle va durer, alors je ne veux pas que nous nous quittions en mauvais termes.

Je le fixe, étonnée.

– Demain !

Il hoche la tête. Je rumine cette annonce en reportant mon regard sur mes pieds nus. Je ne le reverrai pas avant je ne sais combien de jours, de semaines. Soudain, je prends réellement conscience de ce qui m'attend : Vince va disparaître pour une période indéterminée et je continuerai à développer des symptômes étranges. Je serai seule face à cette nouvelle réalité, sans compter le golem qui risque de m'attaquer n'importe quand ! Et ces fantômes qui se plantent sous ma fenêtre quand ça leur chante !

Je prends ma tête entre mes mains, découragée. Vince se rapproche du lit. Je me raidis. Il ignore mon malaise et s'accroupit en face de moi. Il me prend doucement les poignets afin de les écarter de mon visage. Son regard plonge dans le mien.

– Je n'ai pas envie de te pardonner pour les faux souvenirs, Vince. Ça me met trop en colère.

– Robbie, je te le répète, tes sentiments et ceux de Thierry à mon égard sont vrais (sa voix est aussi douce qu'urgente). Ils découlent de ces faux souvenirs, mais ces souvenirs sont influencés par ce que vous percevez et apprenez de nous, ce que vous ressentez pour nous. Si vous ne nous aimez pas, vos souvenirs seront désagréables, et vice-versa. Plus vous apprenez à nous connaître, plus... plus votre mémoire se modifie pour alimenter ces faux souvenirs. Mais, en aucun cas, nous ne réinventons votre vie. Je ne suis pas un étranger, je vous connais tous les deux. Je... (il hésite) Je me suis attaché à Thierry comme il s'est attaché à moi. Je l'aime comme un frère, Robin. Ne doute jamais de ça.

Il y a une autre pause durant laquelle je garde les yeux rivés sur ses doigts, dont la pâleur contraste vivement sur le teint plus sombre de mes poignets. J'humecte mes lèvres avant de demander :

– Comment ça fonctionne ?

— Je ne sais pas, c'est automatique. Phoebe a une théorie darwiniste à ce sujet.

— Darwiniste ?

— Charles Darwin. Le père de la théorie de l'évolution. Tu l'as sûrement étudié en biologie.

— J'ai coulé bio, merci de me le rappeler. Qu'est-ce que Phoebe pense de ce sujet ?

— Selon elle, il s'agirait d'une habileté naturelle que nous avons développée au fil des années afin de nous permettre de survivre.

Je sourcille, pas très convaincue.

— Ne me regarde pas comme ça ! C'est vrai, c'est ce qui nous a permis de dissimuler nos traces et nos origines, de ne pas semer de doutes quant à notre apparence qui ne change pas avec les années. Et, dans une petite ville comme Chelston, nous n'avons pas eu le choix de nous inventer une vie antérieure dans la tête de la plupart des habitants. Sans ça, nous ne serions jamais passés inaperçus.

Je libère mes poignets de son étreinte. Il se redresse doucement et je recule davantage sur mon lit. Mes doigts agrippent les draps pendant que je serre les lèvres sur une question qui manque de m'échapper. Son âge... J'aimerais bien le lui redemander, mais je ne suis pas sûre de vouloir connaître la réponse.

— Tu es encore fâchée ? s'enquiert-il alors que le silence s'éternise.

— Peut-être. Non. Je ne sais pas. Je suis confuse, irritée et dépassée par tout ça. Y a-t-il autre chose que je devrais savoir ?

Vince se laisse glisser sur le sol. Seuls ses yeux sont détectables dans la noirceur. J'attends un moment, puis un autre, et enfin je chuchote :

– Quel âge as-tu ?

Il se détourne en fixant le vide.

– J'ai soixante-dix-huit ans, répond-il à contrecœur. Je suis né dans les années 1930, en Italie. Mon vrai nom est Vincenzo.

Je m'étouffe avec ma propre voix :

– Soi... soixante-dix-huit ans ?!? Tu as l'air d'en avoir maximum dix-neuf ! Mais tu m'as dit que tu n'étais pas immortel !

– Je ne le suis pas, je vieillis plus lentement, me rappelle-t-il patiemment.

– C'est impossible ! (j'avale ma salive avec peine) Et ta sœur aussi ?

– Bien sûr, nous sommes jumeaux.

– Et quel est son vrai nom, à elle ?

– Tu le lui demanderas. Je n'ai pas le droit de le révéler, dit Vince, inflexible.

Je l'entends tambouriner le plancher du bout de ses doigts.

– Pourquoi ?

– Parce que c'est une règle qui s'applique à tous les membres de la Confrérie. Nous modifions nos prénoms avec les années pour mieux nous camoufler. Nos noms originaux sont nos biens les plus précieux, ils pourraient être utilisés contre nous.

— Pourquoi m'as-tu confié le tien, alors ?

Il ne répond pas. Je me couche sur mon lit, encore sous le choc. Vince a soixante-dix-huit ans et un prénom complètement ringard ! Il a connu la Deuxième Guerre mondiale, Marilyn Monroe... C'est incroyable !

— Je comprends pourquoi tu excelles toujours en Histoire ! C'est de la triche ; ça doit faire dix fois que tu refais le même cours ! Ça ne te tue pas ?

— Je ne suis jamais allé à l'école secondaire avant d'emménager ici.

— Pourquoi ?

— Parce que... j'avais autre chose en tête et, comme je te l'ai dit, je vieillis plus lentement depuis la puberté. J'ai eu longtemps l'apparence d'un garçon de douze ans.

Je me relève en écartant ma frange de mon front.

— Tu es sûr que tu n'es pas un vampire ?

Je ne le vois pas, mais je sais qu'il sourit.

— Tout ce que tu m'as décrit jusqu'à maintenant correspond au vampirisme ! La jeunesse éternelle, la Soif de sang, la résurrection, la vie de damné, la sensibilité au soleil...

— Non, je n'en suis pas un. Mais c'est vrai que la plupart des récits de vampires sont inspirés de mes ancêtres.

– Votre existence n'est plus un secret, alors.

– Si, tant que nous pouvons nous camoufler derrière la fiction.

Vince rejette la tête en arrière, fixe le plafond et souffle :

– Ça y est. Je viens officiellement de briser tous nos codes de conduite.

– Qu'est-ce que ça change ? Tu es déjà en punition.

– Ouais... si on voit les choses comme ça... (il baisse le menton) Et tous ces risques pour que tu ne sois plus fâchée contre moi.

– Je ne le suis plus... j'ai la trouille, c'est tout ! Je ne sais pas ce qui m'attend !

– Ne te tracasse pas. Phoebe veillera sur toi pendant mon absence.

– Quelle bonne blague ! Tu n'as pas encore compris qu'elle me déteste ?

– C'est faux, elle te montrera comment t'adapter à tes symptômes et comment ignorer les morts. Rappelle-toi Robin, si tu les vois, c'est qu'ils te voient aussi (il se relève et retourne près de la fenêtre). J'aimerais que tu me fasses une promesse avant que je te quitte.

– Laquelle ?

– Garde tes distances avec Zackael Bronovov, dit-il d'une voix ferme. Je sais que nous ne nous entendons pas sur son innocence, mais tant et aussi longtemps que la Confrérie n'aura pas éclairci le mystère du golem, ne t'approche pas de lui. Si ce n'est pas lui ou un membre de sa famille qui détient le golem, c'est sans nul doute quelqu'un de son entourage. Celui qui a fait ça sait que tu as survécu. Il tentera peut-être de recommencer. Alors, c'est promis ? (je hoche la tête) *Robin.*

— Oui, oui, *promis* !

— Bon, je vais rentrer.

— Attends ! Est-ce que l'Autre est encore là ?

Vince penche la tête en regardant dehors.

— Ah. Ouais. Je me demande ce que ça lui donne, de rester prostrée là, sous ta fenêtre...

Je glapis, frissonnante.

— Vince, j'ai peur !

— Je reste avec toi, décide-t-il en s'éloignant de la fenêtre. Jusqu'à ce qu'elle disparaisse, en tout cas. C'est bizarre, c'est la première fois que je vois une Autre traîner dans les parages, ajoute-t-il d'un ton perplexe.

— C'est ça ta façon de me rassurer ?! Parce que franchement, ce n'est pas ton point fort aujourd'hui !

— Désolé. Recouche-toi. Je veille sur ton sommeil.

Je me faufile sous les draps pendant qu'il s'installe une deuxième fois sur le plancher, cette fois-ci adossé contre le mur, juste à côté de mon lit. Impossible de m'endormir. Je chuchote au bout d'un instant :

– Vince, j'ai encore plein de questions...

– Pose-les, mais ne t'offusque pas si je refuse de répondre à certaines d'entre elles.

– D'accord. (je me rapproche du bord du lit et m'appuie sur un coude) Est-ce que tu vois souvent les morts ?

– Plus souvent que je l'aurais souhaité, oui, soupire-t-il.

Gloups.

– Vais-je vivre aussi longtemps que toi ?

– Oui.

– Et dans trente ans, comment vais-je expliquer à mon frère mon apparence de seize ans ?

Vince ne dit rien. Je change de sujet.

– Tu as déjà vu ma mère ? Je veux dire... après sa mort ?

– Je ne peux pas te répondre : je ne sais pas à quoi elle ressemble.

Je pense à toutes ces photos et à ces effets personnels, enfouis dans l'antre du sous-sol.

– Est-ce que c'est possible qu'elle veille sur moi, de là-haut ? De l'au-delà ?

– Je n'en ai aucune idée, Robin, murmure-t-il, l'air visiblement désolé. Il y a plein de trucs dont je ne suis pas au courant moi-même.

– Et la Confrérie ? Est-ce qu'elle m'acceptera comme membre ? Que va-t-il m'arriver s'ils ne veulent pas de moi ? Ils vont m'éliminer ?

Il tend la main pour me pincer la joue. Je grimace.

– Combien de fois faudra-t-il que je te le répète ? chuchote-t-il. Cesse de t'inquiéter. Ma punition sera suffisante pour qu'on te laisse tranquille après.

Il a l'air tellement confiant, c'est difficile de ne pas le croire. Les questions se mélangent dans ma tête, mais la somnolence me gagne, m'empêchant d'en choisir une. Je suis sur le point de m'assoupir lorsque je l'entends bouger, se déplacer vers la fenêtre.

– Elle est partie ?

– Oui.

Vince soulève la vitre. Je me relève lourdement pour aller la refermer après son départ. Je noterai mes questions sur un papier en attendant son retour... ou je les balancerai à la tête de Phoebe, tiens.

– N'oublie pas ta promesse, souffle Vince, un pied sur la branche du chêne derrière lui, l'autre encore dans la pièce.

– De quoi tu parles ?

Il arque son sourcil percé. Ah oui, Zack. Je pose la main sur son bras pour le retenir.

– Vince. Une autre question : pourquoi as-tu risqué ta vie et le secret de ta famille pour moi ?

Il hausse les épaules avec une fausse nonchalance.

– Ta mort aurait anéanti ton père et ton frère. Je ne pouvais pas te laisser mourir alors que j'avais l'occasion de te sauver.

Je prends son visage entre mes mains pour l'obliger à me regarder.

– *Pourquoi* m'as-tu ressuscitée, Vince ?

Les mots semblent lui manquer pendant un instant. Il s'empare lentement de mes mains, les éloigne de ses joues et les appuie sur son torse. Sous son t-shirt, je perçois un rythme irrégulier, fiévreux... son cœur qui bat comme un fou.

– Tu entends mon cœur ?

– Oui.

– Il aurait arrêté de battre si tu étais morte. Ma vie n'aurait plus été la même sans toi, sans tes petites crises de colère inutiles, sans ton sourire, sans... je... Quand je t'ai vue étendue dans ton propre sang, ce soir-là, je suis devenu complètement fou. J'ai réalisé que je ne pouvais pas t'abandonner dans cet état sans que ça chamboule le reste de ma vie.

Son visage se baisse vers le mien, son souffle effleure mes lèvres.

– J'ai vraiment agi par égoïsme, Robbie. Je t'ai sauvée pour me sauver moi-même du gouffre dans lequel ta mort allait me faire plonger.

Je suis paralysée par ses paroles. J'ai toujours cru qu'il me percevait comme la petite sœur de son meilleur ami, rien de plus. L'ampleur de ses sentiments m'est confessée à chaque battement de son cœur, sous mes doigts.

– Bonne nuit, Robin.

Ses lèvres se posent brièvement sur les miennes, dans un baiser chaste mais très révélateur. L'instant d'après, Vince disparaît dans l'obscurité.

Je n'ai pas fermé l'œil de la nuit, après ça. En m'embrassant, il a franchi une limite interdite, il a ouvert une brèche là où il ne fallait pas. Cette frontière qui, à mes yeux, nous définissait presque comme un frère et une sœur n'existe plus désormais.

TROISIÈME PARTIE

Chapitre 12

Mes pieds sont figés sur la première marche de l'escalier qui mène au sous-sol.

Debout, je fixe les marches depuis une éternité déjà. Je ne me décide pas à descendre. Quelque chose dans cet endroit, plongé dans la semi-pénombre, éveille en moi une aversion des plus singulières.

Il ne s'agit que de l'antre de maman. Tu n'as quand même pas peur d'une simple pièce remplie de cartons ?

Mon cœur bat la chamade. Je ne comprends pas cette soudaine appréhension, cette sensation proche de la terreur, qui crispe mes doigts sur la rampe de l'escalier et qui m'empêche de lever les pieds. Suis-je devenue sensible à tout ce qui se rattache à la mort depuis mon retour à la vie ?

– Robbie, qu'est-ce que tu fiches ?

Je ne sursaute même pas, ayant été prévenue de l'arrivée de Thierry par ses battements de cœur. Je m'écarte de l'escalier pour lui faire face. Il a déjà enfilé sa veste pour sortir.

— Pourquoi fixais-tu le sous-sol comme ça ? veut-il savoir, curieux.

— Pour rien. Je réfléchissais, c'est tout.

— Réfléchir ? Ça t'arrive ? Wow !

— Ha-ha, très drôle, dis-je platement. Bon, on y va ?

Thierry oublie mon comportement étrange et fouille dans ses poches.

— J'ai les clés aujourd'hui, déclare-t-il en s'éloignant vers la porte d'entrée. Papa savoure les bienfaits du covoiturage avec la voisine.

Je fronce les sourcils.

— Est-ce que tu crois que madame Stellas et lui... ?

— Je préfère ne pas imaginer. Allez, viens.

Quelques rayons de soleil réussissent à percer la couche de nuages maussades. Je rabaisse mon capuchon sur mon front pour me protéger les yeux. Je suis emmitouflée dans un énorme chandail marron (dérobé à mon frère) qui me tombe jusqu'aux genoux, j'ai enfilé un pantalon de jogging brun et j'ai chaussé une vieille paire de bottes de pluie. Je vois déjà la tête que fera Lana lorsqu'elle me verra déambuler dans les couloirs de l'école... mais, ces derniers jours, je me fiche pas mal de mon apparence. Les autres penseront bien ce qu'ils voudront ; en ce moment, j'ai d'autres chats à fouetter.

— Tes Roger semblent moins enthousiastes à te suivre, maintenant, note Thierry en regardant dans le rétroviseur.

Je jette un coup d'œil par-dessus mon épaule. La voiture noire qui me filait en permanence au cours des dernières semaines brille par son absence.

— Ça fait deux semaines que je suis sortie de l'hôpital. Je crois qu'ils ont compris que je ne me ferai pas attaquer en leur présence.

Je me demande si je dois m'en réjouir ou m'en inquiéter...

M'efforçant de garder un ton blasé, je m'enquiers :

— Tu as des nouvelles de Vince ?

— Il est encore malade. Qu'il se rétablisse au plus vite, j'en ai marre, moi, de retranscrire ses notes de physique !

Pendant un moment, j'appréhende que mon frère me demande pourquoi je m'intéresse à la santé de son meilleur ami. Il n'en fait rien. Il croit que l'absence de Vince s'explique par une mystérieuse maladie. Voilà deux semaines que je n'ai plus de nouvelles de lui, deux semaines que je me ronge les ongles, deux semaines que ses confidences résonnent dans mon esprit. Je ne sais pas s'il est puni à Chelston ou ailleurs. Je ne sais pas si son châtiment est corporel et s'il souffre. Ça me rend anxieuse, j'en oublie presque ma propre situation : ma vue s'est tellement détériorée en plein jour que c'est impossible de me balader sans des lunettes de soleil, une casquette ou un capuchon rabattu sur le front. Par contre, ma vision nocturne est meilleure qu'avant ma résurrection. Aussi, je perçois avec plus d'acuité les battements de cœur des gens autour de moi. C'est un bruit de fond constant auquel je ne m'habitue pas, surtout lorsque quelqu'un s'agite. Tout ce que je mange a un arrière-goût de poussière qui me lève le cœur. C'est à peine si je touche la diète que le médecin m'a prescrite. Mon père n'a encore rien remarqué parce que je triture et étale tellement le contenu de mon assiette qu'on dirait que j'ai mangé comme un porc. Je me console seulement à l'idée que je ne vois pas encore les morts. Parfois, je ressens un drôle de picotement, comme si j'étais entourée d'individus invisibles. Ça me glace le sang.

La voix de Thierry me tire brusquement de mes pensées.

— Il a probablement chopé une mono, dit-il avec un sourire en coin.

Comme si c'était drôle.

Je me mordille la lèvre inférieure. Je déteste l'idée que Thierry ne soit pas au courant de la vérité sur Vince, sur sa famille, sur ce qui m'est réellement arrivé.

Nous parvenons enfin à l'école. Lana flâne près du muret de pierre qui longe la cour jusqu'au portail principal. Son long manteau kaki ne réussit pas à dissimuler ses jambes nues. Je ne connais personne d'autre qui oserait braver le froid de novembre avec une telle jupe. Je baisse le capuchon de mon chandail pour passer incognito devant elle. Trop tard, elle m'a déjà vue. De la main, elle me fait signe de la rejoindre, ce que je fais sans grand enthousiasme. Lui pardonner son comportement à la fête de Zack ne signifie pas que je l'ai *complètement* oublié.

— Tu n'as pas froid ?

Lana retire une pomme de son sac et croque dedans avant de me répondre, la bouche pleine :

— Non. Et toi, c'est quoi cet accoutrement ? Tu es en dépression ?

Je hausse les épaules en parcourant les alentours d'un œil circonspect. Mon regard tombe sur Phoebe. Elle est installée au pied d'un arbre, un énorme bouquin ouvert sur ses genoux. Ses cheveux noirs sont retenus en catogan et ses lunettes de soleil sont accrochées dans le col de son chandail.

– Toi et moi, on doit parler, poursuit Lana en ramenant mon attention sur elle.

Je m'appuie sur le muret. La surface est glacée sous mes doigts. Un léger frisson me titille la nuque.

– Je veux savoir ce qui se passe avec toi. Depuis deux semaines, tu es distraite, tu manges à peine, ton style vestimentaire se dégrade de plus en plus. Tu me fais presque honte. Il appartient à qui, d'ailleurs, ce chandail ?

– À mon frère.

– Tu vois ce que je veux dire ?!

– Pas vraiment, non.

– Est-ce que tu es encore sous le choc de ton agression ? Parce qu'avec la mine que tu as, la question se pose.

Pff ! Elle peut bien parler : elle n'offre pas une meilleure mine que la mienne ! Les cernes qui encerclaient ses yeux depuis mon retour de convalescence n'ont toujours pas disparu. Selon moi, ça n'a plus rien à voir avec la culpabilité. Je sais que Lana vit seule avec son père depuis que sa mère les a quittés, il y a trois ans. Son père est à la fois un ex-policier et un alcoolo. Elle n'en parle jamais, sa fierté l'en empêche. Mon regard glisse sur ses jambes et je repère un bleu sur sa cuisse. Je me demande si, en plus, son père la bat... Mon propre père a flirté avec la bouteille durant la période noire qui a suivi l'accident de maman.

181

Mais il n'a jamais levé la main sur moi.

Lana surprend mon regard et rabat un pan de son manteau sur sa cuisse.

— Qu'est-ce qui se passe avec Zack Bronovov ? s'empresse-t-elle de demander. J'ai remarqué que tu l'évitais comme la peste.

Je cherche un mensonge rapide.

— Disons que c'est comme ci, comme ça...

— Ne me prends pas pour une imbécile ! me coupe Lana avec un geste impatient de la main. Tu penses qu'il entretient un lien avec le Tueur Fou, hein ? Je croyais que la police l'avait lavé de tout soupçon et que toi aussi tu le croyais innocent !

— On ne peut faire confiance à personne.

Elle termine sa pomme en m'observant, silencieuse. Je grogne, un peu agacée :

— Quoi ?

— Tu me caches quelque chose.

— Tu te fais des idées.

— Dis-moi la vérité.

Je soupire. Je ne peux pas lui révéler ce que je sais sur Vince et sa famille (d'autant plus que c'est avec Steph que j'aimerais mieux partager ces confidences) ou quoi que ce soit qui concerne ma mort et ma résurrection, tout comme je ne peux pas me confier à Thierry. Premièrement, ça serait surprenant qu'elle gobe un seul mot de tout ça. Deuxièmement, je nous placerais en danger mortel. Je suis moi-même en probation jusqu'à ce que la Confrérie décide de mon sort.

Être obligée de taire mes préoccupations me tue à petit feu. Les symptômes qui se développent, la peine de mort qui oscille au-dessus de ma tête... C'est un fardeau lourd à porter toute seule. Malheureusement, l'unique personne à qui je pourrais en parler est punie pour une période indéterminée !

En fait, non, il y a aussi sa jumelle qui est au courant de ce que je vis... Mais Phoebe ne m'aime pas trop, alors...

– ALLÔ !?! s'écrie Lana en agitant un bras. Surtout, ignore ma présence, j'adore ça ! Je te l'avais dit que tu étais distraite !

– D'accord, d'accord ! Oui, je t'ai caché quelque chose : Zack m'a embrassée dans les labos de chimie.

Les yeux de Lana s'écarquillent. Elle me fixe pendant un instant et sa réaction m'étonne. Je croyais qu'elle sauterait de joie... Elle a plutôt l'air désenchantée.

– Quand est-ce que c'est arrivé ?

– Il y a deux semaines.

– Pourquoi tu ne me l'as pas dit ?

– Ça m'était sorti de la tête.

– Ça n'explique pas pourquoi tu l'évites maintenant !

— Je ne peux pas lui faire confiance ! S'il a un lien quelconque avec le Tueur Fou...

— Je ne crois pas à ces soupçons, déclare Lana en secouant la tête. Que la « Neige Blanche » ait circulé chez lui n'était qu'un malheureux concours de circonstances.

— Lana, c'est quand même lui qui t'a offert les verres empoisonnés !

— Oui, et alors ? rétorque-t-elle, les sourcils arqués. Je l'ai regardé y verser la boisson. Il n'a rien mis de louche là-dedans !

Lana vient de marquer un point important. Songeuse, j'enfouis mes mains dans la poche ventrale de mon chandail.

— Tu devrais lui parler, propose-t-elle d'un ton moins revêche.

— Trop tard. Il n'essaie même plus d'entrer en contact avec moi.

— Normal, tu l'ignores depuis deux semaines ! jette-t-elle en levant les yeux au ciel. Faut pas t'étonner, dans ce cas-là !

— Laisse tomber, Lana.

Je suis persuadée que Zack n'est pas un complice du Tueur Fou ou le détenteur du golem, mais il reste que les mises en garde de Vince sont ancrées dans mon esprit. Je n'évite pas Zack avec plaisir, c'est d'ailleurs une tâche qui me complique la vie. Je le vois partout : dans les corridors, dans la cafétéria, dans les estrades du terrain de soccer, dans le gymnase. Chaque fois que je le croise, 1) mon sac s'ouvre subitement en laissant échapper quelques livres, 2) les lacets de mes espadrilles ont soudainement besoin d'être noués ou 3) tiens donc, c'est vrai, j'allais à droite, pas à gauche. Zack a très vite compris le message. Je regrette mon comportement parce que chaque fois que mes yeux se posent sur lui, je pense à notre dernier baiser, à ses mains sur mes hanches, à l'odeur de son eau de toilette...

— Je dois filer, annonce Lana en consultant sa montre. J'ai promis à Camille de la rencontrer plus tôt pour notre travail d'équipe. Réfléchis au sujet de Zack. Bye !

Elle reprend son sac, m'envoie une bise et s'éloigne à grands pas. Mon regard s'échoue à nouveau sur la silhouette de Phoebe. Après quelques secondes d'hésitation, je décide de la rejoindre. Je n'ai pas osé m'approcher d'elle depuis l'absence de Vince. Sa menace, après mon baiser avec Zack dans les labos de chimie, m'a laissé un certain ressentiment. Aujourd'hui, toutefois, je me sens moins rancunière. Je *dois* parler à quelqu'un, même si ce quelqu'un a l'humeur du Grincheux.

Je parcours rapidement les quelques mètres qui nous séparent.

Sans lever les yeux, elle ferme son livre avant que je parvienne auprès d'elle.

— Non.

Je me fige sur place. *Non*, quoi ?

— Non, tu ne peux pas le voir. Non, je ne sais pas quand se terminera sa punition et non, je ne te dirai pas en quoi elle consiste.

– Je... je n'ai rien demandé !

– Je prends de l'avance.

Elle replonge dans son bouquin. *Les Piliers de la Terre*. Ça m'a l'air aussi passionnant que mon manuel d'Histoire du Canada.

– Est-ce que je peux me joindre à toi quelques minutes ?

Elle me dévisage un instant avant de hocher la tête. Elle dépose son livre pendant que je m'installe à ses côtés. Son regard olive se plante dans le mien et je me sens tout à coup exposée, comme si j'étais l'objet d'une observation sous microscope.

– Avoue-le franchement, Phoebe, que tu aurais préféré que je meure.

– Les choses auraient été moins compliquées, en tout cas, approuve-t-elle avec son air indifférent qui me donne envie de lui faire bouffer son gros bouquin.

– Merci bien, dis-je sèchement. Pourquoi tu me détestes à ce point-là ? Je ne t'ai rien fait de mal à ce que je sache.

– Tu as rendu mon frère fou. Voilà ce que tu as fait de mal.

– Je n'étais pas au courant de ses sentiments pour moi ! Et ce n'est pas une raison valable pour me détester !

– Je ne te déteste pas, soupire-t-elle, visiblement à contre-cœur. Est-ce que tu les vois maintenant ?

Je devine tout de suite qu'elle fait allusion aux Autres.

186

– Pas encore. J'ai parfois l'impression d'apercevoir un truc, comme une forme ou un mouvement... Je ne sais pas comment l'expliquer. C'est bizarre.

– Vince t'a sûrement déjà dit de ne jamais les laisser entrer chez toi. C'est très important. Il existe diverses façons d'inviter un mort, consciemment et inconsciemment, alors fais gaffe à ce que tu penses lorsque tu les croises. Certains sont violents lorsqu'ils réalisent que leur présence est détectée par un vivant. La meilleure façon de ne pas attirer leur attention, c'est d'éviter de croiser leur regard.

– Ça me donne la chair de poule !

– Tu t'habitueras. Comme Vince s'est habitué.

– Et comme toi.

Je note qu'elle hésite avant d'acquiescer. Son regard se perd à travers le campus. Elle a l'air totalement détachée de ce monde. Malgré mon aversion pour elle, je n'arrive pas à détourner mon attention de son visage fier, de son expression légèrement éthérée. Elle reprend son roman puis, se redresse.

– Viens me voir tout de suite lorsque tu auras Soif, déclare-t-elle en brossant son pantalon d'une main distraite.

– Soif ? Qu'est-ce que...

– Non, Robin, Soif. La *Soif*. Dès que tu la ressens, ne perds pas une seconde pour me contacter.

– Je n'aurai pas Soif, dis-je en refoulant un début de nausée. C'est contre tous mes principes ! Je me retiendrai.

Un sourire narquois étire les lèvres de Phoebe.

— Je ne parierais pas là-dessus, rétorque-t-elle en quittant les lieux.

Son attitude m'irrite. Je n'ai pas l'intention de succomber à la Soif, je n'agirai pas comme un vampire, c'est dégueulasse ! Peu importe les avertissements de Vince et de Phoebe, être revenue du monde des morts ne m'oblige pas à devenir une Maudite comme eux. Cette nouvelle vie que j'ai reçue ne redéfinit pas qui je suis. Ça ne m'empêchera pas de conserver certaines valeurs ! J'ai reçu une deuxième chance, j'ai le droit d'en faire ce que je veux et je refuse de vivre une vie de paria. Voilà !

Forte de cette conviction, je me dirige vers les portes principales. Je descends jusqu'aux casiers afin de prendre les livres dont j'ai besoin pour mon prochain cours. Quelqu'un s'arrête à mes côtés. Zack. Le souffle me manque. Il est adossé à la case voisine, les bras croisés, une expression défiante dans les yeux.

— Je veux te parler, exige-t-il sans préambule.

Je lance un regard nerveux autour de moi. J'aurais dû surveiller mes arrières en entrant ici et vérifier d'abord s'il n'était pas dans les parages.

— Je suis pressée, dis-je en fouillant dans mon sac. J'ai un examen dans quelques minutes et je n'ai pas encore révisé. Je dois profiter de ...

— Tu as l'intention de faire durer ce jeu encore longtemps ? lâche-t-il en se détachant de la case contre laquelle il est appuyé.

Je me retiens pour ne pas reculer.

– Je ne sais pas de quoi tu parles.

– Tu le sais très bien. Tu m'évites depuis exactement quatorze jours. J'ai essayé de te parler, mais tu prends tes jambes à ton cou chaque fois !

Le cœur battant, je chuchote :

– Parle moins fort !

Il se penche vers moi, de sorte que je sois la seule à entendre ce qu'il murmure par la suite.

– Est-ce que tu es surveillée ? Quelqu'un t'a dit de t'éloigner de moi ?

– Je suis désolée, Zack, je n'ai pas le choix (je regarde mes mains en prononçant ça).

– Tu me soupçonnes d'être le Tueur Fou, c'est ça ? Je n'ai rien à voir avec ton agression, je suis innocent !

Je soupire, ne sachant plus comment réagir. Les dernières paroles de Vince et Phoebe martèlent mes pensées.

– Je peux te le prouver, ajoute-t-il plus doucement. Rejoins-moi à l'heure du lunch, dans les estrades. Dix minutes, pas plus. Nous resterons à la vue de tous, si ça peut te rassurer.

– Zack...

– Robin, je suis blessé que tu aies décidé de m'ignorer au lieu de me parler franchement. Je veux te parler et si ce que je te dis ne te plaît pas, je te laisserai tranquille.

Je ne parviens pas à détourner mes yeux des siens. Je réalise que son désir de passer un peu de temps en ma compagnie est sincère. Ma propre volonté me quitte peu à peu. Possède-t-il des renseignements supplémentaires sur mon agression ? Des indices qui me permettraient de remonter jusqu'au maître du golem ?

Garde tes distances avec Zackael Bronovov. Promis ?

Je serre les lèvres. Zack perçoit mon incertitude : il rapproche son visage du mien.

– Allez, Robin. Je te jure que je ne te ferai aucun mal. Nous serons en public, tu pourras partir quand tu voudras.

La cloche sonne en enterrant sa voix. L'aire des casiers commence à se remplir d'étudiants. Un brouhaha de cris et de claquements de portes s'élève.

– Robin. Regarde-moi. Est-ce que tu peux vraiment repousser un charmant garçon comme moi ?

Sa plaisanterie s'accompagne de son fameux sourire à fossette. Je souris aussi. Non, il est impossible de demeurer imperméable à son charme. En deux semaines, j'avais oublié à quel point son regard était capable de brûler chaque parcelle de ma peau. Je sens les dernières barrières de ma résistance s'effondrer.

– Pas plus de dix minutes, dis-je très vite. On se rejoint en face du terrain de soccer.

– Et cette fois, pas de faux bond, d'accord ?

Il agite le doigt dans ma direction. Je m'apprête à lui répondre lorsque j'aperçois Phoebe, à l'autre bout de la salle.

Elle nous observe. Je referme bruyamment ma case et chuchote rapidement :

– On se revoit à l'heure du lunch.

– Qu'est-ce qui...

– Va-t'en, Zack !

Je m'éloigne promptement de lui tout en me composant une expression neutre. J'ignore depuis combien de temps Phoebe m'épie. Je ne veux surtout pas lui donner l'impression qu'elle m'a surprise en pleine faute. J'espère que mon départ hâtif lui a indiqué au contraire que je repoussais les avances de Zack. Les battements de mon cœur pilonnent mes tympans à chacun de mes pas. Ce n'est que parvenue sur le seuil de ma classe que je risque un œil derrière moi. Pas de Phoebe en vue. Je me permets un soupir en m'installant au fond de la salle. Pendant l'heure qui suit, je m'acharne à repousser les avertissements de Vince dans les recoins les plus sombres de ma conscience. Sa voix me revient sans cesse, tel un disque rayé, une litanie qui se répète encore et encore, me plongeant dans la culpabilité.

Tant et aussi longtemps que la Confrérie n'aura pas éclairci le mystère du golem, ne t'approche pas de lui. Promis ?

J'ai brisé la promesse que j'avais faite à Vince. Enfin, pas encore, mais c'est tout comme. Je me raisonne, je ne dois pas céder à l'agitation. Je ne resterai pas longtemps avec Zack. Dix minutes. Au plus. Dans un endroit public. Je ne cours aucun danger. Même si c'était lui le Tueur Fou, il ne me décapiterait pas en plein jour, devant témoins. Ce serait trop stupide. Rien ne m'arrivera. Rien du tout. Après ça, je ne l'approcherai plus jusqu'à ce que Vince réapparaisse.

Promis.

Chapitre 13

J'ai remarqué deux choses importantes à propos de notre notion du temps. Lorsqu'on anticipe un événement, les secondes sont interminables, les heures s'égrènent avec la lenteur des siècles. Lorsqu'on appréhende un événement, celui-ci se rapproche avec la vitesse d'un boulet de canon. On a à peine le temps de dire « ouf ! » que l'attente est déjà terminée.

L'heure du lunch arrive trop vite à mon goût.

Je suis déjà dans le couloir, mon sac en bandoulière sur mon épaule. Je sors du bâtiment par une porte de côté et tout de suite, je vois Phoebe, au loin dans le stationnement, inclinée vers sa voiture. Je me rappelle qu'elle dîne rarement à l'école, mais je rabaisse tout de même mon capuchon et change de direction. Je longe le muret de pierre jusqu'au terrain de soccer. L'herbe jaunie par le froid de novembre crisse sous mes pas. Le vent picore mes joues. Il n'y a pas beaucoup de monde à l'extérieur. Des fumeurs traînent ici et là ; quelques filles gloussent en reluquant un groupe de garçons qui se réchauffent en jouant une partie de soccer.

Zack m'attend près des estrades, comme prévu. Je m'avance vers lui, la gorge et les joues brûlantes.

Calme-toi. Tu ne fais rien de mal. Dix minutes, ce n'est rien du tout.

Le sentiment de culpabilité persiste. J'essaie de le faire sombrer tant bien que mal dans les profondeurs de mon esprit. Peine perdue, il remonte invariablement à la surface.

— Tu ne m'as pas posé de lapin, constate Zack, soulagé (il marque une pause). Tu n'as pas l'air très ravie de me voir, non plus.

Je ne sais pas quoi répondre, alors je ne dis rien. Nous montons les gradins et nous nous dirigeons un peu à l'écart des deux seuls autres occupants, un couple qui roucoule en pouffant de rire. Je retire mon capuchon et secoue la tête afin de rendre ma chevelure plus volumineuse. Je me fiche peut-être de mon habillement, mais je veux quand même être à mon avantage quand je suis en présence de Zack. Peu importe l'angle sous lequel je l'observe, il est beau à couper le souffle, c'est fou.

Il dépose un sac de papier sur le banc glacé.

— J'ai acheté des bagels à la cantine. Tu en veux ? propose-t-il en ouvrant son paquet.

— Non, merci.

— Allez, tu dois bien avoir faim.

— Je mangerai tantôt. On a seulement dix minutes, tu te souviens ?

Ignorant ma remarque, il retire deux bagels du sac. Soudain, ses doigts font apparaître un petit couteau au manche épais et noir, surmonté d'une lame tranchante. Je sursaute avec un petit glapissement et Zack s'immobilise aussitôt.

– Hé, j'ai juste l'intention de couper mes bagels en deux. Relaxe.

– Ne... ne fais pas de gestes brusques avec un couteau dans les mains !!! Qu'est-ce que tu crois que je vais penser ?!

Il me regarde un long moment, toujours sans bouger.

– Est-ce que j'ai l'air dangereux à tes yeux ?

– Non, dis-je, à la fois intimidée et furieuse contre moi-même. C'est justement pour ça que je devrais me méfier de toi.

Il sourit.

– Tu ne semblais pas de cet avis, dans les labos de chimie, l'autre jour..., susurre-t-il.

Les images de notre baiser passionné enflamment mes pensées. Je me racle la gorge pour dissimuler mon embarras. Zack sort un petit pot de fromage à la crème et l'ouvre d'un mouvement rapide du pouce. Derrière lui, le couple se lève pour quitter les estrades.

– Zack, tu m'as dit que tu avais des informations pertinentes au sujet de mon agression.

– Non, tu as déduit ça toute seule.

– Mais alors, de quoi voulais-tu me parler ? Tu m'as dit pouvoir me prouver ton innocence !

Il lèche son pouce, qu'il a trempé par mégarde dans le fromage. Il sourit de nouveau, mais cette fois-ci avec un air un peu coupable.

– Robin, je t'ai fait marcher tout à l'heure. Je voulais seulement te convaincre de passer quelques instants avec moi... J'étais fâché que tu m'ignores depuis tout ce temps, surtout après ce qui s'est passé entre nous. Je te l'ai déjà dit, tu m'intéresses, Robin.

Je ne sais plus où poser les yeux, alors je fixe son couteau qui étale paresseusement le fromage sur une moitié de bagel. Il me la tend par la suite.

– Ne fais pas la fine bouche. Je sais que tu es végétarienne.

Quelque chose dans le ton de sa voix, dans l'insistance de son regard, me rend soudain alerte. J'ai la désagréable sensation qu'il me soumet à un test. Et si, par je ne sais quelles circonstances hasardeuses, Zack était au courant de l'existence des Maudits et de leur régime particulier ? Peut-être essaie-t-il de vérifier si je suis devenue l'une d'eux ?

– Tu as raison, je meurs de faim.

Je mords dans le bagel en dissimulant ma réticence. C'est une bouchée de poussière concentrée que j'ai l'impression d'avaler. Beurk ! Je ne peux même plus déguster un bout de pain sans que ça me donne envie de dégobiller.

– Tu es de quelle origine ? demande Zack.

– Quoi ? (je m'essuie le coin des lèvres, un peu déroutée)

– Tes yeux... ta peau bronzée...Tu n'es pas Canadienne de souche, ça c'est sûr.

C'est d'une voix légèrement altérée que je réponds :

— Mon père l'est. Et ma mère était européenne... Euh, Zack, à quoi rime cette conversation ?

— Je veux juste en savoir plus sur toi, m'explique-t-il. Alors, de quelle région venait ta mère, exactement ?

— Elle est née en Hongrie.

— Tu y es déjà allée ?

— Non.

— Tu n'as jamais rencontré ta famille maternelle ? insiste-t-il.

— Non. Mes grands-parents sont morts depuis longtemps et ma mère était enfant unique.

Zack semble réfléchir là-dessus. Il avale une bouchée de bagel, puis il prend ma main gauche dans la sienne et examine ma paume. Ses gestes sont doux, caressants. Je me laisse faire, à la fois envoûtée, confuse et nerveuse. Je ne comprends pas la direction que prend notre rencontre.

— Je crois que je suis sur le point d'éclaircir cette fascination que tu exerces sur moi, annonce-t-il en effleurant mes jointures. Il ne me reste plus qu'une question...

Il entrelace lentement ses doigts avec les miens. Des frissons grimpent dans ma colonne vertébrale, se répandent sur ma nuque. Malgré la délicieuse sensation que ce contact suscite en moi, je cherche à retirer mes doigts de son emprise, mais Zack resserre son étreinte.

— Robin... Comment as-tu réussi à te remettre aussi rapidement des blessures causées par le golem ?

Une enclume s'écrase dans mon estomac. Le sang quitte abruptement mon visage et je n'entends plus que les cognements hystériques de mon cœur contre ma poitrine.

— Ne fais pas semblant de ne pas savoir de quoi je parle. Peu de temps après ton attaque, on n'aurait jamais pu se douter que tu avais été éventrée. Tu es assise devant moi comme si tu n'avais subi qu'une fracture mineure à la jambe. Je sais que Salmoiraghi t'est venu en aide, mais la question qui demeure c'est : comment es-tu parvenue à guérir *aussi vite* ? Qu'es-tu, exactement, Robin Gordon ?

— Rien du tout ! me défends-je avec la sensation que le sol se dérobe sous mes pieds. Ma guérison n'était qu'un miracle. Laisse-moi !

Zack éclate d'un rire cynique.

— Je ne crois pas aux miracles. Dis-moi la vérité !

— Je ne sais PAS de quoi tu parles !

— Vraiment ? Admets seulement que tu es une Gitane !

— Une... quoi ?! Bon, ça suffit, Zack. C'est officiel, tu as pété les plombs !

Je me sens malade. Zack sait pour le golem, il sait probablement pour les Maudits et ma résurrection. D'où tient-il toutes ces informations ? A-t-il fait des recherches ? En a-t-il parlé à quelqu'un d'autre ?

Je tente de me relever, mais Zack tient toujours ma main dans une poigne d'acier. Je me rassieds avec colère.

— Lâche-moi !

– Pas avant que tu aies répondu à ma question.

– T'es cinglé, Zack Bronovov ! Si tu ne me lâches pas...

– Tu me feras quoi ? me défie-t-il.

Il immobilise ma main sur le banc entre nous deux. Ses doigts écartent les miens.

– Il y a toujours un moyen de savoir la vérité, tu sais.

Le sang éclabousse mon menton avant que je réalise qu'il a abattu son couteau. Un courant électrique me traverse le bras en entier. Horrifiée, je baisse les yeux sur l'auriculaire, *mon* auriculaire, qui repose à quelques centimètres de ma main gauche, aussi nettement et proprement tranché que si Zack avait coupé dans un carré de beurre.

Chapitre 14

Sous le choc, je ne saisis pas tout de suite ce qui vient de se produire.

Zack enrobe ma main dans des serviettes de papier qu'il a rapportées de la cantine. Je regarde mon doigt coupé qui gît sur le banc, guère différent d'une vieille gomme à mâcher qu'on aurait abandonnée là. Mon cœur bourdonne à mes oreilles comme le vrombissement d'un moteur. La panique me gagne et pourtant, je ne réussis pas à me secouer, à réagir. Je reste plantée sur place, la main tremblante.

— Lève-toi, m'ordonne Zack en me tirant par le bras.

Je me laisse faire, une vraie poupée de chiffon. Il enlève son blouson et le jette sur mon bras ; le pan du vêtement dissimule maintenant ma main gauche ensanglantée. Comme dans un rêve, j'agrippe le bout de mon auriculaire qui a été coupé et le serre entre mes doigts. Zack me pousse devant lui et je trébuche entre les bancs, manquant de dégringoler toutes les estrades. Atterrissant enfin sur la pelouse, je chancelle. Il me retient par les épaules pour m'empêcher de tomber. Je reprends mes esprits et le repousse violemment en hurlant :

– Ne me touche pas ! Ne t'approche plus jamais de moi ! Espèce de DÉBILE !!!

Il ignore mes protestations en me prenant fermement par ma main mutilée. Un spasme me traverse. Je pousse mon premier cri de douleur. Il plaque sa paume sur ma bouche et m'attire contre lui lorsque deux garçons nous dépassent en courant, hilares. C'est à peine s'ils nous lancent un regard : nous donnons l'impression de nous étreindre passionnément. Je n'arrive pas à y croire... aucun témoin... où est le couple de tout à l'heure...

– Lâche-la !

La voix de Phoebe. Je perçois la raideur soudaine dans les muscles de Zack. Par-dessus son épaule, je vois Phoebe qui avance vers nous. Elle s'arrête après quelques pas : ses yeux fixent tour à tour ma main dégoulinante de sang, qui dépasse du blouson de Zack, et ma mine complètement abasourdie. La colère prend ses traits d'assaut.

– Mais qu'est-ce que tu lui as fait ?! crie-t-elle en se ruant sur nous.

– Ne te mêle pas de ça, lui dit froidement Zack en me tenant hors de sa portée.

– Non, *toi*, dégage !

Elle m'éloigne de lui en saisissant ma main indemne. Elle étudie ensuite ma blessure. Une nouvelle convulsion de douleur m'assaille.

– Tu vas regretter ça, Bronovov, siffle Phoebe entre ses dents.

Le ton de sa voix laisse planer une menace bien plus grande. Zack amorce un geste pour m'arracher à sa poigne, mais on dirait que l'idée de toucher Phoebe le répugne et l'en dissuade. Je n'ai pas la tête à vouloir comprendre leur comportement étrange : une vague de nausée me soulève l'estomac.

Je m'évanouis contre Phoebe.

Je me réveille quelques instants plus tard, alors que cette dernière me pousse sur le siège passager de son véhicule.

– Non mais quelle idiote ! Tu es la pire tête de mule que je connaisse ! Je devrais te donner en pâture à des golems affamés !

Elle positionne mon bras contre ma poitrine de façon à ce que mon poignet pointe vers le haut. Je n'ai pas la force de protester contre son manque de délicatesse. Elle boucle sa ceinture et démarre en trombe. Je suis propulsée contre la portière et ma tête heurte la vitre. La voiture s'engage sur la route en dérapant. Si Phoebe continue comme ça, je vais crever dans un accident et non au bout de mon sang !

– Où est Zack ? je m'enquiers faiblement.

– Ce n'est pas le moment de s'inquiéter pour lui !

– Comment as-tu fait pour me retrouver ? Tu me suivais ?

– Qu'est-ce que tu crois ? Quand je t'ai vue rire avec lui ce matin, je me suis doutée que tu allais nous faire un sale coup de ce genre ! D'ailleurs, ce n'est pas comme si vous tentiez d'être discrets, n'est-ce pas ?

Je me sens forcée de préciser :

— Je ne riais pas avec lui !

Je risque un œil sur ma main. Les serviettes sont imbibées de sang. J'aperçois un petit moignon de chair, là où mon auriculaire aurait dû être. En regardant de plus près, je réalise que Zack ne m'a pas complètement amputé le doigt, il a coupé de travers, juste au-dessous de la première jointure.

N'empêche que la vue demeure atroce.

— Ohmondieumondieumondieumondieumondieu !

— Ferme-la ! aboie Phoebe. Rends-toi utile au lieu de geindre. Ouvre le coffre à gants : tu trouveras une boîte de mouchoirs. Essaie d'arrêter l'hémorragie !

J'obéis prestement. Mon corps entier tremble sous le choc. J'arrache une quantité impressionnante de mouchoirs, que je tamponne sur ma blessure. Je tente ensuite de créer un bandage pour contenir l'écoulement. Je m'efforce d'ignorer la douleur qui élance et paralyse mon bras.

— Oh, non, non, non !

— Quoi encore ? crache Phoebe. Tu vas m'annoncer qu'il t'a coupé un orteil aussi ?

— J'ai perdu mon doigt ! Où est-il ? Je dois le récupérer à tout prix si je veux qu'on me le recouse !

— Tu plaisantes ?

— Est-ce que j'ai l'air de plaisanter ?!

Si j'étais témoin de cette scène et non la principale victime, je m'esclafferais. C'est une conversation tellement absurde ! On se croirait dans une mauvaise comédie noire.

Pourtant, c'est loin d'être amusant. Je suis terrifiée.

Je fouille dans les recoins de la voiture et trouve le morceau manquant de mon auriculaire recroquevillé sous ma botte. Il commence déjà à bleuir. Ça ne me dissuade toutefois pas de le garder dans ma main. Je ferme les yeux. L'odeur de mon sang me monte à la tête, accélère la cadence de mon cœur. Ma gorge se contracte. Phoebe active la descente automatique des vitres.

— Cette odeur va finir par me rendre folle, dit-elle.

— Est-ce que... est-ce que tu as Soif ?

Va-t-elle se jeter sur mon doigt sanguinolent comme les vampires à la télé ? Phoebe esquive la question en me lançant :

— Pauvre andouille ! Pourquoi es-tu allée rencontrer Zack ?!

— Je ne voulais pas lui accorder plus de dix minutes, je te le jure !

— Et comme tu l'as constaté, dix minutes lui ont suffi ! Tu n'écoutes jamais ce qu'on te dit, n'est-ce pas ? On t'a expressément interdit de le revoir !

Je ne comprends pas ce qui vient de se passer, je ne comprends pas pourquoi Zack s'est transformé en fou furieux. Pourquoi m'a-t-il coupé le doigt ? Qu'est-ce qui lui a pris ? Qui est-il réellement ? Il est au courant de tout : ma mort, les golems... L'horreur me foudroie de la tête aux pieds. Finalement, est-il possible que Zack soit bel et bien le maître du golem qui m'a attaquée ?

– Phoebe ! Zack sait tout ! Il connaît votre existence, il a mentionné le golem !

Phoebe grogne impatiemment en brûlant un feu rouge.

– Bien sûr qu'il connaît notre existence ! Il est Maudit lui-même !

La nouvelle me choque plus que la perte de mon auriculaire. Je dévisage Phoebe en silence pendant plusieurs secondes, le temps que je retrouve ma voix.

– *Zack Bronovov est l'un de vous ?* Il fait partie de la Confrérie ?!

– Malheureusement, oui.

– Pourquoi personne ne m'a rien dit ? Ça vous aurait évité beaucoup de salive... et moi, une amputation !

– Tant que tu ne fais pas officiellement partie de la Confrérie, je ne peux pas te dévoiler l'identité de ses membres. Vince non plus. Nous sommes tenus au secret.

La colère s'entremêle à présent avec la douleur. J'en ai ras-le-bol de toutes ces cachotteries ! Je songe aux nombreux moments où Vince m'a mise en garde contre Zack, à son apparition lors de la fête d'Halloween, à leur altercation dans ma chambre d'hôpital... Cette dernière scène me reste en tête. Tout dans le comportement des deux garçons laissait croire qu'ils ne se connaissaient pas. Zack m'a même demandé si Vince était mon petit ami alors qu'il devait très bien connaître la réponse. Le secret de leur appartenance à la Confrérie les contraint donc à prétendre qu'ils sont des étrangers en public ?

– Depuis que nous savons que le Tueur Fou est en fait un golem, nous avons des doutes sur Zack et sa famille. Ils ont des antécédents de ce genre.

– Merci ! C'est très gentil à toi de m'en avoir fait part avant qu'il me coupe le doigt !

– Tu écoutes ce que je te dis ? Nous ne pouvions pas !!! Nous avons essayé de te prévenir, mais il fallait que tu t'entiches de ce crétin ! Comment as-tu pu croire que Bronovov a développé un intérêt aussi soudain pour toi ? Tu n'as pas trouvé ça louche ?

– Hé, dis-je, piquée au vif. Je suis quand même attirante. Vince aussi a un œil sur moi, je te ferais remarquer...

– Tu appelles ça un œil ? Tu es aveugle, c'est plus que ça ; il a risqué sa vie pour toi ! Quel idiot d'ailleurs, parce que tu n'en vaux vraiment pas la peine !

Des larmes de rage et d'épuisement roulent sur mes joues. J'en ai marre ! J'ai perdu un doigt et tout ce que Phoebe trouve à faire, c'est de m'insulter !

– Surtout, ne pleure pas, Robin, bougonne-t-elle. Je ne supporte pas les pleurnichardes !

– D'accord, j'ai commis une erreur ! (j'essuie mes larmes, me barbouillant ainsi les joues de sang) Mais je ne pouvais pas prévoir que ça se terminerait aussi mal ! Tu ne peux pas te montrer un peu plus indulgente envers moi ?

– Je n'ai pas de temps à perdre avec l'indulgence en ce moment. Rapporte-moi tout ce que Zack t'a dit aujourd'hui. Ça te distraira de ta blessure.

Je ravale mes sanglots en me triturant les méninges. J'ai la tête complètement vide, mon sang pulse dans mes veines et mon cœur bat très vite. Et *l'odeur* !

— Il se demandait comment j'avais survécu à l'attaque du golem. Il sait que Vince m'est venu en aide. Il a fait allusion à ma mort.

— Qu'est-ce qu'il a mentionné d'autre ?

Je sens qu'elle attend une réponse précise. Je réfléchis à vive allure.

— Il m'a posé plusieurs questions sur ma famille et...

— Il n'a pas élaboré sur le golem ? Il ne t'a pas avoué explicitement que c'était lui qui l'avait envoyé ?

— Non, il m'interrogeait seulement sur ma guérison rapide.

Phoebe jette un coup d'œil sur ma main blessée. Elle fronce les sourcils, une expression étrange lui traversant le visage.

— Je n'y crois pas, quel toupet ! souffle-t-elle. La Confrérie lui fera payer cher ses actes. Encore faut-il prouver que le golem lui appartient. Je donnerais n'importe quoi pour qu'enfin les Bronovov reçoivent ce qu'ils méritent !

Il y a là une part de l'histoire entre les Salmoiraghi et les Bronovov que Phoebe omet de me signaler, mais pour l'heure, je n'ai pas envie de me questionner là-dessus. Je referme les yeux, l'esprit embrumé par l'odeur du sang qui fait bouillonner mes nerfs.

– Robin, garde ton poignet le plus haut possible. Nous sommes presque arrivées.

J'ouvre les yeux et je note pour la première fois le parcours que nous avons fait depuis plus de dix minutes. Nous longeons le canal.

– Où m'emmènes-tu ? Ce n'est pas la direction de l'hôpital ! (elle ne répond pas) Phoebe ! J'ai besoin d'un médecin au cas où tu ne l'aurais pas remarqué ?!

– Ma mère t'arrangera ça, sois tranquille. Fais-moi confiance et tais-toi !

Je me résigne en mordillant ma lèvre inférieure. Pendant que le véhicule grimpe la colline qui aboutit dans la rue des Salmoiraghi, le visage de Vince apparaît dans mon esprit. Aurai-je l'occasion de l'apercevoir ? Sera-t-il fâché lorsqu'il apprendra que j'ai accepté de revoir Zack malgré ma promesse ? Je ne l'ai jamais vu en colère et sincèrement, c'est la dernière chose que je souhaite expérimenter en ce moment.

Je piétine sur le seuil, intimidée et inquiète à l'idée de salir la céramique immaculée. Phoebe ignore mon hésitation et franchit le hall en direction de la cuisine. Je n'ai pas d'autre choix que de lui emboîter le pas, prenant soin de camoufler ma main dans ma manche. Mes paupières sont lourdes. Je respire de plus en plus laborieusement. Je traîne mes pieds difficilement jusque dans la cuisine, manquant de peu d'écraser la queue d'Oscar Furibond qui crache de mépris sur mes bottes.

Phoebe pousse une chaise vers moi. Je m'y écrase pendant qu'elle se lave les mains et dépose un bol d'eau glacée sur le comptoir.

– J'ai soif..., je murmure, la voix pâteuse.

– Je sais. Tu dois attendre encore un peu.

Son ton conciliant m'étonne, surtout après les récriminations qu'elle m'a balancées à la tête, dans la voiture. Elle coince derrière son oreille une longue mèche ténébreuse qui s'est échappée de son catogan.

– Ne bouge pas, je reviens.

Elle quitte la pièce. Durant son absence, j'observe autour de moi. Mon regard dérive vers le comptoir, sur les chaises, la nappe blanche qui recouvre la table, les armoires de bois... Puis mon esprit dérive aussi, se détache de la douleur qui crispe mon bras, se concentre sur les sons qui proviennent des pièces avoisinantes. J'entends les voix de Phoebe et de sa mère, trop basses pour que je comprenne ce qu'elles s'échangent. Il y a beaucoup d'intensité dans leurs tons, on dirait qu'elles se disputent. Je tente de distinguer d'autres bruits, plus loin encore... Est-ce que Vince est détenu ici ? Peut-être que les Salmoiraghi possèdent un cachot dans leur sous-sol, dans lequel il serait enfermé ? J'imagine Vince menotté dans un trou miteux, humide et fourmillant de rats. L'image me fait sourire tellement elle est clichée et stupide, mais mon sourire s'efface alors qu'un élancement violent dans ma main me ramène dans la cuisine, au moment même où madame Salmoiraghi fait son entrée. Elle est accoutrée d'une chemise d'homme et d'un pantalon de lin beige. Sa chevelure est aussi pâle et vaporeuse que le fruit d'un pissenlit, et son regard miroite comme l'éclat d'un verre. Un malaise intense me saisit.

En silence, madame Salmoiraghi s'avance vers ma chaise. Derrière elle, Phoebe étale le contenu d'une trousse de premiers soins sur le comptoir.

– Bonjour, Robin.

Son accent italien tranche chacun de ses mots. Une réponse inintelligible s'échappe de ma bouche. Ma réplique maladroite semble lui suffire ; elle se penche vers moi.

– Ce n'est pas fameux, commente-t-elle en soulevant délicatement ma main pour l'étudier.

La vue de mon moignon m'arrache un hoquet de dégoût et je ferme les yeux, nauséeuse.

– Nous allons nettoyer la plaie avant qu'elle s'infecte. Ce ne sera pas une partie de plaisir.

Comme si j'en doutais.

J'ouvre les yeux pour voir madame Salmoiraghi faire un signe du menton à sa fille, qui s'empresse d'apporter le bol d'eau glacée et une bouteille d'alcool. Les gestes de madame Salmoiraghi sont fins et précis, même si ses doigts me rappellent inexplicablement les serres d'un aigle. De près, je note les rides qui plissent le coin de ses yeux et de sa bouche. Si les jumeaux ont soixante-dix-huit ans, quel âge peut bien avoir leur mère ? Cent cinquante ? Deux cents ans ?!

– Est-ce qu'il y a un moyen de sauver mon doigt ?

Je lui présente mon petit bout d'auriculaire, conservé précieusement durant tout le trajet. Madame Salmoiraghi ne dissimule pas la grimace qui lui vient aux lèvres. Avec précaution, elle me confisque le morceau de chair et le fait disparaître de ma vue.

– Il est irrécupérable, Robin. Tout ce qui importe maintenant, c'est de nettoyer ta main.

J'acquiesce lentement, atterrée par la nouvelle. Mes paupières pèsent maintenant des tonnes.

— Robin ? m'appelle Phoebe. Ouvre les yeux. Reste avec nous.

— J'ai soif...

— C'est normal, tu es poissée de sang. Ne te préoccupe pas de ça pour l'instant.

Toutes mes pensées se concentrent donc sur les serres de... euh... sur les doigts de madame Salmoiraghi, qui détachent les papiers-mouchoirs que j'ai collés sur ma plaie. Lorsqu'elle y applique une dose d'alcool, le liquide me brûle la chair à vif. J'agrippe de ma main libre l'accoudoir de la chaise pour m'empêcher de hurler. Un tremblement me parcourt de la tête aux pieds. Ma gorge se coince davantage. J'ai tellement soif tout d'un coup que je ne pense plus qu'à une seule chose : étancher cette soif, cette pulsion qui vibre dans mes entrailles et qui remonte dans ma gorge, qui m'incendie le gosier. La commissure de mes lèvres se retrousse comme si je m'apprêtais à grogner. Madame Salmoiraghi suspend ses gestes. Ses yeux bleus presque incolores me clouent sur place.

— Contrôle-toi, Robin. Ne laisse pas la Soif te dominer ; domine-la. J'ai presque terminé.

Je ne sais pas ce qui m'arrive, c'est comme si une entité avait pris possession de mon corps. Les ongles de madame Salmoiraghi se plantent dans mon poignet et me font l'effet d'une gifle. Son regard me rappelle vaguement celui de Vince. Ma gorge se dénoue, mes nerfs se relâchent un peu, la tempête qui commençait à tourbillonner dans mon estomac s'apaise. Je hoche la tête pour lui indiquer que je me suis calmée. Madame Salmoiraghi finit de nettoyer ma plaie, elle applique ensuite un onguent sur mon doigt. Des picotements traversent ma main.

– L'hémorragie devrait être stoppée pour le moment, indique-t-elle en enroulant mon doigt dans un pansement propre. Si le saignement recommence, change le bandage et réutilise ceci (elle me présente le pot d'onguent). Prends garde de ne laisser aucune trace et surtout, ne rapporte rien de ce qui s'est passé aujourd'hui.

– Pourquoi ?

Phoebe et sa mère échangent un regard qui n'augure rien de bon.

– Personne ne doit être au courant, explique Phoebe. Ni ta famille ni tes amis, et encore moins une clinique médicale.

– Je dois quand même me présenter au poste de police ! Zack a commis un acte criminel !

– Ça ne te servira à rien de dénoncer Bronovov. À l'heure qu'il est, il a déjà trouvé un moyen de prouver qu'il n'a rien à voir avec ta blessure. Il pourrait même convaincre les policiers que tu t'es coupée toi-même !

– C'est impo... (je m'interromps alors qu'une idée détestable s'introduit dans mon esprit) Est-ce qu'il est capable de modifier la mémoire des gens, comme vous ?!

– Son charme a une plus grande influence que le nôtre sur les autres. Les Bronovov sont reconnus pour ça. De grands séducteurs, mais tous des salopards, ajoute Phoebe à mi-voix.

Je me remémore la scène dans l'aire des casiers de l'école. Ma volonté qui faiblissait au fur et à mesure que Zack me parlait... *Robin, est-ce que tu peux vraiment repousser un charmant garçon comme moi ?* Et ma soudaine capitulation à la suite de cette boutade... Merde ! Chaque fois que Zack plongeait son regard dans le mien et que je m'amollissais, ce n'était que des coups montés, des filets dans lesquels il me piégeait ! Je me souviens maintenant de la facilité avec laquelle il m'a convaincue de prendre un autobus en pleine nuit, ainsi que de mon manque de réticence lorsque je l'ai suivi dans les labos de chimie, avant de l'embrasser. Oh non, non, non ! Je me suis fait avoir sur toute la ligne !

— J'ai cru que ton retour à la vie t'immuniserait aussi contre son charme, continue Phoebe comme si elle avait lu dans mes pensées. Apparemment, non.

« Apparemment, non » ? C'est tout ce qu'elle trouve à me dire ? J'étais victime depuis le début ! Elle ne peut pas m'en vouloir de lui avoir concédé un rendez-vous !

— Ne t'inquiète plus à son sujet, dit-elle sur un ton ferme. Nous nous occuperons de lui. Ce qu'il t'a fait est inexcusable et il y aura des conséquences.

— Je dois contacter Lionel, déclare madame Salmoiraghi en se lavant les mains. Il faudra raccourcir le séjour de ton frère afin de convoquer une réunion générale. Les choses prennent une tournure hors de notre contrôle.

Raccourcir le séjour de Vince ? Est-ce que j'ai bien entendu ?

Je croise le regard de madame Salmoiraghi et, l'espace d'une seconde, je *sais* qu'elle me hait. Son regard vrille à l'intérieur de mon crâne comme un rayon laser. La sensation ne dure pas ; je cligne des yeux et son expression redevient aussi calme et détachée que tout à l'heure. Encore troublée par l'échange non verbal qui vient d'avoir lieu, je me mets à bégayer.

– Mer... merci pour tout, madame Salmoiraghi.

Elle m'offre un mince sourire, puis quitte la cuisine d'un pas hâtif. Je me sens affaiblie et étourdie. Phoebe se débarrasse des serviettes, des morceaux de papier déchirés et du bol d'eau glacée à peine utilisé. Elle ouvre le réfrigérateur pour prendre un carafon.

– Bois, ça va étancher ta Soif.

– Qu'est-ce que c'est ?

– Du sang de cochon.

La chaise tombe avec fracas lorsque je me relève d'un bond. Je recule à tâtons jusqu'à la table, le plus loin possible de la carafe.

– Tu es folle ! dis-je d'une voix altérée.

– Ce n'est pas le moment de faire la capricieuse. Tu es Assoiffée, tu dois boire avant de perdre le contrôle à nouveau ! Tu as failli attaquer ma mère !

– C'est faux, je n'en avais aucunement l'intention !

– Bois, Robin. Tout ce sang que tu as perdu t'a donné Soif !

– Je suis capable de résister. Comme toi, comme ta mère...

— Nous possédons un niveau de contrôle beaucoup plus avancé que le tien, rétorque froidement Phoebe. Tes symptômes viennent tout juste d'apparaître ; il est impossible que tu puisses déjà les maîtriser. Pour une fois dans ta vie, écoute un de mes conseils et bois !

— Non, Phoebe ! Un verre d'eau me contentera. Je n'avalerai pas le sang de quoi que ce soit !

— Tu mettras ta vie et la sécurité des autres en danger si tu n'étanches pas ta Soif maintenant. Range de côté tes petits principes avant que je m'énerve !

— NON !

— Robin ! s'irrite Phoebe. Crois-moi, tu ne veux surtout pas que ce soit ma mère qui te force à boire ! Elle qui vient de te soigner, alors qu'elle te hait jusqu'à l'os !

Elle s'arrête, l'air de regretter ce qu'elle vient de dire. Mes doutes sont confirmés. Ce que j'ai cru imaginer pendant un bref laps de temps était réel.

— Elle n'aime pas le fait que tu sois à la source de la punition de Vince, reprend Phoebe sur un ton pincé. Mais elle t'a soignée quand même parce que j'ai insisté.

— Pourquoi m'as-tu ramenée chez toi alors que tu savais que ta mère me haïssait ?

— Parce que j'ai promis à Vince de m'occuper de toi. Je tiens mes promesses, *moi*.

Elle me tend la carafe.

— Bois.

Chapitre 15

Phoebe m'observe de ses yeux perçants pour s'assurer que je ne me défile pas. C'est probablement ce que je ferais si elle ne me surveillait pas. Du sang de cochon ! Je ne me le pardonnerai jamais !

— Surtout, prends un quart de siècle pour boire. Je n'ai que ça à faire, moi, attendre, lâche-t-elle d'une voix impatiente.

J'avale ma première gorgée comme si j'étais sur le point d'ingurgiter du poison (en d'autres mots, avec zéro enthousiasme). Au début, je suis révulsée par le liquide visqueux et salé, mais bientôt, j'ai l'impression de m'abreuver à une fontaine d'eau fraîche. Le goût métallique est un détail que j'oublie rapidement ; le sang éveille en moi une sensation de bien-être et de plénitude, un soulagement tel que je n'en ai pas ressenti depuis longtemps. Je termine la carafe d'un trait, puis la repose sur le comptoir. J'attends que la culpabilité m'envahisse. Je n'éprouve aucun regret. Je lèche mes lèvres qui sont encore imprégnées de sang et refoule avec difficulté l'excitation qui monte en moi.

— Comment te sens-tu ? demande Phoebe avec, maintenant, un ton sardonique.

— Mieux, dis-je à contrecœur. Contente ?

— C'est à *toi* que tu rends service en buvant, pas à moi. Si tu ne satisfais pas ta Soif, tu deviendras un monstre.

— Que veux-tu dire par là ?

Phoebe reprend la carafe. Elle se dirige vers l'évier et ouvre le robinet.

— Tu te souviens de ton golem ?

— Trop bien, oui ! je grogne en guise de réponse. Tu parles d'une question !

— Dis-toi seulement que tu deviendrais pire que cette chose. Il ne s'agit pas d'un jeu, Robin. Ce que Vince a fait de toi, c'est une réalité. Ça te répugne peut-être, mais désormais, le sang est ta raison de vivre. Plus rien d'autre ne te satisfera.

Elle interrompt le jet d'eau et ses yeux se perdent à travers la fenêtre au-dessus de l'évier. Le silence s'étire et elle continue d'observer le jardin, affichant une expression impénétrable.

— Si j'étais à votre place, dis-je alors, je chercherais un moyen de renverser cette Malédiction !

— Tu ne sais pas de quoi tu parles (elle s'essuie vigoureusement les mains) et tu *es* maintenant à notre place. N'essaie plus de réprimer ta Soif, sinon celle-ci te dominera et tu ne veux pas que cela arrive.

— Combien de fois par jour aurai-je besoin de boire ?

— Dans ton cas, rien n'est sûr encore. Tant que tes symptômes ne sont pas entièrement développés, tu seras instable.

Tu auras peut-être Soif demain, la semaine prochaine ou dans un mois.

Elle retire du réfrigérateur un bidon en plastique qui contient au moins deux litres de sang de cochon. Elle en verse le contenu dans la carafe que je viens de terminer. Je trouve ça tellement bizarre d'être debout, dans une cuisine au plancher immaculé, et que l'hôtesse de la maison m'offre un verre de sang tout droit sorti de son réfrigérateur.

– Tiens, c'est pour toi. Quand tu l'auras terminé, tu n'as qu'à m'appeler et je t'en donnerai d'autre. Ce sera plus facile comme ça. N'attends pas à la dernière minute, surtout !

Je déglutis en prenant la carafe. Phoebe disparaît pendant quelques minutes avant de revenir avec une boîte métallique et un gant de cuir. La boîte contient l'onguent que madame Salmoiraghi a appliqué sur ma plaie pour apaiser la douleur.

– Le gant, c'est pour cacher ton doigt.

Je m'empare docilement de la boîte, que j'enfouis dans mon chandail, puis je glisse le gant de cuir dans la poche de mon pantalon de jogging.

– Tu es prête à partir ?

Nous sortons de la maison sous un ciel encore plus gris et maussade que ce matin. *La notion du temps n'est pas la même pour nous que pour les autres*, m'a avertie Vince. Ce que j'ai cru s'être déroulé pendant une heure en a pris plusieurs en réalité. Pourtant, j'ai l'impression que Zack m'a coupé le doigt il n'y a qu'une dizaine de minutes !

Je prends place dans la voiture de Phoebe en gardant ma main blessée contre moi. Elle m'élance beaucoup moins qu'auparavant : l'onguent accomplit déjà son effet bénéfique. Je regarde tout autour de la maison pendant que Phoebe démarre. Même la Ducati de Vince n'est nulle part en vue.

Phoebe coupe le moteur. Je lève les yeux, étonnée de constater que nous sommes déjà garées devant chez moi. Encore une fois, le temps m'a échappé !

— Merci, Phoebe, dis-je un peu timidement. Et à ta mère aussi.

Elle hoche la tête en tapotant le volant.

— Cache le sang dans un coin frais et n'oublie pas, Robin, pas un...

— Mot à ma famille, ouais, je sais. Je ferai de mon mieux.

Je me dépêche de grimper les marches. Les pulsations de mon cœur se propagent jusque dans mon bras engourdi. Je n'ai pas dépassé mon couvre-feu, mais je n'ai pas averti mon frère que je ne rentrerais pas de l'école avec lui. J'aurais donné n'importe quoi pour le trouver absent ; la Chevrolet est cependant garée dans notre allée. L'ordre que les Salmoiraghi m'ont donné me paraît impossible. Je ne vois pas comment je pourrais cacher qu'il me manque un membre, aussi minuscule soit-il. Je ne trouverai jamais de mensonge assez crédible pour expliquer la perte d'un bout de doigt ! Je soupire, sors mes clés et franchis le seuil, m'attendant au pire. La silhouette de Thierry se découpe dans le hall avant que je referme la porte. Je dissimule ma main gauche dans la poche de mon chandail.

— Il était temps que tu arrives ! m'apostrophe-t-il. À force de t'attendre, j'allais être en retard pour mon entraînement de hockey ! Où étais-tu ?

Je lance, très nonchalamment :

— Je traînais chez Steph.

Je le dépasse pendant qu'il soulève son sac de sport et le juche sur son épaule. Je touche à peine le premier palier de l'escalier que sa voix m'arrête.

— Pas si vite, Robbie. J'ai vu le bandage que tu as à la main. Qu'est-ce qui t'est arrivé ?

— Rien, juste une petite entorse au doigt.

Thierry sourit, presque amusé.

— Tu t'es fait une entorse au doigt ? Comment t'as réussi ça ?

— C'était un cours de volley-ball, aujourd'hui. J'ai frappé le ballon sous un mauvais angle.

— Pff, lâche mon frère en secouant la tête. Il n'y a qu'à toi que ça arrive, des choses pareilles. Hé, avertis-moi la prochaine fois que tu vas chez Stéphanie. Tu dois te montrer prudente tant qu'on n'a pas mis la main sur le Tueur Fou !

Je réponds par un vague marmonnement. Thierry referme la porte d'entrée puis j'entends le moteur de la voiture s'enclencher quelques minutes plus tard.

C'était beaucoup plus facile que je ne le craignais. Combien de temps vais-je pouvoir jouer la carte de l'entorse avant que ma famille réalise l'ampleur de ma blessure ?

Je me couche tout habillée sur mon lit et mes pensées bifurquent vers madame Salmoiraghi. Je lui suis reconnaissante de m'avoir soignée en dépit de son antipathie... Mais

221

se montrera-t-elle aussi charitable lorsqu'il s'agira de décider de mon adhésion à la Confrérie ? Qui prend ce genre de décisions ? Le père de Vince ? S'il partage les mêmes sentiments que sa femme à mon égard, je suis fou-tue.

La porte d'entrée claque. Je me crispe sur mon lit.

— Robin ? hèle la voix de papa.

Mon corps se détend aussitôt.

— Dans ma chambre !

Je l'entends qui s'affaire un moment dans la cuisine, puis je distingue le bruit étouffé du téléviseur qui s'allume. Les forces que m'a insufflées le sang de cochon me désertent. Ma main m'élance à nouveau. Un arrière-goût amer traîne sur ma langue. La culpabilité fait insidieusement son apparition. Je me redresse lentement et m'empare de la carafe que Phoebe m'a donnée. Je me dirige à tâtons vers la salle de bains. D'accord pour ne pas dénoncer Zack à la police, d'accord pour cacher ma blessure aux yeux de ma famille, d'accord pour attendre sagement le retour de Vince... Mais le sang de cochon, non, je ne peux vraiment pas !

Sans hésiter, je vide le sang dans la cuvette des toilettes.

Une douleur aiguë me réveille en plein milieu de la nuit. Le souffle coupé, je m'appuie sur mes coudes et tâte fébrilement mon bandage. Il est poisseux de sang. Oh non, non, non !

J'allume la lampe de chevet. La lumière tamisée de l'abat-jour éclaire lugubrement les taches sombres qui parsèment mon oreiller et mes draps. D'un bond, je saute du lit, enroule ma main dans ma taie d'oreiller, attrape l'onguent que m'a remis Phoebe et me dirige vers la salle de bains sur la pointe des pieds. J'ouvre le robinet et glisse ma main blessée sous le jet. L'eau froide exacerbe la sensation de douleur. En serrant les dents, je nettoie consciencieusement mes doigts jusqu'à ce que l'hémorragie ralentisse. Je soustrais de la boîte métallique une nouvelle bande de gaze ainsi que l'onguent. Le petit bout de chair m'inspire une répugnance indescriptible. Je me dépêche de compléter mon pansement et d'effacer toute trace de mon passage dans la salle de bains avant de retourner dans ma chambre. J'inspire de longues bouffées d'air. Je dois garder le contrôle sur mon dégoût et m'habituer à ce doigt manquant.

Ne panique pas. Ne panique pas. Ne panique pas.

Ce n'est qu'en changeant les draps que le calme me revient peu à peu. Un coup d'œil sur mon réveille-matin : trois heures. Je n'ai plus du tout sommeil. Je m'approche de la fenêtre pour vérifier le loquet. Ce que je vois, quelques mètres plus bas dans ma cour, manque de me faire hurler.

Juste sous ma fenêtre. Une silhouette.

Elle est prostrée dans une immobilité tellement étrange que je devine tout de suite qu'il s'agit de quelqu'un d'inhumain. Une Autre, si je me fie aux longs cheveux qui camouflent son visage.

Prise d'un hoquet, je verrouille la fenêtre et recule en titubant. Je me réfugie sous mes couvertures. Ma peur est tellement intense que mes dents claquent les unes contre les autres et mon corps est secoué de spasmes.

Ça y est, je les vois maintenant !

Cette découverte me plonge dans l'angoisse. Une femme, une Autre, est postée sous ma fenêtre ! Quelque chose me dit que c'est la même que celle que Vince a aperçue lorsqu'il est venu me voir, la veille de sa punition. Qu'est-ce qu'elle me veut ? Pourquoi est-elle revenue ?! À moins que... à moins qu'elle ait toujours été là ! Peut-être n'a-t-elle jamais quitté ma fenêtre depuis qu'elle a suivi Vince jusqu'ici !

Pétrifiée, je n'ose pas émettre un son ou faire le moindre mouvement. Mes yeux restent grands ouverts et je regarde, sans vraiment la voir, l'aube se lever graduellement. Je suis ankylosée de la tête aux pieds.

L'alarme de mon réveille-matin émet un son strident. Il est sept heures et demie. Je débloque chacun de mes muscles et me lève avec effort. Du doigt, j'éteins l'alarme, puis je retourne à la fenêtre. L'Autre a disparu. Nerveuse, je regarde partout dans la cour. Personne. Elle s'est bel et bien évanouie. Ça ne me soulage pas pour autant. Rien ne me garantit qu'elle ne reviendra pas ce soir, ni demain soir ni toutes les nuits qui suivront...

On cogne à ma porte. D'un bond, je regagne mon lit et me couche en me roulant en boule.

– Ouais ?

La tête de papa apparaît dans l'entrebâillement. Il est déjà habillé pour aller travailler. Un autre coup d'œil sur mon réveil m'indique qu'il est maintenant huit heures. Je ne m'habituerai jamais à tout ce temps qui me glisse entre les doigts !

– Tout va bien, chérie ?

Je réponds par l'affirmative en battant des paupières comme si je venais de m'éveiller.

— Tu vas être en retard, observe-t-il sévèrement.

— Je vais me passer de l'école aujourd'hui.

— Tu ne te sens pas bien ? se renseigne papa en fronçant les sourcils.

— Je suis fatiguée.

J'émets un bâillement un peu trop forcé, mais qui réussit quand même à convaincre mon père puisqu'il adopte un ton plus doux :

— Tu as déjà raté plusieurs journées de cours, Robin...

— C'est bon, Stéphanie prendra des notes pour moi. Je l'appellerai tantôt.

Il soupire et concède en secouant la tête :

— D'accord, mais que ce soit ta dernière journée de congé jusqu'à la fin du trimestre. Je te signerai un papier d'absence.

— Merci ! Tu vois que ça t'arrive d'être cool, quand tu veux vraiment.

Il referme la porte avec un *pff*. Trois secondes et demie plus tard, mon frère déboule à son tour en clamant :

— École buissonnière aujourd'hui ?

— Non ! Repos mérité à la maison ! Tu pourrais frapper avant d'entrer ? Imagine que je sois en train de me déshabiller ?!

— Beurk ! Alors, comment il va ton petit doigt ?

— Fiche-moi la paix, Thierry !

— Ça va, ça va, je dégage. Mais si je remarque que Steph est absente aussi, je vous dénonce, toutes les deux.

— BYE, THIERRY !

Il claque la porte en grommelant. Mes nerfs sont à vif. La visite funèbre à laquelle j'ai eu droit la nuit dernière occupe entièrement mon esprit. Je retourne à la fenêtre pour vérifier encore une fois qu'elle a vraiment quitté la propriété. Je sais qu'elle ne réapparaîtra pas avant le prochain coucher de soleil, mais ma peur subsiste.

Je prends une douche brûlante, interminable. Obligée de refaire mon pansement par la suite, je découvre rapidement un truc pour éviter le malaise : ne pas regarder la plaie trop longtemps. Un peu plus tard, j'essaie d'avaler un bol de céréales dont le goût fade me dissuade d'en ingurgiter plus. Je remonte à l'étage pour ramasser mes draps souillés, ma taie d'oreiller et le chandail que je portais la veille, et je les introduis dans la machine à laver. J'ai déjà entendu dire que le sang ne se lavait pas facilement : je vide donc la moitié du détergent dans la machine. Tandis que l'appareil se met en marche, je me juche sur la sécheuse. D'ici, je peux voir l'escalier qui mène au sous-sol.

C'est ridicule. Après cette Autre qui surveille ma fenêtre, Zack le Mutilateur qui me tranche un doigt, le golem qui m'ouvre le ventre et la Confrérie qui s'arroge le droit de vie et de mort sur ma personne, pourquoi est-ce que j'ai peur de descendre au sous-sol ? Ça devrait être la dernière chose qui puisse m'effrayer maintenant !

Je sors de la buanderie et pose un pied sur la première marche. Sur la deuxième. Sur la troisième.

Sur la quatrième, je perds le souffle. Ma raison me prescrit de faire demi-tour. Ma gorge se comprime quand j'atteins la cinquième marche. Mon cœur accélère lorsque mon pied touche la sixième. La porte de l'antre de maman est visible de là où je suis. La lumière provenant du rez-de-chaussée ne parvient pas à chasser la pénombre du sous-sol.

Je saute les trois dernières marches et avance d'un pas déterminé vers l'antre. Aussitôt, une sensation glacée s'infiltre dans ma peau, une sensation qui n'est pas provoquée par le plancher froid. Encore une fois, mon esprit bloque quelque chose, un souvenir, je ne sais pas. Je tends la main vers la poignée. Mes doigts touchent le métal.

C'est à ce moment-là que j'entends le son.

Un petit bruit grinçant, un *kriiich kriiich* qui me donne la chair de poule. Je relâche la poignée sans la tourner, puis regarde derrière moi. Il n'y a rien ni personne. Pourtant...

Je tends l'oreille. Pas un son, plus rien. Est-ce que j'ai imaginé ce bruit morbide ?

Je ne cherche pas la réponse. Je prends mes jambes à mon cou.

Je n'accomplis pas grand-chose de ma journée. Je m'écrase devant la télévision en attendant l'arrivée de papa ou de Thierry. Le ciel s'assombrit de plus en plus. La nuit ne tardera pas à tomber et l'Autre reviendra s'embusquer sous ma fenêtre. Je ne cesse de consulter l'horloge accrochée au-dessus de la télé en formulant des plans pour les prochaines heures. Je pourrais veiller toute la nuit dans la cuisine. Je pourrais appeler Steph et aller dormir chez elle. Je pourrais...

Une image à la télévision me distrait de mes machinations. C'est le bulletin de nouvelles. J'augmente le volume. La voix du présentateur résonne dans tout le salon.

« ... l'identité de la victime a finalement été divulguée au cours de l'après-midi. Il s'agirait de Jessica James, quinze ans, citoyenne de Chelston. Les parents de la jeune fille ont signalé sa disparition ce matin même, après avoir constaté qu'elle n'était pas rentrée la nuit dernière. Chelston demeure choqué devant un autre meurtre aussi sauvage. Voici le témoignage d'un membre de la famille James... »

La voix du présentateur ne me parvient plus qu'à travers un brouillard. La porte d'entrée s'ouvre et je me relève en titubant.

– ROBIN !

Mon frère crie plus qu'il n'appelle mon nom. Je le rejoins dans le vestibule. Il est essoufflé, comme s'il avait couru de l'école jusqu'ici.

– Je suis là, dis-je d'une voix blanche.

Il me serre contre lui, mais je ne lui rends pas son étreinte, Mon corps s'est statufié depuis l'annonce de la nouvelle. Le Tueur Fou a récidivé.

Ou plutôt...

... Zack et son golem ont récidivé.

Chapitre 16

Je me libère difficilement de l'étreinte de mon frère et calme mes mains tremblantes en les serrant l'une dans l'autre.

— Tu as entendu la nouvelle ? s'enquiert Thierry en retirant son manteau.

— Oui, juste à l'instant.

— Tout l'aréna ne parlait que de ça ! Je sortais de mon entraînement lorsque Pierre me l'a appris. C'est fou !

— Pourquoi étais-tu si agité ? Tu savais très bien que j'étais à la maison.

Thierry soupire et s'ébouriffe les cheveux d'une main.

— Je ne sais pas, je n'ai pas vraiment réfléchi. J'ai eu peur pour toi, c'est tout (il m'embrasse sur le front). Réaction excessive et typique d'un frère aîné. Désolé. Ça fait partie du curriculum.

Je le précède dans le salon. Le frère de Jessica James s'exprime encore à la télé. Il a les yeux et les joues rouges, et il parle avec véhémence. Je m'effondre sur le canapé.

— Jessica... Elle suit le même cours de maths que moi...
(je m'interromps) Elle *suivait*.

La colère me saisit brutalement. Jessica faisait partie de
ceux qui sont venus me visiter à l'hôpital. Je n'arrive pas à
croire que Zack ait récidivé aussi vite et, surtout, qu'il ait
choisi une autre victime ! Je pensais qu'il chercherait d'abord
à m'éliminer pour de bon. De quel droit s'empare-t-il de la
vie de ces filles ?!

Tout ce sang des victimes... Se peut-il que Zack le recueille
pour... pour le consommer ? Mais alors, pourquoi a-t-il besoin
d'un golem pour s'acquitter de la besogne ? Juste parce que
ça lui procure un alibi ? Et comment le golem lui rapporte-
t-il le sang ? À ce que je sache, il ne se trimballe pas avec une
cruche vide !

Peut-être est-ce un jeu pour Zack ? Peut-être tue-t-il seulement pour le plaisir ?

Le frère de la victime disparaît de l'écran et la voix du
présentateur de nouvelles ramène mon attention sur lui :
« Je vous rappelle que des huit victimes du tueur en série,
une seule a survécu. Elle... »

Thierry éteint le téléviseur, puis catapulte la télécom-
mande sur le canapé.

— Tu as faim ? Tu veux que je te commande quelque
chose ?

Je secoue la tête. Mon frère veut tellement me changer
les idées qu'il en devient nerveux lui-même.

— Ça va. Tu n'as pas besoin de te casser la tête. Tu es à
la maison. Je n'ai pas peur.

C'est plus ou moins vrai. Malgré sa taille robuste, je doute qu'il puisse faire face à un golem, encore moins à une horde de fantômes qu'il ne peut pas voir.

Je lui offre un faible sourire, au moment où la porte d'entrée claque à nouveau. Papa apparaît, les cheveux aussi ébouriffés que ceux de Thierry, l'air plutôt joyeux. Il déboutonne son manteau en nous rejoignant.

— Désolé, je suis en retard. Madame Stellas m'a raccompagné... (il s'arrête et nous dévisage) C'est quoi, ces mines d'enterrement ? Qu'est-ce que tu as encore fait, Robin ?

Je n'ai même pas la force de m'offusquer. Pendant que Thierry lui rapporte la tragédie, l'expression de papa passe de la bonne humeur à la consternation totale.

— La pauvre petite, chuchote-t-il en s'appuyant sur le bras du fauteuil à côté de moi.

Papa connaissait personnellement Jessica ; sa famille fait partie de la clientèle fidèle de sa clinique dentaire. Il rumine la nouvelle pendant un moment avant de se frotter les tempes et de se ressaisir.

— Ton couvre-feu sera plus sévère, m'annonce-t-il. Ce sadique court encore les rues et je ne veux pas que tu tombes une deuxième fois entre ses mains. Je ne dis pas ça pour te vexer, Robin, mais pour te protéger. Tu comprends ?

Je comprends, mais ça me déplaît quand même. Je peux déjà rayer de ma tête l'idée de rejoindre Stéphanie ce soir ! Je me réfugie dans ma chambre et risque un regard par la fenêtre. L'Autre est dans ma cour, directement dans mon champ de vision. Je recule discrètement, craignant qu'elle ne lève la tête vers moi. La dernière chose que je souhaite, c'est d'attirer en plus son attention.

Je me couche dans la chambre d'amis, sans réussir à fermer l'œil de la nuit.

— J'ai un entraînement après l'école. Attends-moi chez Steph, je viendrai te chercher et nous rentrerons à la maison ensemble, me propose Thierry le lendemain matin, en coupant le moteur de la Chevrolet.

Il y a quelques semaines, une telle suggestion m'aurait fait grincer des dents. Mais maintenant, avec le meurtre de Jessica et mon nouveau couvre-feu, je n'ai pas vraiment envie de m'y opposer.

Je descends de la voiture et marche vers le portail de l'école. Ici et là, j'intercepte des bribes de conversation qui relatent la terrible nouvelle. Je me sens coupable d'écouter les rumeurs sur la mort de Jessica alors que je connais l'identité de son meurtrier. Je me faufile entre les portes d'entrée en regrettant de ne pas avoir eu droit à un congé supplémentaire.

Je suis sur le point de refermer ma case lorsque Phoebe s'appuie sur celle d'à côté. Sans prendre la peine de me saluer, elle chuchote :

— Il y a une réunion de la Confrérie dans deux jours. Les choses dégénèrent et il faut absolument régler cette histoire de golem avant qu'on soupçonne notre existence. Zack n'a pris aucune précaution avec le meurtre de la dernière victime.

— Comment tu sais ça ?

Elle me plante le journal local dans les mains. J'ai le temps de lire rapidement le gros titre : « Le Tueur Fou frappe encore à Chelston ! » avant qu'elle reprenne la parole.

– La police va finir par se rendre compte un jour que les blessures ne sont pas causées par une main humaine. Si quelqu'un découvre l'existence du golem avant que la Confrérie ne punisse son maître, qui sait ce qu'ils pourraient découvrir d'autre à notre propos.

– Phoebe... tu es certaine à cent pour cent que Zack est le Tueur Fou ?

– Tu en doutes encore après ce qu'il t'a fait ? me rétorque-t-elle.

Au même instant, Zack traverse notre allée. Sourire aux lèvres, il s'arrête pour nous faire la révérence.

– Mesdames, plaisante-t-il avant de poursuivre son chemin.

La fumée me sort par les oreilles. Je réplique entre mes lèvres serrées :

– Non, je n'en doute plus !

– Il ne perd rien pour attendre, grogne Phoebe. Il trouve tout ça très hilarant, mais il ne rira pas longtemps. Bon, maintenant, écoute bien : si tu veux que la Confrérie te laisse la vie sauve, il faut que tu sois libre ce vendredi soir pour la réunion. Elle se tiendra à Montréal, dans la résidence de mon grand-père.

Montréal ? C'est à une heure d'ici ! Pourquoi pas les îles Maldives tant qu'on y est ?

– Mon père ne me permettra pas de sortir, pas avec cette nouvelle tragédie !

– Tu es la reine du mensonge, s'impatiente Phoebe. Invente n'importe quelle histoire afin de te présenter ! Je dois y aller (elle décoche un regard à ma main gantée). Surtout, ne laisse plus Zack t'approcher.

– Attends, j'ai une question ! Est-ce que Vince sera présent lors de...

Phoebe ne m'entend pas ou bien elle m'ignore. Elle m'a tourné le dos et s'éloigne déjà. Je demeure sur place, fulminante et inquiète. Montréal ! Je n'en reviens pas ! Très gentil de la part de Phoebe de m'avoir proposé de m'y emmener, en tout cas ! Comment je fais pour me rendre là-bas, moi ?

Découragée, je me rends aux toilettes (qui sont désertes) et je m'enferme dans une cabine pour vérifier l'état de mon bandage. En le changeant ce matin, j'ai remarqué que le saignement était minime. Je suppose que ça signifie que ma plaie cicatrise bien. Parfois, je ressens des picotements, comme si j'avais toujours mon auriculaire au complet et que je pouvais le mouvoir. J'ai lu à propos de ce phénomène l'an passé, en biologie : c'est d'ailleurs l'un des seuls éléments que j'ai retenus de ce cours. Il s'agit du « membre fantôme », l'illusion qu'a un amputé de posséder encore le membre qu'il a perdu. Jamais je n'aurais pu me douter que je vivrais une telle expérience...

La porte des toilettes s'ouvre sur Lana quand je sors de la cabine. J'enfouis ma main dans ma poche en adoptant un air affairé. Elle me fait la bise puis elle étale sa trousse de maquillage sur le comptoir. Je ne vois pas trop pourquoi elle en met autant ; elle est déjà resplendissante sans ça. Ses cheveux couleur de feu ruissellent sur ses épaules, son teint est radieux. Même ses cernes ont disparu. Je constate qu'elle se porte mieux depuis la dernière fois que je lui ai parlé... Quoique, sa bonne humeur est un peu déplacée en cette triste journée de deuil.

Elle remet le bouchon sur son tube de *gloss*, les sourcils froncés.

– Pourquoi tu me fixes avec cette tête de croque-mort ?

– Tu n'es pas au courant ? On a retrouvé le corps de Jessica James, hier matin.

– Qui ?

– Jessica James ! La petite blonde dans notre cours de maths !

– Oh !

Elle porte une main à sa bouche, épouvantée.

– Que lui est-il arrivé ? chuchote-t-elle.

Je fais glisser dans sa direction le journal que m'a remis Phoebe. Lana lit le gros titre, tourne quelques pages, puis referme le journal avec une mine dégoûtée.

– C'est dégueulasse ! Ce sadique ne pourrait pas nous laisser tranquilles ?

– Sérieusement, tu n'étais pas au courant ? Tu vis dans une grotte ou quoi ?

– Ça n'a rien à voir ! Je ne suis pas venue en classe hier et je ne regarde jamais la télé, alors... comment voulais-tu que je sois mise au courant ?

— Pourquoi as-tu manqué les cours ?

Une ombre noircit le regard de Lana. Elle semble soudain préoccupée à fourrager dans sa trousse. Je remarque une trace bleuie autour de son poignet. Je pose une main sur la sienne et elle s'immobilise.

— Je n'avais juste pas envie d'être à l'école hier, dit-elle très vite.

Je relève la manche de son chandail avant qu'elle puisse m'arrêter. Une balafre hideuse court sur son avant-bras.

Silence.

D'un geste sec, Lana replace sa manche.

— Ce n'est pas ce que tu crois.

— Lana, si ton père...

— Ce n'est pas ce que tu crois !

Elle fouille avec encore plus de concentration dans son sac de maquillage. Des plaques rouges apparaissent sur ses joues et son cou.

— Robin, ce n'est pas parce que tu as une famille parfaite que tu dois assumer que toutes les autres sont miséra...

— Une famille parfaite ? (je m'étrangle presque) Ma mère est morte il y a six ans ! Mon père est entré en cure de désintox à cause de ça !

Je m'interromps, horrifiée. Je n'ai jamais avoué ça à quiconque, pas même à Steph. Lana me dévisage, tout aussi interloquée que moi. Je serre les poings.

– Ton père peut toujours aller chercher de l'aide, dis-je en reprenant contenance. Et s'il te frappe, tu dois en parler à quelqu'un. Personne n'a le droit de lever la main sur toi.

Les larmes remplissent ses yeux émeraude. Elle referme sa trousse de maquillage, son visage à présent complètement cramoisi. Son expression se durcit.

– Je suis une grande fille. Je sais me défendre. Ne t'inquiète pas pour moi.

Sur ces mots, elle me plante là. Je m'appuie sur le comptoir, n'arrivant pas à croire que je lui ai balancé cette information au sujet de mon père. Et cette longue cicatrice, sur son bras... Je me demande ce que le père de Lana lui fait subir pour qu'elle décide de rater l'école. À qui devrais-je parler de ce que j'ai vu, de ce que je sais ?

Elle va te tuer si tu oses confier tes inquiétudes à une autorité quelconque.

Je touche mon bandage. Ce n'est pas comme si je n'avais pas mes propres problèmes : il me manque un doigt, je connais l'identité de mon agresseur, je suis hantée par une Autre, je suis censée boire du sang de cochon pour calmer d'éventuelles pulsions mortelles, je dois trouver un moyen d'assister à la réunion de la Confrérie et enfin, je ne suis même pas sûre qu'on va me laisser la vie sauve après cette convocation ! Pourquoi devrais-je ajouter les problèmes de Lana par-dessus tout ça ?

Parce qu'elle pense que ma famille est parfaite.

Parce que la vie chez elle est tellement ignoble qu'en comparaison, ma famille est un modèle exemplaire, alors que ce n'est pas du tout le cas. Mon père n'a peut-être jamais levé la main sur moi, mais il m'a ignorée pendant plusieurs mois. Il souffrait tellement de la mort de maman qu'il a complètement négligé le deuil que vivaient ses propres enfants.

Et ça, c'est aussi douloureux que de recevoir une gifle.

Il ne faut pas plus d'une heure pour que la fatigue me tombe dessus comme une enclume. Mes insomnies des dernières nuits se font lourdement sentir. J'ai de la difficulté à garder les yeux ouverts pendant mes cours, et l'ennui que m'inspire la moitié de mes profs n'aide en rien la situation. Pendant l'heure du dîner, j'en ai assez : je quitte l'enceinte de l'école pour aller traîner dans un parc à quelques minutes de distance, non loin du boulevard Skinner. Je me couche sur le banc d'une table à pique-nique, me disant que je pourrais sécher le cours de maths qui suivra et revenir pour celui d'anglais. Je ferme les yeux, contente de ce petit répit sans avoir à penser à Jessica, Lana, Zack, le golem, les Autres, Vince ou la Confrérie...

Lorsque je me réveille en sursaut, il fait nuit noire.

La température a chuté de plusieurs degrés et, sous ma veste, la chair de poule bosselle ma peau. Oh non, Thierry va me tuer ! Je lui avais promis de l'attendre chez Steph après l'école ! Il doit être en train de me chercher partout, en ce moment. Je n'ai pas *pu* dormir aussi longtemps... Pourtant, la brise glaciale de la nuit est très réelle. Des étoiles scintillent dans le ciel. Je fouille dans mon sac. Je ne trouve pas mon portable ; génial, je l'ai encore oublié à la maison ! On dirait que je le fais exprès !

Ça ne peut être qu'un don, cette manie de me plonger dans des situations impossibles. D'abord mon rendez-vous tragique avec Zack, maintenant mon non-respect du nouveau couvre-feu de papa. Il va m'arracher la tête, c'est certain !

Des volutes de buée s'échappent de mes lèvres. Le parc ne m'inspire guère la sécurité qu'il arbore en plein jour. Tapi parmi les ombres, un golem pourrait se tenir aux aguets, prêt à me dévorer. Mon estomac se tord d'inquiétude. Rien n'empêche Zack de lancer sa fichue créature à ma poursuite, encore une fois. Anxieuse, je regarde autour de moi et distingue au loin une fille, assise sur une balançoire, en face du carré de sable. Je me relève lentement. Il est fortement déconseillé à une fille de se balader toute seule la nuit alors que le Tueur Fou est toujours en cavale ; la règle s'applique autant à moi qu'à cette inconnue.

Je plisse les yeux pour observer la silhouette immobile... beaucoup trop immobile...

Les poils sur ma nuque se hérissent. Cette silhouette appartient à une Autre. Je n'ai pas besoin de m'approcher pour le vérifier : aucun battement de cœur n'émane d'elle. Les conseils de Phoebe me reviennent en mémoire. Je dois ignorer l'Autre, faire comme si elle n'était pas là. Je recule doucement, les yeux rivés sur l'Autre qui me fait dos. Elle n'a peut-être pas conscience de ma présence...

Mon soulier écrase une brindille.

Mortifiée, j'entends le craquement se répercuter dans le silence de la nuit. L'Autre ne bouge pas. Les jambes flageolantes, je poursuis mon recul en lançant des regards sur le sol afin de ne pas répéter la même bavure. Quand je relève la tête, l'Autre a changé de position. Elle est debout, toujours dos à moi. La balançoire n'a pas émis un seul son qui aurait pu trahir son déplacement. Le sang se glace dans mes veines.

239

À part le golem, c'est l'expérience la plus bizarre qui me soit arrivée. Tout dans le comportement de la morte est surréaliste. Pas un seul film d'horreur ne pourrait reproduire une scène pareille. Le temps d'un battement de cils, elle se retourne vers moi. Je ne parviens pas à bouger mes muscles quand elle avance dans ma direction. Ses gestes sont désarticulés et maladroits ; les os jouent sous sa peau comme s'ils se brisaient chaque fois qu'elle fait un mouvement. Plus elle se rapproche, plus les sons de cassure me sont audibles. Le cœur me monte à la gorge tandis que l'éclairage des lampadaires se pose sur elle. Brusquement, je la reconnais. Ces torsades de cheveux sombres, les traits inoubliables de ce visage que je croise chaque jour, lorsque je passe devant le mur commémoratif de l'école et que je contemple brièvement sa photo...

Anna Rodriguez. La sixième victime du Tueur Fou.

Et, à en juger par le gargouillement épouvantable qui fuit de sa gorge, elle m'a reconnue elle aussi.

Chapitre 17

Inutile de prétendre que je ne l'ai pas vue, elle m'a déjà ciblée. Elle accélère le pas. On dirait une marionnette mal assemblée. Je comprends alors la raison de son horrible démarche : sous la lumière crue des lampadaires, je discerne de profondes cicatrices à chaque articulation, là où les membres s'assemblent... Là où le golem les a disloqués.

La mort les a reliés ensemble à nouveau.

Voulant à tout prix que l'Autre cesse d'avancer, ne sachant même pas si elle peut me comprendre, je m'exclame :

– Ne t'approche pas, Anna ! Reste là où tu es !

Mauvaise idée. Mon cri la motive, au contraire. Elle court dans ma direction, à la fois grotesque et effrayante, mais d'une rapidité surprenante. Notre collision nous projette toutes les deux sur l'herbe givrée du parc. Une vive brûlure me dévore la peau là où ses doigts glacés se resserrent. Dans un cri d'épouvante, je la repousse de toutes mes forces et me relève péniblement, la respiration sifflante. De près, le visage d'Anna est deux fois plus ignoble : il a conservé l'expression de terreur qu'elle avait avant de mourir. Ses yeux sont exorbités vers le ciel et pourtant, je sais qu'elle me voit. Sa bouche est ouverte sur un hurlement qui ne peut pas s'échapper de sa gorge, si ce n'est en borborygmes vaseux, à cause de la longue déchirure qui entaille son cou. Je recule devant la ruine qu'Anna est devenue en balbutiant :

– Je suis sincèrement désolée de ce qui t'est arrivé. S'il te plaît, ne déverse pas ta colère sur moi, je ne te veux aucun mal !

Est-ce que les Autres sentent notre empathie ? Peuvent-ils encore éprouver des sentiments ? Leur reste-t-il une portion d'âme, quelques fragments de leur passé ou de leur personnalité, à part l'enveloppe charnelle qu'ils traînent avec eux ?

Anna s'élance vers moi, prête à m'attaquer une seconde fois. D'un bond, je retrouve mon agilité et je m'enfuis dans la direction opposée. Malheureusement, un peu plus loin, une Autre fille m'attend. Cette dernière a la même démarche démantibulée qu'Anna, présente les mêmes déchirures, le même visage défiguré par l'effroi, si ce n'est que, dans son cas, ses yeux ont été arrachés, laissant deux cavités béantes, dégoulinantes, abominables. Jessica James.

C'est une assemblée générale des victimes du Tueur Fou ou quoi ? Les cinq autres vont aussi se pointer et me coincer dans le parc ?

En chancelant, Jessica traverse un cône de lumière projeté par un lampadaire. Je jette un œil paniqué par-dessus mon épaule. Anna n'est plus très loin derrière...

Je me mets alors à bramer en tendant les mains dans leur direction :

– Stop ! Stop ! Je peux vous aider ! Je coincerai celui qui vous a fait ça ! Laissez-moi une chance !

Peine perdue. Les deux victimes du golem de Zack sont animées d'une rage froide, d'un désir de vengeance presque palpable. Je les vois, je suis incapable d'ignorer leur douleur. Ma vie est une insulte à leurs yeux, un vestige de ce qu'elles ont injustement perdu sous les crocs du golem. Elles sont sur moi maintenant. Leur fureur m'ensevelit sous une multitude de doigts acérés, des démangeaisons me lacèrent la peau chaque fois qu'elles me touchent, qu'elles tentent de m'arracher la seconde existence que j'ai reçue grâce à Vince. Mes cris s'étouffent sous leur hostilité, elles m'aplatissent au sol en m'étranglant. Dans un dernier soubresaut, j'atteins d'un coup de genou l'abdomen de Jessica et mon poing s'écrase sur la mâchoire béante d'Anna. Sous la force de l'impact, la tête de cette dernière s'arrache de son socle, à l'endroit où le golem l'a décapitée, et roule un peu plus loin sous mes yeux ébahis. Agité de convulsions, le corps sans tête me relâche et tâtonne l'herbe avec hésitation. Mue par une magie qui m'est inconnue, la tête d'Anna rejoint en roulant ses doigts fébriles et ceux-ci la replacent sur la nuque décousue...

Je rampe au sol, le sel de mes larmes humectant mes lèvres.

– Non... non... Je vous en prie, laissez-moi !

Contre toute attente, ma prière désespérée se révèle fructueuse. Jessica et Anna s'immobilisent en même temps, telles deux étranges soldates au garde-à-vous. Bientôt, comme si elles avaient reçu un ordre silencieux, elles me dépassent et s'éloignent.

Il ne me faut pas plus de quelques secondes pour réaliser que ce n'est pas ma supplication qui les a convaincues, mais plutôt... *elle*.

La femme embusquée sous ma fenêtre toutes les nuits depuis la disparition de Vince.

Elle est debout devant moi.

Je ne me suis pas rendu compte de son arrivée, trop occupée à me débattre avec les deux Autres. Ses traits sont voilés par le long rideau que forment ses cheveux entremêlés et elle est revêtue d'une robe grisâtre. Un râle guttural s'extrait de sa poitrine et ce son envoie des ondes de choc dans toute ma colonne vertébrale. Il m'est impossible de ne pas saisir la raison de la fuite d'Anna et de Jessica : cette femme dégage une aura tellement maléfique que l'horreur électrise mes nerfs et déclenche une série de spasmes dans mon corps.

Elle fait un pas dans ma direction.

La peur me donne des ailes. Je bondis et traverse le parc à grandes foulées paniquées. Je cours, je cours, je cours, sans reprendre mon souffle. Je trébuche enfin sur le palier de la maison, m'écorche un genou, mais je m'en fiche. Si cette chose immonde parvient à me mettre la main dessus, ce qu'elle me fera subir sera cent fois, mille fois, plus désastreux que tout ce que Jessica et Anna auraient pu accomplir ensemble.

J'insère ma clé dans la serrure et pousse la porte avec mon épaule. Une fois à l'intérieur, j'appuie mon dos sur la porte pour avaler de grandes bouffées d'air, les yeux brûlants, la poitrine suffocante.

Mes pensées cavalent avec affolement. Je n'arrive pas à croire que je leur ai échappé ! Vince n'exagérait donc pas. On ne revient pas du monde des morts sans en payer le prix. Le prix de la rancune des Autres...

Il m'a bel et bien Maudite. À jamais.

Thierry déboule en furie dans le vestibule.

— Où étais-tu ?!

— À l'école, dis-je péniblement, toujours à bout de souffle.

— T'as vu l'heure qu'il est ? Minuit !!! beugle mon frère en se rapprochant de moi. Tu devais m'attendre chez Steph ! Imagine ma surprise quand j'ai appris qu'elle ne t'avait pas vue de l'après-midi ! Bordel, mais t'étais où ?

— À l'école, je viens de te le dire ! Calme-toi !

— *Me calmer !?!* Non, je ne me calmerai pas ! Tu le fais exprès ou quoi ? Papa est fou d'inquiétude, il est à ta recherche dans toute la ville avec la police ! Tu veux lui faire faire une crise cardiaque ou quoi ? Il croit que tu t'es fait chopper par le maniaque !

— Je suis désolée ! Je me suis endormie dans le parc à côté de l'école et je n'ai pas vu l'heure passer !

— C'est ça, prends-moi pour un imbécile ! J'en ai marre de tes histoires, avoue seulement que tu étais avez Zack ou...

— NON ! Fiche-moi la paix si tu ne me crois pas !

— Tu es la crétine la plus égocentrique et insensible que je connaisse ! Depuis la mort de maman, tu ne penses qu'à toi, toi et seulement toi, et tu te fiches complètement du mal que tu peux faire aux autres !

— TA GUEULE !!!

Je me précipite à l'étage supérieur et claque la porte de ma chambre. J'entends quand même les pas de Thierry tambouriner sur le plancher de la cuisine, puis sa voix qui s'élève : « Elle est revenue. Non, elle n'a rien. » Et enfin, le bruit sec du combiné aplati sur son socle.

Frissonnante, je me déshabille et m'examine dans la glace. Mon frère était trop en rogne pour remarquer mon air désastreux. Mes cheveux sont hirsutes, mes yeux affichent encore une expression de terreur. Des cloques se forment là où les doigts d'Anna et de Jessica m'ont touchée. Leur tentative de strangulation m'a également valu une longue trace bleutée sur la gorge. Mon corps entier est une plaie enflammée. Vais-je vivre ce genre d'épisodes pour le reste de mes jours ? Autant souhaiter que la Confrérie refuse de me laisser la vie sauve !

Des sanglots rauques et sans larmes me perforent la poitrine. Je les refoule difficilement. J'enfile mon pyjama le plus large afin de dissimuler mes nouvelles ecchymoses. Puis je vais jeter un coup d'œil inquiet à l'extérieur.

Elle est là ! Fidèle à son poste. Je vérifie le loquet de ma fenêtre avant de me précipiter dans mon lit. *Ne pense pas à elle, s'il fallait que tu l'invites par erreur dans la maison... L'incroyable carnage qui s'ensuivrait...*

Je ferme les yeux en priant le ciel, en priant ma mère de nous protéger de là-haut.

Les murs de ma chambre tremblent sous la violence avec laquelle la porte d'entrée s'ouvre et se referme. Paralysée, je crois pendant un instant qu'il s'agit de la morte, qu'elle a réussi à pénétrer dans mon domicile, mais...

– ROBIN ! aboie mon père depuis le hall. DESCENDS ICI TOUT DE SUITE !

Je m'exécute en traînant les pieds. Papa m'agrippe par l'épaule et me tire jusqu'au salon, où j'essuie l'engueulade du siècle. J'aurais aimé que le temps triche à ce moment-là aussi, que je cligne des yeux et que la remontrance soit déjà finie. Mais non. Je n'ai même pas droit à cette fleur. Je n'ai jamais vu mon père dans cet état, il est tellement écarlate qu'on croirait sa tête sur le point d'exploser. J'écope de la punition du siècle. Fini, le couvre-feu : je n'ai plus du tout le droit de sortir. Je vais à l'école et je rentre illico, accompagnée en tout temps de Thierry. Je ne peux même plus quitter la maison le week-end !

Mes chances d'assister à la réunion de la Confrérie passent maintenant de zéro à moins mille.

– Calme-toi, papa, l'exhorte Thierry. Tu sais comment elle est. Une vraie tête de mule. Ne te fatigue pas davantage.

Je lui envoie un regard meurtri. Les accusations qu'il m'a lancées au sujet de mon égocentrisme ricochent encore dans mes tympans. Il entraîne papa dans la cuisine. Je comprends que ma présence n'est plus requise. Je m'enfuis à l'étage et j'écoute les bruits étouffés de la conversation entre eux. J'attends que mon frère remonte se coucher puis je m'empare de mes couvertures et me dirige vers sa chambre. J'entrouvre doucement la porte.

– Qu'est-ce que tu veux ? grogne-t-il, déjà allongé.

Sans un mot, j'installe mes effets sur le plancher et je me couche en boule. Pendant un long moment, Thierry ne dit rien.

– Viens par ici, soupire-t-il enfin.

Je le rejoins dans son lit et l'enlace en m'abandonnant à mes pleurs. Je sanglote toute la rage, la fatigue et la détresse que mon corps a accumulées jusque-là. La séance est si douloureuse que chaque plainte me râpe la gorge.

— Thierry, je te jure, je n'ai pas menti ! Je n'ai pas fait exprès, je me suis vraiment endormie ! Pardonne-moi !

— OK, chuchote-t-il en essuyant mes joues. Je suis le vilain de l'histoire, je n'aurais pas dû te crier dessus. Je regrette mes mots, je ne les pensais pas. J'ai seulement eu très peur. Quand Stéphanie m'a dit qu'elle ne t'avait pas croisée de l'après-midi, qu'elle n'était même pas au courant que tu devais rentrer avec elle...

— Je ne voulais pas vous effrayer.

— Je sais, Robbie, je sais. Papa le sait aussi. Il a juste paniqué.

— J'en ai marre, je n'en peux plus, je n'en peux plus...

Les émotions des derniers jours me submergent. L'épuisement, à la fois physique et psychologique, a raison de moi. J'ignore quoi faire de cette nouvelle vie, de cette réalité Maudite qui me sape toute mon énergie et qui me terrifie.

Je pleure longtemps sur l'épaule de Thierry.

Je me réveille au petit matin, dans mon propre lit. Je chasse les dernières vapes de sommeil en me frottant les paupières. Ma peau tire là où mes larmes ont séché. Je fouille dans ma penderie et en ressors un chandail à col roulé, parfait pour camoufler la marque autour de mon cou, ainsi qu'un vieux jean délavé. En sortant pour aller prendre ma douche,

248

je tombe nez à nez avec papa. Il me jette un regard mauvais avant de disparaître dans les escaliers. Penaude, je m'éclipse dans la salle de bains.

Après ma douche, je change mon bandage. Ma blessure ne s'est pas rouverte depuis la veille, mais ça ne me tuera pas de vérifier son état. Quelque chose semble s'être vicieusement incrusté dans le bout d'auriculaire qui me reste. Je frotte mon doigt sous l'eau du robinet en serrant les dents pour retenir des grognements de douleur. Je lève ensuite la main pour mieux observer mon doigt. Un hoquet de surprise m'échappe.

C'est un ongle !

Un haut-le-cœur me retourne l'estomac alors que je réalise que... Non. Impossible !

Mon doigt...

Il repousse !

À la fois révulsée et déconcertée, je me laisse choir sur la cuvette, sonnée. Mon doigt repousse !!! J'essaie de comprendre cet événement extraordinaire. Je ne vois qu'une seule explication : mon statut de Maudite. Ainsi, la guérison ultra-rapide des Maudits ne se limite pas à la cicatrisation d'abdomens lacérés ou de contusions à la tête : elle permet aussi la régénération de membres perdus. Maintenant, je comprends pourquoi madame Salmoiraghi m'a interdit d'informer quiconque au sujet de mon amputation. La tête qu'aurait faite mon père s'il avait appris l'événement pour constater quelques jours plus tard que j'avais récupéré mon doigt !

J'enrobe ma main dans un bandage propre, puis j'enfile mon gant, ne sachant pas trop si je dois sauter de joie ou me laisser envahir par le sentiment d'étrangeté que ça me procure. Je descends à la cuisine.

– Petit déj' ? propose Thierry en me tendant un bol de céréales. Tu es obligée de toute façon, j'ai déjà versé le lait, ajoute-t-il avec un sourire en coin.

Je prends place en face de lui et je l'observe engloutir son propre bol tout en mâchouillant ma cuillère. Papa est accoudé au comptoir : il sirote un café, les yeux dans le vague. Il est encore furieux, ça se sent à des kilomètres.

– Combien de rendez-vous aujourd'hui ? lui demande Thierry pour alléger l'atmosphère tendue.

– Six.

Ses paupières sont rouges et boursouflées. Il a pleuré. Je pique du nez, me sentant affreusement coupable. Du coin de l'œil, je le vois déposer sa tasse dans l'évier puis s'éloigner à grandes enjambées vers le vestibule. La Chevrolet vrombit quelques minutes plus tard.

– Ne t'inquiète pas, dit Thierry. Il va s'en remettre. Tu verras, il sera de meilleure humeur ce soir.

Nous savons pertinemment que papa m'en voudra pour, disons, un quart de siècle et demi. À moins qu'un truc vraiment grave ne m'arrive... Ce qui risque fortement de se produire si je n'assiste pas à la réunion de la Confrérie, demain soir. Ma vie est vraiment fabuleuse, qui veut échanger la sienne avec moi ?!

Je soupire en saisissant mon sac en bandoulière.

– Je t'attends dehors.

Le soleil frais de novembre étire ses doigts nonchalants dans le ciel matinal. Pourtant, aujourd'hui, ce n'est pas lui qui me fait loucher.

Dans la rue, juste devant l'allée qui mène à la maison, est garée une Ducati 1975 rouge et noire. Appuyée contre celle-ci, se trouve une longue silhouette dont le regard bleu pastel croise le mien.

– Vince !

Sans réfléchir, je lâche mon sac et cours à sa rencontre.

Chapitre 18

Vince m'accueille dans ses bras. Pressée contre son torse, je retrouve son odeur familière, un mélange de cuir et de savon. Ses lèvres effleurent mon front. Mon cœur bat trop vite et trop fort, je vais probablement le rendre sourd !

— Hum-hum, grogne Thierry derrière nous.

Vince m'éloigne de lui et nous nous retournons vers mon frère, qui tient le sac abandonné derrière moi. Ses yeux s'emplissent d'interrogations tandis qu'il nous scrute à tour de rôle.

— Oookay, dit-il au bout d'un moment. Je ne me doutais pas que tu lui avais manqué à ce point. Bon retour parmi nous.

— Salut Thierry, répond Vince d'une voix rauque.

Je me sens mal à l'aise, pas seulement parce que mon frère nous a surpris dans une étreinte trop intime pour de simples amis, mais aussi parce que je perçois chez Vince une tension qui n'a rien à voir avec Thierry.

– Mouais, tu as une sale tronche, commente-t-il justement en examinant la mine de son meilleur ami. J'espère que ce n'est pas contagieux, je ne voudrais pas te ressembler.

Je note alors la pâleur inhabituelle du visage de Vince, ses joues émaciées, les larges cernes qui creusent ses yeux, les ecchymoses qui parsèment la moitié de sa figure, l'angulosité nouvelle de son corps qui était déjà assez maigre comme ça... Pour l'amour du ciel, qu'est-ce qu'ils lui ont fait ?!!

– Tu m'en dois toute une pour les notes de physique que j'ai retranscrites pour toi, continue Thierry. Ça m'a complètement ruiné les poignets !

Vince esquisse un sourire que je sens faux.

– Bon..., dit mon frère. On devrait y aller.

Nous nous dévisageons tous les trois en silence, jusqu'à ce que Thierry capte enfin le message. Les traits de son visage s'assombrissent.

– Oh. Tu es venu la chercher ? (il nous étudie tous les deux) Bon... salut.

Il me tend mon sac et s'éloigne d'un pas bourru. Il est sans doute vexé parce que son meilleur ami lui a préféré sa sœur cadette, mais je ne m'en préoccupe pas. Je suis trop émue de revoir Vince.

– Enfile le casque, me lance aussitôt ce dernier en me plantant l'objet en question dans les mains.

J'obéis, surprise par sa soudaine froideur. Je n'ai pas l'occasion d'ajouter quoi que ce soit. Il enfourche déjà sa moto et fait gronder le moteur. Je me cramponne à sa veste de cuir.

Le véhicule toussote bruyamment avant de s'engager dans la rue et de dépasser Thierry qui marche d'un pas traînant sur le trottoir.

Je suis heureuse de retrouver Vince, mais en fait, je ne sais pas trop à quoi je m'attendais. Je ne croyais pas le revoir avant la réunion de la Confrérie. J'aurais aimé qu'il soit moins pressé, qu'il me laisse le temps de digérer son retour, qu'il parle avec moi et qu'il m'explique ce qui lui est arrivé au cours de ces deux semaines.

La moto ralentit. Vince s'arrête au coin d'une rue, près du boulevard Skinner. D'ici, nous pouvons distinguer les bâtiments de l'école au loin. Il se tourne vers moi et relève sa visière.

— Pourquoi on s'arrête ?

Je ne sais pas si mon casque empêche ma voix de se rendre jusqu'à lui ou s'il décide tout simplement de ne pas me répondre. Il soulève mon menton et écarte le col de mon tricot. Ses doigts frôlent la balafre sur ma gorge. Je déglutis, les yeux rivés aux siens, qui scrutent minutieusement ma blessure. Il replace mon chandail et s'empare ensuite de ma main gauche. Je reste muette pendant qu'il retire mon gant. Il palpe mon pansement et son regard devient vitreux. Il remet mon gant en place, rabaisse sa visière et redémarre, tout ça dans le silence le plus complet. La motocyclette dérape ; je me raccroche de justesse à lui.

— Ralentis, s'il te plaît ! Je ne veux pas finir comme une crêpe espagnole !

Il n'en fait rien du tout. Après avoir brûlé deux feux rouges, il freine enfin dans le stationnement de l'école, manquant (de très peu) de faucher Steph au passage.

— Hé ! hurle-t-elle. Fais gaffe, Salmoiraghi ! Certains d'entre nous tiennent à franchir le cap de la vingtaine !

Elle écarquille les yeux lorsqu'elle me reconnaît, assise derrière Vince. Il bondit sur ses pieds après avoir arraché les clés du contact. La motocyclette exhale un dernier soupir. Vince se dirige ensuite vers les grilles d'entrée, sans m'attendre, sans même enlever son casque. Son comportement me confond, surtout après l'étreinte chaleureuse qu'il m'a réservée. Déjà, ses longues jambes foulent les escaliers qui mènent aux portes principales.

— Robbie, qu'est-ce que tu fiches avec Vince ? demande Steph pendant que je me démène avec mon casque.

— Je t'expliquerai plus tard ! Vince, attends-moi !

Il ne ralentit pas. Je cours derrière lui, commençant à me sentir irritée. Qu'est-ce qui lui prend ? Est-ce qu'on lui a également déréglé quelques neurones durant sa punition ?

Je le suis jusque dans la salle des casiers. Il se dirige vers le fond complètement. C'est à ce moment que j'aperçois Zack, occupé à converser allégrement avec deux filles. Je comprends soudain les intentions de Vince.

— Vince ! *Non* !

Trop tard : il arrache son casque et le propulse sur le sol, fracassant ainsi sa visière. L'une des compagnes de Zack pousse un cri lorsque Vince agrippe ce dernier par le cou et le plaque au mur. À mon grand étonnement, Zack ricane au lieu de s'offusquer.

— Déjà de retour, Salmoiraghi ?

La réaction de Vince me stupéfie. Je ne l'ai jamais vu faire de mal à une mouche. Son expression est effrayante. Quand il se met à parler, sa voix est un murmure si calme, si dangereux, que j'en ai la chair de poule :

— *Touche encore un seul de ses cheveux et je jure que je te fais bouffer tes couilles en petits morceaux. Tu m'as compris ?*

Zack se contente de le toiser avec mépris.

— Tu sais très bien ce qu'il adviendra si tu oses briser un seul de mes os, articule-t-il lentement. Je te conseille de me relâcher tout de suite avant que *ça* compte pour une offense.

Les yeux de Vince sont aussi menaçants qu'une mer en plein orage. Il desserre lentement sa poigne. Zack se frotte la gorge, un sourire long comme le Mississipi sur la figure. Vince se détourne de lui d'un air dégoûté et ramasse son casque brisé.

— Viens ! m'ordonne-t-il sèchement en me tendant la main.

— C'est ça, ramène ta dulcinée, raille Zack dans son dos. Profites-en, parce qu'elle ne fera pas long feu, à mon avis !

La main tendue de Vince retombe contre son flanc avant que j'aie pu la prendre dans la mienne. Je sursaute devant l'expression meurtrière de son visage. Je me reprends et lui saisis le bras.

— Laisse tomber, il n'en vaut pas la peine.

Je lance un regard dédaigneux à Zack. Celui-ci me sourit et sa fameuse fossette apparaît. Mon cœur s'affole subitement. Un frémissement me parcourt de la tête aux pieds.

— Arrête ça ! lui ordonne Vince.

Je fixe toujours Zack, incapable de détacher mon regard du sien. Je me sens ramollir. Hypnotisée, j'avance d'un pas pour le rejoindre.

La suite se déroule à la vitesse de l'éclair.

À l'aide de son casque, Vince assomme Zack de toutes ses forces. J'entends le craquement des os alors que la violence du coup propulse Zack à l'autre bout du couloir. Une giclée de sang éclabousse l'une des deux filles. Incrédule, Zack se redresse en palpant son nez, jadis parfait, qui dévie maintenant vers la droite. Ruisselant de sang, il se jette sur Vince en hurlant de rage. Quelqu'un crie « BAGARRE ! » et un essaim d'élèves s'agglutinent autour de la scène. Je plaque une main sur ma bouche, les yeux rivés sur l'incroyable rixe qui a lieu devant moi. Les surveillants font leur apparition au moment où Vince immobilise Zack sur le plancher et lui décoche une droite qui provoque un nouveau craquement d'os. L'un des surveillants l'attrape par sa veste.

— Salmoiraghi ! Bronovov ! Dans le bureau du directeur !

Zack chancelle sur ses pieds, le visage déformé par la hargne.

— Crétin ! Tu viens de commettre une grave erreur ! Une très grave erreur !

J'entends un garçon s'exclamer dans la foule : « Vous avez vu ça ? Salmoiraghi a pété les plombs ! » Je suis à deux doigts d'approuver. Vince a complètement démoli le crâne de Zack !

Je suis les surveillants qui les entraînent vers le bureau du directeur. On me claque la porte au nez. Je m'avachis sur un banc en me prenant la tête entre les mains.

Vince m'a ramenée à la vie au risque de la sienne.

Il a subi deux semaines de je ne sais quelle torture pour augmenter mes chances de survie auprès de la Confrérie.

Et il vient de se battre pour moi.

Une émotion intense réchauffe mon ventre et mes yeux picotent comme si j'allais pleurer. Au même instant, Phoebe déboule devant moi, affolée. C'est la première fois que je la vois aussi agitée.

— Dis-moi que c'est faux, qu'il n'a pas fait ça ! crache-t-elle.

— C'est faux, il n'a pas fait ça, je réponds automatiquement.

— Oh non, non, non !

Elle s'échoue à mes côtés en se frottant les tempes.

— Il a à peine mis les pieds dehors qu'il brise la Trêve, geigne-t-elle. Quel imbécile !

— Quelle Trêve ?

Phoebe hausse les épaules sans répondre. Je n'insiste pas parce qu'évidemment, tout le monde s'est donné le mot aujourd'hui pour ignorer mes propos ! Nous attendons en silence pendant plusieurs minutes. La porte du bureau s'ouvre enfin sur Zack, le t-shirt complètement souillé de sang, le nez toujours tordu dans un angle absurde. Il nous décoche un regard brûlant de haine.

— Vous êtes dans la merde, baragouine-t-il. La Trêve est rompue ! Vous ne perdez rien pour attendre !

Phoebe allonge la jambe à son passage et il s'étale de tout son long sur le plancher.

– Puisque la Trêve est rompue…, marmonne-t-elle en guise de justification (elle lui donne un autre coup de pied dans les côtes). Et ça, c'est pour avoir provoqué mon frère ! Idiot !

Zack se remet debout en débitant un chapelet de jurons. Phoebe le dévisage, nullement impressionnée. Rageur, il s'éloigne en proférant une dizaine d'insultes supplémentaires et disparaît à l'autre bout du couloir, en direction de l'infirmerie.

Vince émerge du bureau à son tour, pile au moment où la cloche sonne. Il presse un sac de glaçons sur sa joue.

– J'ai écopé d'une semaine de retenue et de deux jours de suspension, déclare-t-il comme s'il venait de remporter un prix de consolation. Et probablement d'une inscription à vie sur la liste noire du directeur.

Sa jumelle l'attrape par le bras et le remorque à sa suite. Je leur emboîte le pas jusque dans un corridor désert.

– Tu te rends compte de ce que tu as fait ?! chuchote Phoebe, furieuse. Tu as rompu la Trêve !

– Ah. Ouais.

– Tu t'en fiches peut-être, Vince, mais ce n'est pas mon cas ! Est-ce que ça t'arrive de réfléchir avec le brin de cervelle que tu as, pauvre abruti !? T'en as pas marre de faire déferler la honte sur notre famille ?

– *Tais-toi !* siffle son frère en blêmissant.

Phoebe lui enfonce un index accusateur dans le torse.

– Non, *tu* vas m'écouter ! Tu as détruit une entente de plusieurs décennies, juste parce que *monsieur* ne supporte pas qu'on touche sa petite amie ! Bravo ! Quelle maturité ! Tu imagines les répercussions que ça aura sur la décision finale de la Confrérie en ce qui la concerne ? La réunion est demain soir, je te rappelle ! Si tu tiens autant à sa survie, remets tes pendules à l'heure et garde ton sang-froid !

Ils se toisent pendant quelques secondes.

– On n'a plus rien à faire ici, annonce brusquement Vince en consultant sa montre. Viens, on se barre.

Il m'arrête d'une main lorsque je prends mon sac et m'avance vers lui.

– Je ne te parlais pas, Robin. Reste ici, je te verrai plus tard.

– Mais...

Les jumeaux m'abandonnent sans un au revoir. Je reste sur place, stupéfaite. Je monte enfin au deuxième étage, et entre dans ma classe de géographie avec plusieurs minutes de retard. Puisque le professeur m'aime bien, il me laisse m'installer au fond sans me remettre d'avis disciplinaire. Sans enthousiasme, j'étale mes cahiers sur mon pupitre. Mon désenchantement n'a pas de fin. Oui, bon, Vince a cassé la gueule de Zack (et c'est loin de me déplaire), mais tout de même, j'aurais aimé qu'il m'entraîne, moi, à la place de Phoebe. J'ai l'impression de ne l'avoir revu que pendant trente secondes ! Et puis, c'est quoi cette histoire de Trêve ?

Un bout de gomme à effacer atterrit sur mon bureau. Je tourne la tête vers Steph, assise à côté de moi, les yeux brillants d'excitation.

— Raconte ! couine-t-elle. Pourquoi Vince a donné une raclée à Zack ?

— Je ne sais pas.

— Allez, ne sois pas chiche ! Tu étais au centre de tout ça, non ? Émilie Bale dit qu'ils se sont battus pour toi ! Et je t'ai vue arriver en compagnie de Vince, tout à l'heure ! Qu'est-ce qu'il y a entre vous deux ? Si tu me caches quelque chose, je te tue !

— Steph ! Je te rappelle que nous sommes en plein cours et...

— Écris-le-moi sur une feuille ! Tiens !

Je prends le papier qu'elle me tend et le déchire en deux. Son sourire s'efface.

— Je n'ai pas envie d'en parler, conclus-je platement.

Elle fait la moue et ne m'adresse plus la parole. Je devrais peut-être me sentir mal, mais je ne ressens rien du tout. Je ne pense qu'à une chose : revoir Vince.

La rumeur de la bagarre fait le tour de l'école et il m'est de plus en plus difficile d'éviter les questions. J'accueille avec soulagement la dernière sonnerie de la journée et je rejoins Thierry devant les grilles. Déjà énervé par le fait que Vince l'ait presque ignoré ce matin, mon frère est encore plus irrité d'apprendre qu'il s'est battu pour moi. Il refuse de me parler, comme si j'en étais responsable.

Pendant toute l'heure du souper, je me questionne sur cette fameuse Trêve. Phoebe a fait allusion à une entente de « plusieurs décennies ». Il s'agit sûrement d'un accord entre les deux familles, pas seulement entre les jumeaux et Zack. J'espère que Vince ne sera pas puni une deuxième fois. Il est déjà assez amoché comme ça.

Je regagne ma chambre, méditative. On cogne trois coups à ma fenêtre. Reconnaissant le code de Vince, je cours écarter les rideaux. Je suis ravie de revoir son visage encadré par ses mèches blondes, presque argentées sous les pâles rayons lunaires.

Bien sûr. Il fait déjà nuit.

Je soulève la vitre en essayant de ne pas trahir ma surprise devant l'heure tardive.

— Bonsoir, murmure-t-il en s'appuyant contre le montant.

Son souffle caresse mon menton. Je me sens gênée. Quelques centimètres seulement nous séparent d'un baiser.

— Je ne croyais pas te revoir avant demain.

— Je suis là, dit-il doucement.

— Entre.

Il s'engouffre dans la pièce et referme la fenêtre avant de se débarrasser de sa veste de cuir. Il porte un t-shirt de Guns N' Roses et ses jeans sont parsemés de brindilles récoltées de son ascension dans le chêne. Les mots me manquent. Ça me semble tout à coup surréaliste de le retrouver dans ma chambre, après une si longue absence. Je m'approche de lui, je tâte ses bras, ses épaules.

– Je suis là, répète-t-il avec un léger sourire.

– Tu es tellement mal en point. C'était quoi, ta punition ?

– Pourquoi as-tu accepté de rencontrer Zack pendant mon absence ? riposte Vince en roulant des yeux. Tu n'es pas très forte pour tenir une promesse, n'est-ce pas ?

– Ça n'a rien à voir ! Et puis, répond d'abord à ma question !

– Ton caractère de cochon m'a manqué, chuchote-t-il.

Cet aveu réussit à dissiper mon irritation. Je me racle timidement la gorge.

– Ah, hum... tu n'as toujours pas répondu à ma question.

– Toi non plus, remarque.

Argh ! Je lève les mains en signe de reddition. Comme ça fait longtemps que je ne l'ai pas vu, je décide que ce n'est pas le bon moment d'argumenter avec lui.

– D'accord ! J'ai accepté de rencontrer Zack parce que j'ai succombé à son charme. Si tu m'avais mise en garde à propos de son pouvoir, ça ne serait jamais arrivé !

– Je ne pouvais pas, Robin. Je suis tenu au secret.

Nous restons silencieux pendant un moment. J'essaie de sonder ce qui lui traverse l'esprit, mais l'expression de Vince est impénétrable.

– Au moins, tu n'as plus l'air fâché. Ou dangereux, comme ce matin. C'est déjà ça.

– Je suis désolé que tu aies vu ce côté de moi. J'étais dans une fureur noire quand j'ai appris ce que Zack t'a fait. Je n'avais qu'une idée en tête : lui coller mon poing sur la figure.

– Tu ne l'as pas raté, en tout cas. Son nez ne sera plus jamais le même !

Vince hausse son sourcil percé devant mon air amusé et s'installe sur la chaise en face de mon bureau. Lasse d'être debout à mon tour, je me laisse choir sur mon lit.

– Est-ce que tu vois les Autres maintenant ?

– Oui.

– Combien en as-tu aperçu ?

– Trois, dis-je, la gorge nouée. Dont la femme que tu as vue ici. Je crois qu'elle est revenue toutes les nuits depuis ton départ.

Vince se relève pour tirer les rideaux.

– Elle n'est pas là ce soir, constate-t-il, pensif.

– Peut-être qu'elle a décidé de faire un petit somme ?

– Les morts ne dorment jamais, Robin.

– Tiens donc, tu m'en diras tant ! (une question me traverse l'esprit) Pourquoi les vois-je seulement la nuit ?

– C'est à ce moment-là que la brèche qui sépare nos dimensions devient sensible. J'ai essayé longtemps de comprendre leurs motivations. Pourquoi certains reviennent et

265

d'autres, non ; pourquoi certains sont violents et d'autres, plus pacifiques. Les premiers sont des âmes qui ont connu une mort brutale ou qui ont commis des actes terribles qui les hantent même après la mort. Les seconds sont tourmentés par des tâches inaccomplies ou une information qu'ils souhaitent communiquer. Ils ont tous un point en commun : un port d'attache qui les retient ici. Un objet, quelqu'un, un domicile, leur propre tombe : tout ce qui était physique et qui leur appartenait quand ils étaient vivants leur sert d'ancre dans notre réalité.

– Je ne suis pas sûre de comprendre... Est-ce que notre réalité et le monde des morts sont deux trucs séparés ou bien sont-ils superposés ?

– Les Catacombes – c'est comme ça qu'on définit la réalité qui nous permet de voir les Autres – est une dimension superposée à la nôtre. Un peu comme si tu voyais... la 4e dimension, disons. Mais le monde des morts est une autre réalité, totalement séparée de la nôtre. Les Autres, ceux qui ont un port d'attache ici, ont la capacité de voyager entre leur monde et les Catacombes.

Les « Catacombes ». Tu parles d'un nom *glamour* ! Je plie le coin de ma taie d'oreiller.

– Anna Rodriguez et Jessica James m'ont attaquée hier soir. Elles m'ont surprise dans un parc pas très loin d'ici. J'ai cru que j'allais y passer !

– Les Autres ne peuvent pas te tuer.

– Ah, ça c'est *réconfortant* ! Quand elles m'ont mis la main dessus, c'était la plus agréable des sensations ! (je lui montre mon cou balafré) Qu'est-ce que tu en dis ? Pas très joli, hein ?

— Je croyais que c'était Zack qui t'avait fait ça aussi.

— Non, c'était Jessica. Ou Anna, je ne m'en souviens plus. J'ai eu la peur de ma vie !

— Phoebe ne t'a pas expliqué quoi faire lorsque tu les rencontres ?

— Non.

Vince fronce les sourcils et je regrette aussitôt ma réponse. J'ai l'impression de dénigrer sa sœur. Je m'empresse d'ajouter :

— Elle m'a bien dit de les ignorer et de faire gaffe à ne pas les inviter chez moi, mais elle n'a pas précisé comment.

En fait, elle s'est contentée de répéter les avertissements de Vince. Il soupire en se passant une main dans les cheveux.

— Je ne peux pas lui en vouloir, avoue-t-il finalement. Elle ne pouvait pas te l'expliquer parce qu'elle ne voit pas les mêmes morts que nous.

— Quoi ?! Il existe différents spécimens de morts ?! Ohmondieumondieumondieu !

— Non, ce n'est pas du tout ça ! Phoebe les voit *avant* qu'ils meurent. Elle a le pouvoir de prédire la mort des individus. Chaque fois qu'elle rencontre quelqu'un, elle sait exactement quand, pourquoi et parfois comment, il mourra. Plus la mort est proche, plus elle connaît les détails.

Je me plaque une main sur la bouche, les yeux écarquillés.

— Absolument tout le monde ? réussis-je à formuler entre mes doigts.

– Oui, sauf les autres Maudits.

– Vince, c'est... c'est horrible ! Elle ne peut pas réprimer ce pouvoir ?

– Non. C'est instantané, précise-t-il d'une voix lugubre.

– Ça veut dire que... Thierry ! Mon père ! Mes amis ! Elle est au courant de ce qui les attend ?!?

Vince hoche la tête et reprend place sur la chaise sans rien ajouter. Je suis horrifiée. Complètement. Littéralement. Définitivement. *Horrifiée.*

– Comment peut-elle regarder mon frère en pleine face tout en sachant ce qui lui arrivera ?

J'ai de la difficulté à concevoir une telle situation.

– Avant que tu lui demandes, Phoebe ne te révélera jamais le moment ni la cause de la mort de ton frère, me prévient Vince d'un air un peu sévère. Elle a appris il y a longtemps que c'est la pire chose à faire. Tu crois au destin ?

– Non, pas vraiment.

– Elle, oui. Et elle sait qu'elle ne peut pas intervenir dans le destin des autres parce que ça empire leur cas : ils connaissent une fin encore plus tragique.

Cela dit, il me regarde étrangement. Je mordille ma lèvre inférieure, appréhendant la suite.

– Robin... Je savais que tu allais mourir cette nuit-là, confesse-t-il à mi-voix. Phoebe me l'a annoncé quelques jours après notre première rencontre avec toi. Elle n'était pas au courant au sujet du golem. Par contre, elle savait exactement où et quand ta mort aurait lieu. Plus la nuit fatidique se rapprochait, moins... j'en acceptais l'idée. Ce n'est qu'à la toute dernière minute que j'ai décidé d'intervenir.

Je souffle, effarée :

— C'est pour ça que tu as tenté de me dissuader d'aller à cette fête...

— Oui.

— C'est pour ça aussi que tu savais où me retrouver ! Je n'ai jamais pu hurler ma détresse, mais tu m'as quand même découverte dans le parc !

— Oui... Et sois certaine que si Phoebe avait su que j'allais te ressusciter, elle aurait pris garde de ne pas me laisser connaître les circonstances de ta mort.

— Mais je n'ai pas connu une fin plus tragique.

J'agite les bras comme pour le lui prouver.

— Tu es Maudite, maintenant, réplique Vince sans se départir de son ton sérieux.

Vu sous cet angle, il n'a pas tort. Je réalise alors l'immense poids qui pèse sur les épaules de Phoebe et ce qu'elle vit tous les jours. Prévoir la mort de ceux qu'elle côtoie... Brrr ! Dire que pendant tout ce temps, ce que j'ai pris pour du snobisme de sa part n'était en fait qu'une façade. Comment peut-on se lier d'amitié avec quelqu'un dont on connaît le moment du décès ? Comment se rapprocher d'une personne lorsqu'on sait que la plupart de ses rêves et de ses projets ne se concrétiseront pas ?

– Est-ce que Phoebe a déjà tenté de prévenir la mort de quelqu'un ?

Vince se raidit.

– Une fois. Ça s'est terminé de manière épouvantable.

– Qu'est-ce qui s'est passé ?

Silence.

– Ce n'est pas à moi de te le dire, Robin.

Je comprends et je respecte son refus. Il y a des choses qui ne me concernent pas. Toutefois, je digère mal le fait que Vince fût au courant de ma mort bien avant que l'événement se produise. Ça me donne la chair de poule. Je m'ébroue légèrement, voulant chasser à tout prix cette sensation macabre qui pèse sur mes épaules.

– Qu'est-ce qu'on fait à présent ?

– On attend la réunion de demain soir. Il n'y a rien d'autre à faire.

– Je ne parlais pas vraiment de... Je veux dire, qu'est-ce qu'il advient de *nous* ? Tu sais, à propos de... De ce que tu m'as confié, tes... Euh, tes sentiments pour moi...

Intimidée, je trébuche sur les mots. Vince demeure parfaitement immobile. Je ne sais pas s'il est aussi embarrassé que moi ou s'il attend que je poursuive. J'humecte mes lèvres, les doigts cramponnés à mes draps. Oh, et puis zut, ça passe ou ça casse !

– Je veux savoir ce que devient notre relation maintenant.

Un sourire illumine lentement son visage. En tout cas, s'il est embarrassé par la question, il le cache bien.

– Robbie, tu n'as pas à t'en faire. Ce que j'éprouve pour toi ne t'engage à rien en retour. Relaxe.

– D'accord (je souris à mon tour). Nous sommes de bons amis, c'est ça ?

– C'est ça. Rassurée ?

– Oui.

– Pas de malaise ? vérifie Vince en levant son sourcil percé, une lueur d'amusement dans les yeux.

– Pas de malaise.

Je le rejoins afin de le serrer dans mes bras. Ses mains encerclent ma taille et me retiennent contre lui. Je respire l'odeur de sa nuque et je me surprends à aimer ça.

– Je t'entraînerai moi-même à ne pas attirer l'attention des Autres, d'accord ? souffle-t-il à mon oreille.

– OK. Quand ?

– Dès que nous aurons réglé ton sort avec la Confrérie.

– Tu sembles bien confiant.

– Je suis *très* confiant, certifie-t-il en resserrant son étreinte pendant quelques secondes.

Un soupir franchit mes lèvres.

— Bah, de toute façon, après les Autres, le golem, le sang à boire périodiquement... que peut-il m'arriver de pire ? Au moins, il y a certains bonus à être Maudite.

— Lesquels ?

— La guérison ultra rapide. Mon doigt repousse déjà !

J'ajoute, en riant à moitié :

— Tu veux voir ? C'est dégueulasse !

Le sourire de Vince disparaît aussitôt. Sans aucune délicatesse, il s'empare de ma main et retire mon gant.

— Aïe, doucement ! Ça ne veut pas dire que ce n'est plus douloureux !

Il arrache carrément mon bandage pour examiner mon nouvel auriculaire, qui tremble entre ses doigts. Inquiète, je remarque que loin de se réjouir, Vince semble plutôt... alarmé.

— Robin. Je vais te poser une question et je veux que tu me répondes honnêtement, d'accord ? (son regard garde le mien en otage) Que sais-tu réellement de ta mère ?

Chapitre 19

Je le fixe sans comprendre.

— Que sais-tu à propos de ta mère et de ses origines ? répète-t-il d'un ton impatient.

— Qu'est-ce que ma mère a à voir dans tout ça ?

Je fais un pas vers mon lit, mais les mains de Vince me ramènent vers lui. Mon cœur bat à tout rompre. Je n'aime vraiment pas la tournure que prend la conversation.

— Robin, ton doigt repousse.

— Je l'avais remarqué !

— Tu sais ce que ça signifie ?

— Que je suis une Maudite.

— Non. Ça veut dire que tu es une Gitane.

— C'est quoi, une Gitane ?

— C'est la dernière chose qu'il fallait découvrir à ton sujet avant la réunion de la Confrérie ! Merde, merde, merde !

Il me repousse un peu brusquement et s'empare de sa veste qu'il enfile prestement. Ça ne rate pas de m'indigner.

— Une minute ! Tu comptes aller où comme ça ?

— Je dois prévenir ma famille que le vent a tourné, qu'il n'est plus en notre faveur, marmonne-t-il au mur parce qu'il n'ose même pas me parler en face.

Mes doigts s'accrochent à son bras alors qu'il s'avance vers la fenêtre, et les mots s'échappent de ma bouche sans que je puisse les contenir.

— Il n'en est pas question ! Je vis dans l'angoisse totale depuis deux semaines, je ne dors plus, je ne mange plus, un sadique me coupe le doigt, des Autres m'attaquent et guettent sous ma fenêtre, je suis punie par mon père et mon frère m'engueule comme du poisson pourri ! (ma voix prend des accents aigus) J'en ai marre, OK ?! Tu ne peux pas revenir ici et prétendre que je n'ai plus rien à craindre pour ensuite paniquer parce que je t'annonce que mon doigt repousse ! Tu restes ici, Vince Salmoiraghi, et tu m'expliques ce qui se passe !

— Calme-toi, Robin. Tu risques de réveiller ta famille.

Il pose son index sur ses lèvres et nous tendons l'oreille. Il n'y a pas un seul bruit dans la maison, à part les battements de cœurs assourdis de mon père et de mon frère. Je me plante entre Vince et la fenêtre, décidée à le retenir de force s'il le faut. Il se masse le front, l'air indécis, puis il enlève sa veste en soupirant. Je l'entraîne ensuite vers mon lit, sur lequel il s'installe à contrecœur avant de reprendre la parole.

— Nous, les Maudits, n'avons pas la capacité de faire repousser nos membres perdus. C'est une caractéristique propre aux Gitanes.

— Je ne comprends pas. Est-ce que les Gitans sont une branche des Maudits ?

— Non. Tu te souviens de ce que je t'ai raconté à propos de la Malédiction ? Les femmes qu'on a envoyées au bûcher ?

Mes yeux s'écarquillent.

— Tu n'es pas en train de m'apprendre que...

— Oui, c'était des Gitanes, confirme Vince gravement.

Nous nous dévisageons pendant un instant.

— Les Gitans sont des sorciers ?

— Il n'y a qu'eux qui possèdent ce genre de pouvoirs. Ils sont reconnaissables à certains traits : origines tziganes ou hispaniques, leur affinité avec la nature, caractère fougueux... et leur magie. Durant les chasses aux sorcières, on les « retraçait » en leur coupant un auriculaire. Ça occasionnait beaucoup de fausses accusations, mais selon les dires, c'était le moyen le plus sûr de prouver leur identité. Zack a reniflé quelque chose de louche lorsqu'il a vu que tu guérissais si vite à l'hôpital... Il me semblait, aussi, que sa visite n'avait pas de sens, sinon ! (il se tape le front, visiblement découragé) J'aurais dû faire le lien moi-même quand j'ai appris qu'il t'avait coupé le doigt ! Je ne pensais pas que cette méthode fonctionnait réellement ; j'ai toujours cru que c'était une fable. Et puis, les Gitanes se font tellement rares de nos jours, je n'aurais jamais douté que tu en étais une. Jamais !

— Ta sœur le savait, dis-je tout à coup.

Je fais les cent pas à côté du lit, me remémorant la scène dans la voiture de Phoebe.

— Quand je lui ai rapporté que Zack s'interrogeait sur ma guérison rapide, son expression a changé. C'est pour ça qu'elle m'a amenée chez vous au lieu de l'hôpital ! Pourquoi ne m'en a-t-elle pas parlé à ce moment-là ?!

— Elle a probablement voulu vérifier s'il s'était trompé. (silence) Et il ne s'est pas trompé.

— Vince.

Je m'agenouille à côté du lit. Il refuse de me regarder, bien que nous soyons maintenant face à face.

— Ça n'a pas de sens ! Je ne suis pas une Gitane. Ma mère non plus. Elle ne se promenait pas pieds nus en dansant avec des castagnettes !

— Oublie *Le Bossu de Notre-Dame*, ça n'a rien à voir avec Esméralda et tous ces récits qu'on raconte aux enfants ! me rabroue Vince. Les Gitans, ou plutôt les Gitanes, sont bel et bien réelles. Parce qu'elles ont souvent été la cible de discrimination, leur peuple s'est dispersé un peu partout dans le monde, mais il existe encore quelques villes où...

— D'accord, d'accord, inutile de me faire un cours d'histoire ! Je n'ai pas de pouvoirs magiques ! Si c'était le cas, j'aurais fait exploser Zack en poussière après qu'il a coupé mon doigt !

— Fais très attention à ce que tu dis, m'avertit Vince. Dans un éclat de colère, tu pourrais réellement faire exploser quelqu'un. C'est vraiment sérieux. Ne joue pas avec les mots. La puissance des Gitanes est inimaginable et leurs sorts sont terribles : regarde-moi, regarde ma famille. Après des siècles, la Malédiction perdure et elle est irréversible. Il n'y a rien de plus dangereux que le courroux d'une Gitane.

— Impossible que ma mère en soit une !

— Alors, il ne s'agissait pas de ta mère biologique.

— Quoi !? On se ressemble comme deux gouttes d'eau !

— Dans ce cas, ta mère *était* une Gitane, tranche Vince d'un ton qui n'admet pas de réplique. Elle ne t'en a pas fait part avant son décès, c'est tout. Ça m'étonne... Elle a peut-être jugé que tu étais encore trop jeune ou alors, elle n'en a pas eu le temps.

Il se perd dans ses réflexions. Je lui pince le bras pour qu'il reporte son attention sur moi.

— Supposons que je sois réellement une Gitane. Pourquoi mes pouvoirs ne se sont jamais manifestés avant ?

— J'ai entendu dire que les Gitanes ne prennent possession de leurs pouvoirs qu'à l'âge de maturité, soit dix-huit ans.

— Mais je ne les ai pas ! Tu te contredis !

— Non...

Il m'observe longuement, les sourcils froncés.

— Ta résurrection a réveillé en toi ton potentiel de Gitane, lâche-t-il au bout de quelques instants. Oh et puis, merde ! Il ne manquait plus que ça !

— Vince, calme-toi, s'il te plaît. Si tu paniques, je ne saurai plus à quoi m'accrocher.

Il inspire profondément et soudain, son expression redevient neutre. Je m'installe à ses côtés sur le lit et pose une main sur sa cuisse.

— Donc, je suis une Gitane. Ça signifie que mon frère l'est aussi.

— Non. Le sang gitan se transmet uniquement par le biais du même sexe. Il aurait fallu que ton père soit aussi un Gitan pour que ton frère le soit.

— Mon père ! Et si...

Vince secoue la tête et ma phrase meurt avant qu'elle ne s'achève.

— Il n'a aucune racine tzigane. C'est un Nord-Américain pure laine.

Je fais la moue, ne voyant pas comment contredire Vince. Moi, une Gitane ? La bonne blague ! Je ne ressens aucune magie en moi, pas le moindre frémissement, pas la plus infime étincelle ! Pourquoi ma mère m'aurait-elle caché un tel héritage si c'était vrai ?

— Que sais-tu d'autre à propos des Gitanes, Vince ?

— Mes connaissances sont limitées. Je t'ai révélé tout ce que je savais. C'est vrai, insiste-t-il quand je plisse les yeux. Nous nous méfions des Gitanes comme de la peste. Elles sont reconnues pour leur caractère impétueux et changeant et, surtout, pour leurs Malédictions. Nous évitons non seulement de les croiser, mais d'en parler aussi. Elles sont un sujet tabou. Après tout, certaines des leurs sont responsables de notre condition.

Le silence nous rend muets à nouveau. J'essaie encore de trouver un moyen de réfuter la révélation de Vince, mais aucun argument ne me vient en tête. Je demande finalement :

– Qu'est-ce que ça change, que je sois une Gitane ? Pourquoi ça compromettrait ma situation demain soir ? Hum, ce soir, je veux dire...

Je consulte mon réveil du regard : minuit vient de sonner. Vince hésite, mal à l'aise. Il entrelace lentement ses doigts avec les miens qui reposent encore sur sa cuisse.

– Imagine... une Gitane doublée de la Malédiction ? énonce-t-il doucement. Une Gitane qui trompe la mort, qui ne vieillit plus et qui survit pendant des centaines d'années ? Sa puissance est multipliée au centuple. Robin... (il hésite encore une fois) C'est formellement interdit par la Confrérie de ressusciter une Gitane.

Un silence de mort accueille sa phrase. Je déglutis plusieurs fois. Ma langue se délie après un effort considérable.

– Je...

Les mots me manquent. Ma voix me trahit. Lorsqu'il se rend compte que des sanglots secouent mes épaules, Vince m'attire contre lui.

– Robbie, non, ne pleure pas, chuchote-t-il contre ma joue.

— Ils vont me tuer ce soir, n'est-ce pas ? Je n'ai plus aucun espoir... Dès qu'ils sauront que je suis une Gitane, c'en sera fini de moi !

— Je n'ai jamais dit qu'il n'y avait plus d'espoir. Je ne savais pas que tu étais une Gitane avant de te ramener à la vie. C'est ta résurrection qui a enclenché la magie !

— Vince, toi non plus tu ne crois pas que j'ai une chance ! Suffit de t'observer, tu angoisses !

Il détourne les yeux. Je le repousse, essuie mes joues du revers de la main et me couche dans mon lit.

— Le sujet est clos. C'est trop d'informations, trop d'émotions pour mon corps déjà épuisé. Si je dois mourir ce soir, je veux au moins passer une dernière nuit paisible.

Il demeure complètement immobile, ne sachant pas quoi faire ou quoi dire. Plongée dans mes pensées lugubres, je remets en question les quelques années que j'ai partagées avec ma mère de son vivant. Comment a-t-elle pu nous dissimuler un secret aussi important à propos de ses origines ? Les objets ne volaient pas de pièce en pièce, des invocations ne provenaient pas de sa chambre... Peut-être que l'idée que je me fais de la magie n'a rien à voir avec celle des Gitanes.

Plus que jamais, je me sens frustrée par l'accident qui a tué ma mère, enterrant avec elle son secret.

— Ne rentre pas chez toi, dis-je à mi-voix à Vince. S'il s'agit de ma dernière nuit, je ne veux pas dormir seule.

Je pensais qu'il allait protester contre cette idée, mais à ma grande surprise, il se plie à ma requête. Ça démontre à quel point il n'a pas plus foi que moi en mes chances de survie.

Il retire ses souliers et son t-shirt avant de s'allonger à mes côtés. Il referme ses bras autour de moi et je me blottis contre son torse. Du bout des doigts, je suis les cicatrices mystérieuses qui boursouflent sa peau.

— Vince, c'est maintenant ou jamais le moment de te confier à moi.

— Qu'est-ce que tu veux savoir ? souffle-t-il.

— D'où viennent ces blessures.

Ses bras m'enveloppent encore plus étroitement alors qu'il enfouit son nez dans mes cheveux. Son cou sent le musc, sa peau est tiède et son cœur bat fort, fort, fort.

— C'est ma propre signature, murmure-t-il. Toutes ces plaies... je me les suis infligées moi-même.

— Pourquoi ?!

— Parce que j'étais Assoiffé.

— Ils t'ont empêché de boire pendant deux semaines ? C'est à ce point pénible ?!

Je songe au sang que j'ai vidé dans la cuvette il y a quelques jours et je ravale ma salive. J'ajoute prudemment :

— Tu ne pouvais pas boire ton propre sang ?

— Pour quelle raison crois-tu que je me suis échiné à m'arracher la peau ? C'était peine perdue...

Il hésite tellement longtemps avant de poursuivre que l'espace d'un instant, je suis persuadée qu'il n'en a pas la force. Ses doigts caressent mes boucles et le rythme de son cœur s'accélère encore.

– C'était impossible, avoue-t-il enfin. La Soif était trop puissante, j'étais trop faible et on m'avait enfermé dans un Tombeau.

– Un Tombeau ?

– Je n'élaborerai pas sur ça maintenant, décide Vince en flairant ma soudaine agitation. Disons simplement qu'à l'intérieur de cette réalité, tes sens t'abandonnent l'un après l'autre et le temps n'existe plus. Une journée dans un Tombeau est comparable à plusieurs semaines. Tu n'es plus qu'avec toi-même et les tourments de ton passé, tes erreurs te hantent, tes vieux fantômes ne te lâchent plus... (je perçois le frisson qui le parcourt) C'est un châtiment aussi pire que la mort. Je... je me suis transformé en monstre. J'avais trop Soif.

La voix de Vince s'éteint. Mes mains remontent à son visage pour le rassurer. Je me demande quels sont les événements de son passé qui ont pu l'affliger ainsi. Il y a tant de choses que je ne connais pas à son sujet et que je ne découvrirai peut-être jamais.

– Je m'y étais préparé, Robin, reprend Vince. J'étais prêt à supporter n'importe quoi pour que tu survives.

– Je ne comprends pas pourquoi tes parents t'ont laissé subir ça.

– Mon père n'a pas eu le choix. Il est l'un des Chefs les plus éminents de la Confrérie. L'impartialité n'est pas une option pour lui. Ma mère était contre toute forme de châtiment, mais elle n'a rien pu faire non plus. Ça la tuait. Elle est un peu mère poule avec moi parce que je suis le bébé de la famille, ajoute-t-il avec un certain amusement.

Un sourire me vient aux lèvres.

— Tu as soixante-dix-huit ans, Vince.

— Ça ne change rien, dit-il en haussant les épaules. Phoebe est née une heure et demie avant moi.

Wow. Très impressionnant, la différence d'âge.

— Ma mère se demande quelle sorte d'attrait dangereux tu exerces sur moi pour que je défie la Confrérie. Attends un peu de voir sa tête lorsqu'elle apprendra que tu es une Gitane...

À mon avis, elle s'en doute déjà. Le regard qu'elle m'a lancé avant de quitter la cuisine, le jour où elle a soigné mon doigt... Refusant de m'attarder là-dessus, j'enlace la taille de Vince et j'étouffe un bâillement contre son épaule.

— Vince... c'est bizarre mais... même si je suis une Gitane, même si ça signifie que je n'ai pas le droit de rester en vie, je me sens rassurée dans tes bras (mes paupières s'alourdissent). C'est comme si, finalement... il me restait encore une chance (ma voix s'alanguit)...

Je bats des cils pour repousser le sommeil encore un peu, mais la présence de Vince chasse mes tracas ; mes craintes s'évanouissent. Une étrange sérénité s'empare de moi. Il chuchote quelque chose que je ne comprends pas, mon esprit s'est dissolu. Je bascule dans un repos sans rêves, sans soucis.

Je me réveille en sursaut lorsque la porte de ma chambre s'ouvre brusquement.

– Robbie ! Réveille-toi ! Nous allons être en retard si...

La voix de Thierry s'interrompt dans un hoquet de surprise. Le cœur battant, je me redresse aux côtés de Vince, les yeux encore pleins de sommeil.

Le silence qui s'abat dans la pièce n'annonce rien de bon. Thierry voit nos corps enlacés, le torse nu de Vince, mes cheveux ébouriffés ; il n'est pas difficile de comprendre ce qu'il déduit de la scène.

– Sors. D'ici. Tout. De. Suite ! ordonne-t-il à Vince, les yeux noirs de rage.

Mon frère le saisit par le cou avant de le bousculer dans le couloir. Oh non, non, non ! Quelle catastrophe !

– Ma petite sœur ! rugit Thierry. Tu n'as pas honte ?!

Il claque la porte de ma chambre pendant que je me précipite en bas de mon lit. J'entends ses éclats de voix à travers le battant.

– Je me doutais bien qu'il se tramait quelque chose ! Mais je n'aurais jamais cru que... Merde, Vincent ! Elle n'a que quinze ans !

Seize ! ai-je envie de crier. Je ramasse les souliers, le t-shirt et la veste de Vince, puis je m'engage dans le couloir. Ils sont déjà à l'étage inférieur.

– Je ne veux plus te revoir ! gronde Thierry. Et n'ose plus l'approcher, t'as compris ?!

La porte d'entrée se referme sur la mine déconfite de Vince au moment où j'atteins le rez-de-chaussée. Thierry tremble de colère et de dégoût. Il vrille sur moi un regard meurtrier.

— Habille-toi, nous allons être en retard !

— Tu aurais au moins pu le laisser prendre ses vêtements ! lui fais-je remarquer, outragée. Tu l'as jeté pieds nus dehors !

Sans un mot, mon frère m'arrache les effets de Vince, rouvre la porte et balance le tout sur le perron.

Ça ne sert à rien de discuter avec lui quand il est dans cet état-là. Embarrassée, je me douche à la va-vite et j'enfile des vêtements propres avant de le rejoindre dans la voiture. Nous étions si profondément endormis, Vince et moi, que nous n'avons pas entendu l'alarme de mon réveille-matin.

Les lèvres serrées dans un pli amer, Thierry démarre la Chevrolet après que j'ai bouclé ma ceinture.

— Vous êtes dégoûtants ! s'exclame-t-il en frappant le volant. Vous avez de la chance que papa soit déjà parti pour la clinique, parce que si c'était lui qui... Je ne veux même pas y penser, ça me donne mal au cœur ! Depuis quand ça dure, vous deux ?

— Je te répète qu'il ne s'est rien passé. Rien du tout. Vince et moi ne sommes que des amis ! *Amis !*

— Ouais, je suis sûr qu'il en dirait autant s'il me découvrait au lit avec *sa* sœur ! bougonne Thierry dans sa barbe.

Il s'agit peut-être de la dernière fois que je voie mon frère et il est en colère contre moi. C'est pathétique. Nous n'échangeons plus un mot jusqu'à l'école. Là-bas, je retrouve Stéphanie devant sa case. Je déclare à brûle-pourpoint :

— Steph ! J'ai besoin que tu me rendes un service !

– Tu m'étonnes, marmonne-t-elle en croisant les bras sur sa poitrine dans une attitude peu accueillante.

Je retiens un soupir contrit, mais je ne me laisse pas démonter par son manque d'enthousiasme.

– Je sais, hier, je n'ai pas été très agréable...

– Mais encore ? rétorque-t-elle froidement.

– J'ai besoin d'un alibi pour ce soir ! Je sors avec Vince et mon père ne me laissera pas quitter la maison parce qu'il m'a punie. Bref, je vais lui raconter que je révise chez toi cette nuit. Ou quelque chose dans ce goût-là.

– Pourquoi tu ne demanderais pas à Lana, ta meilleure amie de tous les temps ? raille-t-elle, les sourcils haussés.

– Parce que c'est toi ma meilleure amie de tous les temps, bêta !

– Et si je ne veux pas te servir d'alibi ?

– Stéphanie ! Tu n'oserais pas, j'espère ? C'est vraiment important ! (je croise les doigts dans un geste désespéré) S'il te plaît, s'il te plaît, s'il te plaît, s'il te plaît, je te le revaudrai mille fois !

– D'accord, ça va, grogne Steph en décroisant les bras pour fermer la porte de sa case.

J'amorce un mouvement pour l'enlacer, mais elle s'esquive et s'éloigne sans un mot d'adieu. Mes mains retombent. Je traîne les pieds jusqu'à ma classe, honteuse. Je m'affaisse sur une chaise en lançant un coup d'œil autour de la pièce. Contrairement à ses habitudes, Lana est assise dans la première rangée. Elle fuit soigneusement mon regard. Évidemment. Les possibilités que je meure cette nuit ne cessent de s'élargir devant moi et tout ce qui m'obsède maintenant, c'est le souvenir amer que je lèguerai à mes proches : mon père qui m'en veut de lui avoir fait vivre la frousse de sa vie, Thierry qui est frustré de m'avoir découverte dans les bras de son meilleur ami, Steph qui me reproche mon comportement de la veille et même Lana, qui m'évite depuis notre conversation dans les toilettes. Ça me prend toute la force du monde pour ne pas céder aux larmes. J'endure le cours de maths et le suivant. À l'heure du lunch, je croise Phoebe qui est juchée sur le rebord d'une fenêtre, dans un couloir du troisième étage. Elle tient un roman sur ses genoux, mais son attention est dirigée vers l'extérieur. Les élèves la dépassent sans la voir. Je bifurque pour la rejoindre.

— De toutes les malchances qui pleuvent sur ta tête, soupire-t-elle sans lever les yeux vers moi, il fallait en plus que tu sois une Gitane. Tu m'énerves sérieusement.

À ce que je vois, Vince a eu le temps de lui apprendre la bonne nouvelle.

— Pas ma faute, dis-je un peu sèchement. Où est Vince ?

— Une Gitane à la mémoire courte, qui plus est. Il est suspendu, Robin, tu te souviens ?

— Ça t'arrive d'être aimable, Phoebe ? Je ne suis pas venue te déclarer la guerre.

Je m'efforce d'être patiente à son égard. Après tout, elle s'est quand même occupée de moi après que Zack m'a coupé le doigt. Et puis, elle est affligée de cette terrible Malédiction. Mon cœur se serre lorsque je songe à ce qu'elle endure chaque fois qu'elle croise le regard de quelqu'un.

– La réunion est à dix-neuf heures tapantes, annonce-t-elle subitement. Tu t'es trouvé une excuse pour sortir ?

– Je pense.

– Tu penses ? Robin, n'essaie pas de te défiler parce que crois-moi, ta nouvelle situation n'a rien d'avantageux !

– C'est bon, je serai là, t'inquiète ! Tu diras à Vince de venir me chercher chez Stéphanie. Je te donnerai son adresse.

Elle hoche la tête puis se désintéresse de moi. J'hésite sur place, une question sur le bout des lèvres.

– Quelles sont mes chances d'être acceptée dans la Confrérie ?

– Sincèrement ? Presque nulles.

Une émotion intense me remplit l'estomac, la poitrine, la gorge... je suffoque. J'inspire une grande bouffée d'air et calme ma respiration. Ma réaction m'étonne. Ce n'est pas comme si je n'avais pas prévu cette réponse. Je dissimule le tremblement dans ma voix pour lui poser la question suivante :

– Si je ne survis pas, qu'est-ce que vous raconterez à ma famille ?

– Rien (elle tourne la page de son livre sans même m'accorder un regard).

– Je vais disparaître, comme ça ? Sans aucune explication ?!

– Oui.

– Ça ne vous aidera pas du tout ! Steph sait que je dois voir Vince, ce soir ! Mon père le tuera.

– Pff ! J'aimerais bien voir ça, marmonne-t-elle.

– Phoebe !

Elle reporte son attention sur moi, exaspérée.

– Je ne sais pas, Robin, on trouvera une explication ! Peu importe ! Pourquoi penses-tu à ça maintenant ? Ton sort n'est pas encore scellé, me rappelle-t-elle.

Ce que je réplique m'échappe avant que je réalise qu'il s'agit d'une bévue irréparable :

– Est-ce que mon frère vivra longtemps ?

Tout le corps de Phoebe se crispe et ses yeux verts me foudroient.

– *Qu'est-ce que tu viens de dire* ?

Puisque je suis déjà lancée, aussi bien continuer...

– Si je dois mourir ce soir, j'ai besoin de savoir si mon frère vivra assez longtemps pour se remettre de ma disparition.

Elle bondit sur ses pieds en échappant son bouquin sur le plancher.

– Il n'avait pas le droit de te le dire ! s'écrie-t-elle. Comment a-t-il osé ?!

– Phoebe, calme-toi, je ne voulais pas te mettre en colère. Je sais que c'est un sujet délicat pour toi et...

— Je ne suis pas ton amie, Robin ! vocifère-t-elle en serrant les poings. Enfonce-toi ça dans le crâne ! Je n'ai rien à partager avec toi, peu importe le degré d'intimité que tu entretiens avec Vince ! Tu penses vraiment que je vais répondre à ta question ?

— Je voulais juste me raccrocher à quelque chose, une miette d'espoir pour ma famille ! Je déteste l'idée que...

— Ça ne m'intéresse pas ! Ne reviens plus jamais sur ce sujet !

Elle se penche pour reprendre son livre. Je constate que ses doigts tremblent. Je ne me croyais pas capable de provoquer une telle réaction chez elle. Vince m'a bien avertie qu'elle ne répondrait pas à ce genre de requête, mais la question me démangeait. Tôt ou tard, j'aurais fini par la lui poser. C'était inévitable.

Je lui emboîte le pas.

— Phoebe !

Elle m'ignore.

— Phoebe !!

Je saisis son bras et elle se retourne vers moi, choquée.

— Non mais, tu as du culot !

— Écoute-moi. Jusqu'à maintenant, je m'étais fait une certaine idée de toi et je souhaite en changer. Si je survis à la réunion et si tu me donnes une chance, je crois que nous pouvons bien nous entendre toutes les deux. Ce n'est pas parce que tu as ce... *don* que ça devrait t'empêcher de te rapprocher de quelqu'un.

Elle s'arrache à mon étreinte. Sa voix n'est plus qu'un sifflement hargneux.

– Ne me parle pas comme si tu savais ce que je vis. Ça n'a rien d'un don ! Ce n'est pas une tare dont je peux me débarrasser ou une tache de naissance que je peux ignorer, et encore moins un défaut sur lequel je peux fermer les yeux ! Qu'est-ce que tu crois ? Que je m'en fiche quand j'apprends qu'une personne brillante mourra hospitalisée à cause d'un traumatisme crânien ? Que ça ne me fait rien quand je rencontre une fillette qui se fera violer puis enterrée par la suite dans un champ désert ? Que je ne rêve jamais de ce type qui se fera tirer dessus par erreur ? Pourquoi devrais-je m'inquiéter d'eux, dis-le-moi ?

Phoebe s'interrompt, le souffle court. Je la dévisage tristement.

– Ne me regarde pas comme ça, je n'ai pas besoin de ta pitié ! crache-t-elle en surprenant mon expression.

– Je n'ai pas dit que tu te fichais de tout ça, simplement que c'est inutile de t'isoler dans le malheur. Et puis, qu'est-ce que ça change que je me rapproche de toi ? Tu ne peux plus prédire ma mort.

– Tu ne m'intéresses pas, se hâte-t-elle de mentionner.

– Je t'intéresserai.

– Tu es une gamine prétentieuse, têtue, immature et sotte, précise-t-elle, le regard ombrageux.

– T'es une vieille mémé de soixante-dix-huit ans, arrogante et solitaire. Ce n'est pas un tableau plus reluisant que le mien, remarque.

– J'ai déjà des amis.

– Vraiment ? La famille, ça ne compte pas.

Elle ouvre la bouche et la referme avec dépit. Je ne peux m'empêcher de lui sourire avant de faire volte-face.

– À ce soir, Phoebe.

Chapitre 20

J'essuie un « non » intempestif lorsque je m'acharne à convaincre mon père de me laisser rejoindre Stéphanie après l'école. J'argumente avec lui au téléphone tout au long de mon retour à la maison ; il finit par me raccrocher au nez, pressé de retourner à ses patients.

Je trépigne dans ma chambre en me rongeant les ongles, dévorée par l'angoisse. Au moment où je suis sur le point de déclarer forfait, une idée hideuse naît dans ma tête. J'y suis réticente, mais je réalise que c'est la seule chance qui me reste : je n'ai pas d'autre choix que de l'essayer.

Pendant que je fouille dans ma penderie, je m'interroge sur le type d'accoutrement que les Maudits adoptent lorsqu'ils se réunissent. Est-ce qu'ils s'habillent de façon décontractée ou formelle ? Peut-être enfilent-ils des tuniques avec des armoiries étranges dessus... L'image sectaire que je me fais d'eux ne décolle pas de mon esprit. Je mise finalement sur un pantalon noir et un chemisier que j'enfile sous un cardigan sombre. Je lisse mes cheveux et les retiens avec un serre-tête. J'ai l'air tellement lugubre, on dirait que je vais assister à un enterrement. Le mien ?

J'écris ensuite un message d'adieu pour Thierry et papa. C'est un geste lâche, je sais, mais je ne me résous pas à faire autrement. Ma lettre ne révèle rien sur les Maudits et la Confrérie ni rien sur ma première mort et ma résurrection. Je leur dis que je les aime et que je suis désolée. Je plie la feuille en huit et je la camoufle dans un tiroir de mon bureau. Si je survis à ma soirée, je n'aurai qu'à la déchirer. Si je ne reviens pas, ils finiront par la trouver. Étant donné que je ne sais pas comment la Confrérie a l'intention de se débarrasser de mon corps après le verdict, je ne peux même pas faire allusion à une fugue dans mes propos.

J'attends patiemment l'arrivée de mon père à la maison. Pendant qu'il commence à préparer le souper, je fourre quelques livres dans mon sac en bandoulière et je descends au rez-de-chaussée. Papa, en train de cuisiner des lasagnes (ou plutôt, quelque chose qui ressemble à ça), m'aperçoit du coin de l'œil. Avant qu'il ouvre la bouche, je lui souris en pointant mon sac.

– Soirée de révision chez Steph, tu te souviens ? Au téléphone, tu m'as dit que je pouvais y aller, puisque c'est pour terminer un travail d'école.

Je retiens mon souffle pendant qu'il me dévisage. Il semble figé dans le temps, une cuiller de bois à la main. Les trois secondes qui s'écoulent sont les plus longues de mon existence. Mon père adopte finalement un air détaché.

– Je viendrai te chercher.

– OK. Je t'appellerai, dis-je très vite.

Il me tourne le dos. Il est encore fâché par la frousse que je lui ai donnée mercredi soir. Un violent désir de courir l'enlacer me saisit. Les jambes flageolantes, je réprime cette pulsion et me dépêche de sortir. À l'extérieur, je jogge jusqu'à la résidence de Steph, en songeant à ce que je viens de faire pour la première fois. Ça a été si simple, si naturel. Je l'ai pensé, et voilà, le faux souvenir s'est imprimé dans la tête de papa. Vince ne mentait pas quand il disait que c'était « automatique ». La puissance du charme des Maudits me donne le vertige. Je réalise à quel point ce sera facile pour Vince et sa famille d'expliquer mon absence si je ne survis pas à la réunion. Peut-être qu'ils pourront même effacer mon existence des mémoires de mon père et de Thierry ! Je chasse cette dernière pensée et j'appuie sur la sonnette des Cooper. C'est le visage bougon de Steph qui m'accueille. Elle se dirige vers le salon en ignorant mon sourire et lorsque je la rejoins, elle est couchée sur le canapé, devant un épisode des *Simpson*. Je m'installe sur le fauteuil en face d'elle.

– Steph...

– Je regarde la télé, m'interrompt-elle en augmentant le volume.

– Stéphanie.

Le ton ferme de ma voix la persuade de m'accorder un minimum d'attention.

– Je suis désolée de t'avoir fait de la peine, hier.

– Hmpf.

– C'est vrai !

– C'est tout ce que tu trouves à me dire ? Tu me snobes complètement depuis que tu as Lana Sarkys comme amie ! éclate-t-elle enfin.

– Tu exagères, je ne te snobe pas !

– Ce n'est pas l'impression que tu m'as donnée, hier. En fait, ça fait un bail que tu me traites comme ça ! m'accuse-t-elle en parlant plus fort que moi. Est-ce que tu te rends compte que c'est la première fois que nous sommes ensemble, toutes les deux, depuis plusieurs semaines ? Tu ignores mes appels et tu es constamment plongée dans tes pensées. Je ne suis plus assez cool pour toi, sauf bien sûr, lorsque tu as besoin d'un stupide alibi. Tu aurais dû voir ma tête, quand ton frère a débarqué ici l'autre jour, parce que *supposément*, tu devais revenir de l'école avec moi ! La moindre des choses que tu aurais pu faire, c'était de m'avertir !

– Je suis désolée ! Il se passe tellement de trucs dans ma vie en ce moment... et je te jure, ça n'a rien à voir avec Lana !

– Quels trucs ? demande-t-elle d'un ton plus doux. Je suis ta meilleure amie, je suis là pour toi. Tu peux tout me dire, tu l'as toujours fait. Pourquoi ce serait différent maintenant ?

Pendant une fraction de seconde, j'ai envie de déballer mon sac, d'abattre le mur qui s'est élevé entre nous depuis mon retour à la vie. Je n'ai jamais eu de secrets pour Steph. Sauf la cure de désintox de mon père. Le fardeau que je porte présentement sur mes épaules ne demande qu'à se décharger. Qu'est-ce que ça change vraiment, que je me confie au sujet de ma résurrection, des Salmoiraghi et de Zack Bronovov ? Soit elle me croit, soit elle ne me croit pas. Je vais mourir de toute façon...

Je regarde son visage, ses yeux immenses, sa grande bouche, sa crinière indomptable, ses vêtements excentriques trop larges, les bijoux en plastique qui pendent à ses oreilles... Puis je me rappelle les avertissements de Vince à propos du secret de la Confrérie, du sort réservé à ceux qui l'apprennent. Je ne peux pas risquer d'exposer mon amie d'enfance à ce danger.

Au même instant, elle me lance :

– Est-ce que ça concerne Vince ? Tu es tombée amoureuse de lui ?

Je garde le silence, étrangement perturbée par la question. Je m'aperçois tout à coup que je ne sais plus comment qualifier ce que je ressens pour Vince.

– Du jour au lendemain, tu t'es complètement désintéressée de Zack, renchérit Steph en prenant mon silence pour un acquiescement. Et ce soir, tu m'utilises comme excuse pour filer en douce avec Vince ! Qu'est-ce qui se passe entre vous deux ?

– Rien... euh... (je tire sur un fil de mon cardigan) c'est juste un ami...

– Ouais, c'est ça, rétorque Steph avec un air très peu convaincu. Un ami qui t'a sauvé la vie il y a un mois, qui est prêt à démolir la figure du garçon le plus populaire de l'école pour toi et qui te rencontre maintenant en secret. Tu crois peut-être que je suis née de la dernière pluie ?

Le vrombissement d'un moteur m'empêche de lui répondre. Par la fenêtre du salon, je vois Vince qui se gare devant l'entrée. Il est vêtu de noir de la tête aux pieds. Je me relève, soulagée d'échapper à cette conversation.

– Je dois y aller. Il est là.

– Et voilà, tu te défiles encore ! se plaint mon amie en levant les bras au plafond.

– Il y a des choses que je ne peux pas te dire, parce que je ne les comprends pas moi-même. Excuse-moi, s'il te plaît.

Je la prends dans mes bras. Cette fois-ci, elle accepte mon étreinte. Je la serre plus fort et plus longtemps que nécessaire : et si c'était notre dernière accolade ? Je m'en libère difficilement et cours rejoindre Vince, qui me pince affectueusement la joue quand j'arrive à sa hauteur. Consciente que Steph nous épie sûrement de sa fenêtre, je recule avec gêne et mets le casque qu'il me tend.

— Je suis désolée à propos de Thierry, ce matin.

— Il s'en remettra, promet Vince, l'air distrait. Monte, le temps file.

Le froid me perce la peau à travers mon manteau d'automne et je me retrouve complètement engourdie lorsque nous abordons enfin Montréal. J'y suis déjà allée à quelques reprises, dont une fois en voyage scolaire pour visiter le Jardin botanique. Ce souvenir, aussi anodin soit-il, me fait monter les larmes aux yeux. J'enfouis mon visage dans la veste de cuir de Vince en resserrant mes bras autour de sa taille. Il est presque dix-neuf heures, mais les jours en novembre sont courts et le ciel est rapidement assailli par la nuit. Le centre-ville nous reçoit sous une pluie de lumières provenant des gratte-ciels. La cacophonie du trafic traverse mon casque. Je me sens engloutie par les bruits.

Nous quittons bientôt le centre-ville pour emprunter des rues de plus en plus désertes. Vince nous engage dans une avenue qui me semble interminable, bordée d'immenses maisons dissimulées derrière des portails en fer forgé. Il ralentit devant l'un des portails et soulève sa visière.

— Vince Salmoiraghi, annonce-t-il au microphone doré, accroché sur l'un des remparts.

La machine bourdonne et les grilles s'entrouvrent.

Classe.

La moto descend une allée asphaltée, contourne une fontaine et s'arrête devant un manoir tout en brique et en tourelles. Une profusion de voitures de luxe occupent les lieux. Mes yeux remontent les murs tapissés de lierres. Je n'arrive pas à croire que la Confrérie se réunisse dans un endroit aussi serein. Tout est calme, aucun bruit ne contrarie la quiétude du domaine.

— Ils sont déjà tous là, marmonne Vince en retirant son casque.

Il me prend par la main. À chaque pas qui me rapproche de la demeure, les battements de mon cœur accélèrent ; je n'aurai même pas atteint le seuil d'entrée que j'aurai déjà fait un infarctus !

— Très chouette, la baraque de ton grand-père, dis-je sur un ton que j'aurais voulu plus enjoué.

Vince ouvre la porte sans répondre. Le vestibule est vide. Mon compagnon m'entraîne dans le long couloir qui fait face au hall, ouvre une seconde porte et, sans me laisser le temps de reprendre mon souffle, me tire à l'intérieur d'un solarium qui sert de salle à manger, avec une longue table au milieu. Entièrement vitrée, la pièce nous donne l'illusion d'être enfermés dans une serre. Autour de la table, il y a une dizaine de personnes. Les conversations se taisent à notre arrivée. Je reconnais Phoebe, assise entre deux garçons. Elle rejette sa longue queue-de-cheval ébène derrière son épaule.

— Pas trop tôt ! maugrée-t-elle à l'intention de Vince. Tu as de la chance que la réunion soit repoussée à dix-neuf heures trente ! Tu serais en retard sinon !

299

— Pourquoi ce changement ? s'étonne son frère.

— L'avion des Bellucci a été retardé et (Phoebe hésite, me lance un bref regard) Kayla a décidé de rester en Italie.

— C'est tant mieux comme ça, tranche Vince.

Il lâche ma main tandis que je me questionne sur l'identité de Kayla. Mon attention est cependant accaparée par les visages autour de la table. Tous les regards sont posés sur moi, je me sens comme une bête de foire. Je remarque le garçon installé à la gauche de Phoebe : avachi sur sa chaise, il se balance sur les pattes inférieures de celle-ci. Il est le seul à m'offrir un sourire. Les autres se contentent de chuchoter entre eux. Je me détourne du garçon, trop nerveuse pour lui retourner son sourire.

Vince m'offre une chaise sur laquelle je m'assois en baissant les yeux. Il prend place juste à côté de moi.

— Robin, je te présente mes cousins.

De tous les prénoms qu'il énumère par la suite, je retiens seulement celui du garçon qui m'a souri, Nigel. Il est bronzé et sa tignasse de mèches brunes semble avoir été coiffée exprès pour lui donner un air ébouriffé. Ses yeux sont du même vert olive que ceux de Phoebe. C'est le plus beau garçon que j'ai vu de ma vie. Zack ne lui arrive même pas à la cheville.

— Alors, c'est toi la petite amie de Vince ! s'exclame-t-il joyeusement en me jaugeant du regard. Pas de doute, les vieux vont craquer devant ta bouille. Tu es super mignonne.

Je souris faiblement, ne sachant pas s'il me fait un compliment ou s'il se moque de moi.

– Ce n'est pas le moment, Nigel, grommelle Phoebe en lui octroyant un coup de coude.

Le silence retombe dans le solarium. Je fixe mes mains sagement croisées sur mes cuisses, avec l'impression qu'à part Nigel, tous les autres me méprisent ou me détestent.

– Les Bronovov sont là ? s'enquiert Vince pour rompre le silence.

– Depuis une heure déjà, lui répond un jeune homme à l'expression ténébreuse.

– On a eu le temps de voir le nouveau nez que tu as offert à Zackael, commente Nigel en éclatant de rire.

Personne ne rit avec lui.

– Tu as été stupide, Vince, l'accuse une fille blonde avec un accent plus britannique qu'italien. La Trêve...

– Chut, l'interrompt quelqu'un. N'oublie pas qu'elle est là.

Je sens les regards me bombarder. Pour éviter que je ne comprenne quoi que ce soit, ils poursuivent la conversation en italien.

Génial.

Je me penche vers Vince.

– Je t'en prie, dis-moi que je ne passerai pas les dernières heures de ma vie à essayer de décrypter ce qu'on raconte en italien.

— La réunion se déroulera en français, me rassure-t-il. Nous irons rejoindre tous les représentants de famille dans la salle de conférence et...

— Attends ! Les représentants de *combien* de familles ?

— Les sept familles qui fondent la Confrérie, réplique Vince comme si c'était évident. Les Salmoiraghi, les Bronovov, les Vlahakis, les Bellucci, les Villebrand, les Mackenzie et les Lewthwaite.

— Ils ont tous besoin d'être là ?

— Les Doyens et les Chefs de famille, pour sûr, ainsi que quelques membres proches à titre de témoins.

Je secoue la tête, confuse.

— Par exemple, mon grand-père est le Doyen des Salmoiraghi, énonce patiemment Vince. Mon père en est le Chef ; c'est lui qui sera le Doyen lorsque mon grand-père mourra.

— Pourquoi avez-vous besoin de deux dirigeants par famille ?

— C'est une hiérarchie un peu désuète, ça fait des siècles qu'elle est en place (Vince hausse une épaule). Le Doyen est l'être le plus respecté de sa famille. C'est celui qui règle les querelles, qui gère la fortune domestique et qui nomme le prochain Chef, mais il garde un rôle plutôt passif dans des réunions comme celles d'aujourd'hui. Bon... c'est vrai qu'il détient un droit de veto sur les décisions finales, sauf qu'il l'utilise rarement. C'est plutôt le Chef qui prend part aux débats de la Confrérie. Il représente non seulement sa famille, mais aussi tous les autres Maudits qui lui ont prêté allégeance.

— Les Bellucci doivent être arrivés, déclare soudain Phoebe. Allons-y.

Tout autour de nous, les chaises raclent bruyamment le sol. Vince me retient par le poignet pour m'empêcher de me lever aussi. Il ignore mon froncement de sourcils et s'adresse aux autres :

— Ne nous attendez pas.

Phoebe lui fait des gros yeux. Je suis tellement nerveuse que ça me fait presque éclater de rire.

— Tu es *déjà* en retard, siffle-t-elle. N'aggrave pas la situation !

Vince riposte par un regard noir qui lui fait détourner la tête. C'est la première fois que je le vois prendre le dessus sur sa sœur. Les lèvres pincées, elle referme la porte sans ajouter un mot. Vince reporte son attention sur moi. Ses mains cueillent mon visage et, du bout des doigts, il caresse mes joues. Sa douceur me désarçonne. Je lis dans son regard une émotion si puissante qu'elle assombrit ses yeux.

— Tu ne mourras pas ce soir, OK ? murmure-t-il. Enlève-toi ça de la tête.

Ses lèvres effleurent mon front, mes paupières frémissantes... une larme roule jusqu'au coin de ma bouche.

— Merde, Vince, je m'étais promis de ne pas pleurer !

— Tu es nulle quand il s'agit de tenir une promesse de toute façon...

Je lui offre un piteux sourire.

Il s'incline pour m'embrasser.

Son baiser n'a rien d'amical ni rien de l'échange passionné que j'ai partagé autrefois avec Zack. Son baiser est
d'une tendresse presque douloureuse, qui me remue jusqu'au
fond du ventre. Il me révèle Vince plus que ne le feront ses
confidences, ses gestes ou ses regards ; il me le livre tout
entier entre mes lèvres, en diffusant une émotion intense,
violente, désespérée...

Vince m'embrasse comme si je recevais le dernier baiser
de ma vie.

Chapitre 21

Je trébuche en pénétrant dans la salle de conférence. Vince me saisit le coude pour que je conserve mon équilibre. Je ravale ma gêne et le remercie en chuchotant. Voilà une entrée en scène dont je me serais passée...

La salle est en fait un petit atrium, avec un plafond très haut et des murs couverts de mosaïques. De l'autre côté de la pièce s'élève une plateforme sur laquelle trônent une longue table de bois et sept chaises capitonnées. Tout autour, une dizaine de tables, plus petites, forment un demi-cercle. Il n'y a pas de fenêtres, et le candélabre qui pend du plafond donne à la salle une atmosphère plutôt froide.

Mon attention se porte ensuite sur les invités. Ils sont au moins une trentaine, dont les battements de cœur me martèlent les oreilles. L'image que je me suis forgée de la Confrérie est à jamais dissoute : personne ne porte de robe ou de tunique sectaire, mais plutôt des tenues civiles et sobres. Plusieurs membres viennent tout juste de s'asseoir sur les sièges rembourrés. Je me rends compte que chaque table est assignée à une famille.

J'emboîte le pas à Vince jusqu'à celle où sont déjà assis ses cousins. Je me retrouve entre lui et sa sœur. Un peu plus loin, je reconnais leur mère parmi les autres Salmoiraghi.

– La table, à ta gauche, est celle des Bellucci et des Villebrand, me glisse Vince. Là-bas, ce sont les Lewthwaite et les Mackenzie. En face d'eux, les Vlahakis.

Je vois Zack assis à quelques tables de la mienne, en compagnie de deux hommes. L'un d'eux a le crâne rasé, une carrure intimidante et une longue redingote noire qui lui donne une allure encore plus sinistre. Le deuxième a les bras croisés sur le torse et la tête penchée sur le côté. Sa chevelure est si blonde qu'elle paraît platine.

– Les frères Bronovov, chuchote Vince. Le crâne rasé est l'aîné, Damien. Le blond est Seylav.

– Derrière eux, ce sont leurs parents ?

– Non. Il s'agit de leur grand-tante et de deux cousins éloignés. Leurs parents sont morts depuis des années. Zack vit seul avec ses frères.

Le nez de Zack a repris sa place, bien que toujours enflé et peu attrayant.

Sept hommes d'âge mûr entrent dans l'atrium. Le silence remplit la salle tandis qu'ils prennent place sur la plateforme. Les Doyens des sept familles, j'imagine. L'un d'eux nous observe lentement, tour à tour... Quelque chose dans son attitude me rappelle Vince.

– Est-ce que tous les Chefs sont présents ? s'informe-t-il.

Le père de Vince recule sa chaise en se levant. Ses cheveux noirs grisonnent aux tempes. Il porte un cardigan bleu cobalt qui doit valoir plus cher que ma garde-robe complète.

– Lionel Salmoiraghi, représentant de la famille Salmoiraghi sous l'égide de Mariano Salmoiraghi.

Les autres Chefs l'imitent. Le frère de Zack est le dernier à prendre la parole.

– Damien Bronovov, mandataire de Mandovic Bronovov.

Pendant une seconde, Damien me regarde droit dans les yeux, comme s'il voulait pénétrer les barrières de mon esprit. Un frisson glacé court sur ma nuque.

– La séance peut commencer.

Je ramène mon attention sur Lionel Salmoiraghi, resté debout.

– Merci à tous de vous être déplacés, déclare-t-il d'une voix sonore. Au nom de toute la famille Salmoiraghi, je vous souhaite la bienvenue. Comme vous le savez, l'heure est grave. Depuis plusieurs mois déjà, Montréal et Chelston sont en proie à des agressions macabres. Tout nous indique qu'elles sont l'œuvre d'un golem humain (un murmure parcourt l'atrium). La dernière attaque est survenue plus tôt cette semaine. Nous devons découvrir l'identité de celui qui contrôle le golem avant que la police ne retrace l'existence de la créature.

Le murmure gonfle. La voix de la Chef Bellucci, Laeticia je crois, s'élève au-dessus des autres.

– Sans le sceau qui figure sur le golem, nous ne pouvons pas déterminer à qui il appartient.

Lionel Salmoiraghi se tourne vers son fils. Tout le monde dans la salle suit la direction de son regard. Vince redresse les épaules avant de lancer :

— Son sceau était invisible. Il n'a pas été marqué de façon traditionnelle.

Face à la Confrérie, Vince apparaît plus mature et assuré que lorsqu'il est seul avec moi. Pour la première fois, je sens le poids des années qu'il traîne derrière lui ; il n'a plus du tout l'air d'un adolescent.

— J'ai mes doutes quant à l'origine du golem. Je crois qu'il provient de la fameuse secte de Damaküs. Je ne connais aucune autre organisation qui pourrait créer de telles créatures.

La déclaration de Vince a l'effet d'une bombe. Tous les Chefs ainsi que les membres de leurs familles se mettent à parler simultanément, à l'exception des Bronovov et des Doyens, qui demeurent prostrés dans un silence révérencieux.

— S'il vous plaît, du calme ! ordonne Lionel Salmoiraghi. Ce n'est pas dans le chaos que nous allons régler ce dilemme ! En ce qui concerne le Cercle de Damaküs, Vince a probablement raison. La secte...

— Nous savons tous que les Bronovov sont derrière l'organisation ! l'interrompt Nigel, assis à côté de Phoebe. Les arrêter signifie la fin de Damaküs !

Encore une fois, toutes les voix s'élèvent. Le père de Vince apaise l'assemblée en levant une main, puis il cède la parole à Damien Bronovov. Debout, ce dernier est encore plus intimidant. C'est le genre d'individu qui n'a pas besoin de faire d'effort pour inspirer la crainte ou le respect. Son regard fait le tour de la pièce avant de s'arrêter sur le père de Vince.

– Je ne croyais pas devoir défendre ma famille une nouvelle fois devant la Confrérie.

Sa voix est grave, avec un timbre de velours dans chaque intonation. Une voix mystérieuse et magnifique.

– Aucun d'entre nous n'appartient au Cercle de Damaküs, ajoute-t-il. Nous ne revendiquons pas le golem responsable de la mort de ces jeunes filles. Bien entendu, les jeunes Salmoiraghi sont prêts à nous incriminer dès que l'occasion leur est offerte. Je vous rappelle que l'un d'entre eux a brisé la Trêve qui liait nos deux familles, et ce, pas plus tard qu'hier.

– Nous ne cherchons pas à vous incriminer, jette le père de Vince. Dois-je toutefois vous rappeler que notre méfiance à votre égard est légitime ? Nous avons déjà perdu une Salmoiraghi aux mains d'un Bronovov !

– La cause de la disparition d'Angela Salmoiraghi n'a jamais été prouvée, réplique Damien (son ton devient plus tranchant qu'une lame).

– La confession de son meurtrier a été entendue, rétorque Lionel Salmoiraghi tout aussi sèchement.

Le Chef des Villebrand se racle la gorge.

– Excusez-moi, nous ne sommes pas ici pour régler une querelle de clans. Si vous souhaitez normaliser une seconde fois les ententes de votre Trêve, je vous prierai d'attendre la fin de la réunion. Pour l'instant, nous tentons de découvrir qui détient ce golem humain.

— C'est vrai, approuve monsieur Salmoiraghi sur un ton raide. Sans revenir sur le cas d'Angela, nous avons constaté à plusieurs reprises dans le passé que les Bronovov possédaient des golems humains.

— Oui et nous en avons subi le châtiment. À présent, je certifie qu'aucun membre de ma famille ne détient de golems, légaux ou illégaux.

— Mouais, mon œil, marmonne Nigel en se balançant sur sa chaise. Pratique, non, le coup du sceau invisible sur le dernier golem ? Impossible de retracer le maître !

Seules Phoebe et moi l'avons entendu. Elle lui donne un coup de pied sous la table, qu'il encaisse sans broncher. Damien se rassied lentement et, pendant un moment, la salle reste silencieuse.

— Quel est le profil des victimes ? demande finalement un autre Chef.

— Elles étaient toutes âgées entre quinze et dix-huit ans. Cinq proviennent de Montréal, deux sont originaires de Chelston, répond le père de Vince. Aucun lien ne les relie à part le fait qu'elles ont toutes été droguées avant de mourir.

— Qu'est-ce qui motiverait quelqu'un à lâcher un golem humain sur des jeunes filles innocentes ? Pour le plaisir macabre de la chose ? veut savoir la Chef des Bellucci en fronçant les sourcils.

— Pour un rituel occulte ? propose quelqu'un dont j'ai oublié le nom.

— Pour nourrir le golem, fait la voix de Damien.

Encore une fois, toute l'attention de l'atrium est sur lui. Il sourit.

— Un golem humain devient progressivement incontrôlable si on ne l'abreuve pas de sang humain. Soit son maître est un novice qui n'était pas au courant de cette particularité avant de le créer, soit il a toujours eu l'intention de sacrifier la vie de ces jeunes filles afin de conserver son golem. Lorsque celui-ci est rassasié, il s'assagit et reprend l'apparence humaine du cadavre qu'il était auparavant. Ça pourrait être n'importe qui... N'importe qui aux fonctions limitées, cependant : un golem ne peut ni parler ni agir de lui-même. Il faudrait interroger la région au complet si vous voulez le retrouver.

— C'est une tâche absurde ! jette quelqu'un.

— Créer un golem n'est pas un savoir courant, dit Lionel Salmoiraghi. Ce n'est pas une notion que l'on peut dénicher dans un manuel d'instructions ou sur Internet.

— Le maître ne peut donc qu'être l'un d'entre nous, conclut la Chef de la famille Bellucci en décochant un regard rapide sur la table des Bronovov. Ça réduit considérablement le nombre de suspects. Je suis certaine que le golem appartient au Cercle de Damaküs et que le meurtre des jeunes filles fait partie d'un culte initiatique de l'organisation. Lionel, votre famille était chargée d'enquêter sur la secte !

— Là n'est toutefois pas la question, rétorque ce dernier. Quelqu'un a-t-il une proposition pour arrêter ce golem ?

— Une fouille de toutes les résidences des Confrères dans la région devrait être entamée, suggère aussitôt le Chef Villebrand. Ne prenez pas offense, ajoute-t-il à l'attention de Damien, ce serait seulement pour des fins de vérification.

– Pas d'offense retenue, dit Damien alors que Zack prend un air pincé. Mais n'oubliez pas que nous ne sommes plus retenus par la Trêve. Je crains qu'un Salmoiraghi à la tête de cette fouille ne soit influencé par d'autres motifs.

– C'est ridicule, s'oppose un membre de la famille Salmoiraghi. Une bagarre insignifiante ne devrait pas suffire à annuler l'entente...

– Insignifiante ? reprend Damien. Vous voulez dire, aussi insignifiante que le rôle qu'a joué la jeune fille, assise à côté de Vincent, au centre de cette bagarre ?

La surprise me frappe de plein fouet alors que la curiosité de toute la Confrérie se dirige sur moi. Mon visage prend feu et je me recroqueville sur ma chaise. Ça, c'était vraiment un coup bas de la part de Damien Bronovov !

– Voyez-vous, chers confrères, poursuit ce dernier, le jeune Salmoiraghi a pris l'initiative, il y a un mois, de ressusciter l'une des dernières victimes du golem.

– Oui, admet Vince sur un ton sec. Et j'ai reçu la punition qui...

– Une jeune fille qui semble tout à fait *insignifiante*, ajoute Damien en parlant par-dessus lui, mais dont les blessures infligées par la créature guérissaient trop rapidement, ce qui a mis la puce à l'oreille de Zackael. Tu t'es mépris sur les intentions de mon frère, Vincent. Il ne cherchait pas à te provoquer ni à torturer ta protégée lorsqu'il l'a volontairement blessée.

Il marque une pause, le temps de s'assurer que toute la salle l'écoute attentivement.

– Il vérifiait seulement si tu n'avais pas ressuscité une Gitane.

Un hoquet général soulève l'assemblée. Je peux à présent lire le mépris dans tous les yeux. Même les sept Doyens remuent sur leur siège alors qu'ils sont demeurés imperturbables jusqu'à maintenant.

– Quel est votre nom ? m'interroge le Doyen des Salmoiraghi.

– Ro... Robin Gordon.

– Quel âge avez-vous ?

– Seize ans.

– Levez-vous, s'il vous plaît, et venez me rejoindre (il me fait un signe de la main).

Les jambes vacillantes, je m'exécute. Mes pas résonnent dans tout l'atrium pendant que je contourne les tables et marche vers la plateforme. Je m'arrête devant les Doyens, le cœur battant la chamade, me sentant incroyablement petite.

– Présentez votre main, réclame le Doyen Salmoiraghi.

Je retire lentement mon gant, puis je lève ma main gauche. Le grand-père de Vince examine mon nouvel auriculaire. Les autres Doyens se penchent vers nous.

– Définitivement une Gitane, annonce-t-il.

Je m'empresse de remettre le gant. Le père de Vince secoue la tête en réprimant un soupir. Apparemment, la réunion prend une tournure qui ne lui plaît pas.

313

— C'est scandaleux ! s'exclame Laeticia Bellucci, les narines frémissantes. Une Gitane ressuscitée par un Maudit ! C'est un outrage !

— Je peux m'expliquer ! vocifère Vince. Je n'étais pas au courant de ses racines gitanes avant de le faire ! Elle-même n'en savait rien ; elle n'avait que seize ans avant de mourir et la magie des Gitanes ne se manifeste qu'après avoir atteint la majorité !

— Comment expliquer la repousse de son doigt, alors ? riposte la Chef Bellucci, le regard acide.

— Je crois que sa résurrection a déclenché le processus magique plus tôt que prévu et...

Il s'interrompt lorsque son Doyen lève la main pour le faire taire.

— Vous pouvez reprendre votre place, Robin, me dit-il.

J'obéis, ayant la sensation de tituber à travers un brouillard. Je m'effondre sur mon siège et la main de Vince empoigne immédiatement la mienne. J'enracine mes ongles dans sa peau.

— Conformément aux codes de notre société, s'élève la voix magnifique de Damien Bronovov, ressusciter une Gitane constitue un acte de haute trahison.

— Nous le savons, réplique sèchement Nigel. Tout comme nous savons qu'il est interdit de créer un golem humain, *n'est-ce pas*, Zackael ?

— Robin n'a jamais été un danger pour quiconque ! lance Vince en parlant plus fort que son cousin. Et un mois s'est écoulé depuis qu'elle est revenue à la vie !

– Oui mais peut-on certifier qu'elle ne se retournera pas contre nous ? rétorque Laeticia Bellucci.

– Elle ne fréquente pas de groupe gitan, tempère Lionel Salmoiraghi, à ma décharge. Elle ne risque donc pas de recevoir une influence néfaste de ce côté-là.

Damien Bronovov m'observe avec une insistance de plus en plus évidente. J'aimerais qu'il regarde ailleurs, qu'il cesse de me mettre mal à l'aise.

– Amenez la ressuscitée dans l'antichambre, décrète le grand-père de Vince. Que tous les invités quittent l'atrium sauf les Chefs ainsi que les membres des familles Salmoiraghi et Bronovov. Nous vous convoquerons dans un moment, lorsque nous aurons pris une décision.

Vince m'entraîne jusqu'à une porte située sur le côté, qui s'ouvre sur une pièce contiguë meublée de deux chaises et d'une petite table. Je souffle, à travers mes lèvres déshydratées par la nervosité :

– Qu'est-ce qui se passe ?

– Nous allons discuter de ton sort. Ne panique pas, d'accord ? (il écarte l'une de mes boucles rebelles qui s'est échappée de mon serre-tête)

– Parle pour toi ! C'est de ma vie qu'il s'agit !

Vince ne sait pas quoi ajouter. Ses mains exercent une douce pression sur mes épaules avant de les abandonner.

– Je reviens, chuchote-t-il.

J'ai la désagréable sensation qu'il me laisse tomber. La porte se referme et je me retrouve seule. Je m'écrase sur l'une des chaises pour attendre le verdict final. À travers le mur, je perçois des éclats de voix qui me donnent l'impression que la situation est plus terrible que je l'imaginais. L'angoisse me harponne le ventre. J'essaie de ne pas penser aux regards dédaigneux que j'ai reçus lorsque mon identité gitane a été révélée au grand jour. Cette Laeticia Bellucci, avec son nez d'aigle et ses airs hautains, m'est aussi antipathique que tous les Bronovov réunis.

L'aiguille sur ma montre avance avec une lenteur atroce. Pendant combien de temps peuvent-ils débattre ? Vais-je passer toute la nuit dans l'antichambre ? À moins qu'ils ne décident de m'éliminer dans les cinq prochaines minutes ?

La porte s'ouvre soudain sur Vince, Phoebe et Nigel. Je bondis sur mes pieds.

— Ne t'emballe pas, la Gitane, ils n'ont pas encore fini de s'arracher les yeux ! lâche le cousin en s'emparant de la seconde chaise.

Il étire ses jambes et dépose ses pieds sur la table. Phoebe se rapproche de nous alors que Vince s'appuie contre un mur, les mains dans les poches. Je me rassois lentement, les sourcils froncés.

— Que faites-vous ici, alors ?

— Nigel a été renvoyé de l'atrium, explique Phoebe en coulant un regard exaspéré vers son cousin. Tu n'as fait qu'empirer les choses en insultant Zack, Nigel.

Celui-ci hausse négligemment les épaules.

— Je ne l'ai pas insulté, je l'ai complimenté. Je le trouve plutôt mignon, avec son groin tout écrasé, glousse-t-il. De toute façon, je préfère être ici que de les entendre s'obstiner à propos de la Trêve.

Je lance, impatiente :

– Quelqu'un peut me dire ce qu'est la Trêve, précisément ?

– Tu n'en as aucune idée ? s'étonne Nigel.

– J'ai des doutes... Je crois que ça concerne la mort de cette Angela Salmoiraghi...

– Le *meurtre* d'Angela, corrige Nigel. Dis donc, Vince, tu ne te confies pas à ta petite amie ou quoi ?

– Réponds à sa question et laisse-moi tranquille, marmonne ce dernier sans bouger.

– Tu n'es pas sa copine ? relève Nigel avec un sourire dans ma direction. Est-ce que j'ai une chance de t'inviter à sortir, si tu survis ?

– Nigel ! s'exclament les jumeaux en même temps.

– Ne me sautez pas à la gorge, je blaguais !

Il mâche ses mots en berçant sa chaise sur deux pattes.

– Il y a presque un siècle, l'une de nos tantes, Angela, s'est fiancée à un Bronovov. Kietro Bronovov.

Mes yeux s'écarquillent. Nigel hoche la tête, comprenant ma réaction.

– Je sais. Une bêtise monumentale. C'est une coutume de nous marier entre nous pour préserver notre secret et briser un jour la chaîne de Malédictions. L'engagement d'Angela et de Kietro a soulevé beaucoup d'avis partagés. Il créait une alliance puissante entre nos deux familles, mais les activités de Kietro au sein du Cercle de Damaküs ont eu raison de cette union. Tu sais ce qu'est le Cercle de Damaküs ?

Je secoue la tête, interloquée.

— Une secte établie depuis le milieu du XIXe siècle. Enfin, c'est ce qu'on suppose si l'on tient compte de l'âge de Kietro. Peut-être qu'elle existe depuis plus longtemps que ça... Cette organisation n'a rien à voir avec la Confrérie. Elle défie notre autorité en répandant une fausse propagande sur l'origine des Maudits. En réalité, nous savons peu de choses, mais nous croyons qu'il y a différents paliers hiérarchiques à l'intérieur de l'organisation. L'enrôlement des membres est probablement pyramidal, ce qui nous rend la tâche encore plus difficile lorsqu'il s'agit de les traquer. Bref, Kietro était un membre du Cercle et depuis, nous savons que la famille Bronovov y est liée, achève-t-il en cessant de se balancer sur sa chaise.

— Vous les soupçonnez d'en être à la tête, c'est ça ? dis-je prudemment.

— Nous *savons* qu'ils tiennent les rênes de la secte, seulement il faut le prouver, rectifie Nigel. Après le sacrifice d'Angela...

— Le sacrifice ?!

— Oui, renchérit sombrement Phoebe. Les Bronovov ont beau dire qu'elle a tout simplement disparu, la dépouille retrouvée sur un autel en Italie ne peut qu'être la sienne.

— Difficile d'imaginer que son propre fiancé lui ait fait ça, n'est-ce pas ? crache Nigel avec une soudaine colère. Les Bronovov n'ont aucun scrupule lorsqu'il s'agit de gagner richesse, pouvoir ou influence ! À mon avis, la montée de Damien en tant que Chef de famille et la mort de ses parents ne sont pas deux événements hasardeux. Cette bande de loups s'entretuerait n'importe quand. Leurs mœurs sont sadiques et irrationnelles ! (il rééquilibre sa chaise) Le meurtre d'Angela a provoqué une violente dispute entre les Bronovov et notre famille. Ils avaient le culot de clamer l'innocence de Kietro malgré toutes les preuves qui pesaient contre lui.

– Monsieur Salmoiraghi a bien dit tout à l'heure que vous aviez obtenu sa confession, non ?

– Exactement. Cependant, Kietro a disparu à son tour par « coïncidence ». Nous ne l'avons jamais retrouvé. Soit il s'est lui-même volatilisé, soit les Bronovov ont disposé de son corps afin d'effacer toute trace de leur association avec la secte. Sans Kietro et sans une identification légale de la dépouille d'Angela, la famille serait disculpée. (Nigel prend une courte pause avant de poursuivre) Nos familles ont ce qu'il convient d'appeler une « culture de l'honneur ». Lorsque notre grand-oncle Benito, le père d'Angela, a appris la mort de sa fille, il n'a pas hésité une seule seconde avant d'abattre l'un des frères de Kietro, pour venger l'insulte faite à sa famille. Le tout a vite dégénéré en guerre de clans. Si je me souviens bien, Vladimir Bronovov a empoisonné Fabio Salmoiraghi et...

– Non, corrige froidement Phoebe. Il a empoisonné son frère. Fabio s'est fait tirer dessus douze fois par Bogdan Bronovov.

– Et le demi-frère de celui-ci a ensuite tué le père de Christine..., continue Nigel.

– ... et Giuseppe s'est vengé en mettant le feu à la résidence patriarcale des Bronovov, complète sa cousine en opinant du menton.

Je plaque une main sur ma bouche.

– Oh, mon Dieu ! Je... je croyais qu'il était difficile de vous éliminer ? Que vous étiez presque immortels ?

– Difficile de survivre quand on est décapité, tiré à bout portant ou empoisonné par une triple dose de cyanure, émet Phoebe.

– Les querelles ont pris des proportions de plus en plus importantes et elles ont divisé la Confrérie, dit Nigel. Elles l'auraient carrément détruite si les Doyens n'étaient pas intervenus pour trancher la question. Ils ont laissé le bénéfice du doute aux Bronovov concernant la mort d'Angela et interdit toutes représailles menées contre eux. Ils ont accordé à notre famille le droit d'enquêter sur le Cercle de Damaküs pour autant que ça n'empiète pas sur la Trêve ; c'est-à-dire, surveiller les Bronovov de loin sans la possibilité d'interférer dans leurs affaires, à moins d'être nantis de preuves irréfutables.

– Quand les trois frères Bronovov ont déménagé à Chelston il y a six ans, nous nous sommes douté qu'ils avaient l'intention de rendre la secte à nouveau active, ajoute Phoebe. C'est pour ça que nous avons emménagé ici l'année passée. Nous ne nous approchons jamais de leur domaine, mais notre présence dans la même ville leur rappelle que nous gardons un œil sur eux.

Je fronce les sourcils.

– Tu dis ça, mais c'est faux. Vince était chez Zack, le soir de la fête d'Halloween.

– Oui, il a pris un risque, déclare sèchement Phoebe. En fait, il a rompu la Trêve ce soir-là. Zack ne s'en est pas rendu compte.

Je me souviens du bref instant où j'ai aperçu Vince, la rapidité avec laquelle il a disparu par la suite. Tout s'explique : il ne m'évitait pas, il évitait Zack !

— N'y a-t-il que des Maudits dans la secte ? je demande. Si vous êtes si rares, je ne comprends pas pourquoi c'est difficile de retracer les membres du Cercle.

— Certains confrères sont indéniablement corrompus par les Bronovov, répond Nigel. Nous savons aussi que n'importe qui peut faire partie du Cercle, Maudits ou pas. C'est pour ça qu'il est important d'arrêter cette organisation. Elle risque de dévoiler notre secret en ne respectant pas la confidentialité de notre identité.

Je me frotte les joues, abasourdie par ces informations.

— Ça suffit, détermine Vince en se détachant du mur. Tu n'as pas besoin de te casser la tête avec tout ça, Robin.

— En fait, ça me distrait (je pousse un gros soupir). Je préfère entendre vos histoires que de rester assise à attendre ma mise à mort.

Vince s'avance puis s'arrête à mi-chemin, l'oreille tendue.

— Ils ont pris une décision, déclare-t-il brusquement.

En effet, l'atrium est silencieux. Quelqu'un cogne à la porte avant de tourner la poignée. C'est le père de Vince.

— Je vous prierais de me suivre, annonce-t-il sans autre préambule.

✧ ✧
✧

Je reprends ma place entre les jumeaux. Le visage des Chefs, en particulier celui de Lionel Salmoiraghi, est sombre. Ceux des Doyens sont au contraire très stoïques. Je réalise que je tremble comme une feuille lorsque Vince pose discrètement sa main sur ma cuisse. Lionel Salmoiraghi demande à Zack de se lever et d'attester qu'il n'a rien à voir, de près ou de loin, avec le golem meurtrier. Zack clame son innocence et le père de Vince l'avertit qu'il sera accusé de parjure et de trahison contre la Confrérie dans le cas où l'on découvre qu'il ment.

— Voilà pour l'affaire du golem, conclut monsieur Salmoiraghi. Quant à ce qui concerne la Trêve, celle-ci demeure valide. Les Doyens ont écarté l'incident survenu hier, en espérant que cela ne se reproduise plus. Sinon, les sanctions seront sévères pour les deux partis.

Damien demeure impassible. Son frère blond est immobile, la tête penchée ; j'ai l'impression qu'il s'est endormi.

— Le débat sur le sort de la ressuscitée n'a pas été fructueux, poursuit monsieur Salmoiraghi. Nous avons donc convenu d'un vote par les sept mandataires.

Un vote ! Un vote sur ma survie ! Je frictionne mes mains moites ensemble. Ai-je vraiment besoin d'entendre la suite ? Ne peuvent-ils pas me laisser dans l'antichambre et m'annoncer le résultat final ? N'est-ce pas cruel de leur part de me faire subir un tel cauchemar ?

Le Doyen des Salmoiraghi prend la parole :

— Lionel Salmoiraghi, êtes-vous pour ou contre la légitimité de la résurrection de la jeune Robin Gordon ?

— Pour, répond le père de Vince avant de se rasseoir.

Je reste tendue malgré ce premier vote victorieux.

— Laeticia Bellucci, êtes-vous pour ou contre... ?

— Contre, interrompt cette dernière en repositionnant son châle sur ses épaules.

Elle me décoche un regard tellement haineux qu'il me fait déduire que son mépris ne provient pas seulement de ma résurrection ou de mon identité gitane. Je baisse les yeux, confuse. La mère de Vince, je peux comprendre... Mais de quel affront personnel me suis-je rendue coupable pour que la Chef des Bellucci me déteste aussi gratuitement ?!

François Villebrand se lève lorsque son nom est annoncé.

— Je vote pour, répond-il.

Deux votes pour moi, sur un total de trois.

— Je suis pour, décrète ensuite le Chef Mackenzie.

— Contre, réplique celui des Vlahakis après avoir été désigné.

Mes lèvres s'assèchent davantage.

— William Lewthwaite ?

— Contre.

Je comprends alors, avec une certitude plus vive que si une lame de poignard m'avait été enchâssée dans le cœur, que je n'ai aucune chance de survivre. Le dernier à voter est nul autre que Damien Bronovov. Sa décision scellera mon sort. Désormais, il n'y a plus aucun doute. C'est fini. Je n'ose pas regarder Vince, dont la main comprime mon genou.

– Damien Bronovov, êtes-vous pour ou contre la légitimité de la résurrection de Robin Gordon ?

Il y a un long silence, durant lequel les dernières secondes de ma vie sont suspendues aux lèvres du Chef des Bronovov.

– Je suis pour.

Un vent de stupéfaction souffle dans l'atrium. Je relève la tête, n'essayant même pas de camoufler mon ébahissement.

– Le jugement est rendu, conclut le Doyen des Salmoiraghi sans ciller. La résurrection de Robin Gordon est légitime selon la décision prise par les mandataires. Elle prêtera allégeance à la famille Salmoiraghi ainsi qu'à la Confrérie.

Les yeux de Damien me transpercent à travers la salle. Zack le dévisage, tout aussi abasourdi que moi par son vote inattendu. Leur frère blond étouffe un bâillement.

– Incroyable, murmure Phoebe.

Vince se frotte le menton, les traits tendus.

– Robin Gordon, m'appelle son père. Je vous demanderais de vous lever et de vous avancer à nouveau devant la table des Doyens.

Telle une somnambule, je me dirige jusqu'au milieu de l'atrium, toujours tremblante et époustouflée par la tournure des événements.

– Vous êtes officiellement membre de la Confrérie. Vous êtes conséquemment sujette à nos codes d'éthique. Vous ne devez jamais révéler votre identité ou celle des autres Maudits à quiconque, pas même à vos proches, sous aucun prétexte, sans quoi des représailles seront prises contre vous. Votre statut de Gitane ne vous défère aucun privilège, et vous ne devez pas souscrire à des activités qui compromettraient notre intégrité, peu importe si cela entre en conflit avec vos origines. Vos origines vous soumettront aussi à une vigilance étroite de la part de la Confrérie. Vous comprenez les termes de votre adhésion ?

Je réponds par l'affirmative d'une voix fluette.

– Étant donné que votre identité gitane est une nouvelle réalité pour vous, nous serons indulgents à votre égard. Toutefois, gardez en tête que le moindre écart volontaire de votre part vous retirera immédiatement vos droits en tant que consœur. Nous tâcherons de vous familiariser avec les codes de la Confrérie : vous serez sous la protection des Salmoiraghi. Prêtez-vous allégeance à ma famille et à la Confrérie ?

– Oui.

– Ce sera suffisant pour ce soir. Vous êtes libres de partir. La séance est levée.

Je reste immobile, paralysée par ma chance. Dans un brouhaha de bruits et de voix, les autres membres de la Confrérie se lèvent. Plusieurs me regardent encore avec des restes de mépris ou de méfiance. La Chef des Bellucci me contourne en silence et va rejoindre les parents de Vince afin de s'entretenir avec eux à voix basse. Son visage est rempli de colère, mais je ne parviens pas à saisir ce qu'elle chuchote avec autant de vivacité. De toute façon, c'est le dernier de mes soucis en ce moment.

Vince me prend dans ses bras. Je m'abandonne à son étreinte pendant qu'il enfouit son visage dans mes boucles. Le monde disparaît autour de nous.

– Je t'avais dit de ne pas t'inquiéter, chuchote-t-il.

– Pff ! Du bluff...

– Allons-nous-en. Je dois te ramener chez Stéphanie.

Il s'empare de ma main et m'attire vers la sortie, sans même attendre le reste de sa famille.

– Vince ! Je dois aller aux toilettes, s'il te plaît ! J'ai l'estomac tout retourné...

– Ça va aller ?

Éberluée, je répète :

– Si ça va aller ? J'étais certaine que j'allais mourir ! Je viens de vivre toute la gamme d'émotions humaines en une soirée !

– C'est juste là, au bout du couloir. Je t'attendrai à l'extérieur.

Je m'enferme dans la salle de bains et me couche sur le plancher froid. Mes muscles se relâchent tandis que des sanglots sans larmes me traversent la poitrine. Je suis libre ! J'ai le droit de conserver la nouvelle existence que Vince m'a accordée ! Tout ça, grâce au vote du frère de mon ennemi ! Je veux hurler, cogner mes poings sur le plancher, donner des coups de pied sur le mur, chanter, danser, je ne sais pas, n'importe quoi qui me permettrait d'exprimer l'immensité de mon soulagement. Je suis *vivante* !!!

Maudite...

... Mais *vivante* !

Je respire un bon coup afin de recouvrer mon calme. Je me relève, tourne la poignée et trébuche presque sur Damien Bronovov qui traverse le couloir en compagnie de ses frères. Mon cœur remonte immédiatement dans ma gorge. Son air impassible m'inspire une crainte prodigieuse.

Les Bronovov n'ont aucun scrupule...

Je croise le regard furibond de Zack derrière l'épaule de son frère aîné. Il ouvre la bouche, probablement pour m'insulter, mais Damien l'arrête d'un geste discret de la main. Je serre les lèvres et les observe avec le peu de défi que je réussis à m'insuffler.

— Tu ressembles à ta mère, Robin, me lance Damien d'un ton énigmatique qui m'envoie des frissons dans tout le corps.

Un sourire étire ses lèvres devant mon désarroi. Pas une seule réplique cohérente ne me vient à l'esprit. D'un signe de tête, il enjoint ensuite ses frères à le suivre. En vrai gamin, Zack me présente son majeur droit lorsqu'il me dépasse.

Chancelante, je retrouve Vince à l'extérieur. Ma joie est ternie par les nombreux questionnements que les dernières paroles de Damien Bronovov ont provoqués chez moi. Comment aurait-il connu ma mère ?!

Vince me tend un casque. Ses yeux brillent d'exultation. Les premiers cristaux de neige de l'année virevoltent autour de nous et s'écrasent sur nos joues. Je les remarque à peine.

J'hésite puis, pour ne pas gâcher la bonne humeur de Vince, je décide de ne pas lui révéler tout de suite ce que Damien m'a dit.

QUATRIÈME PARTIE

Chapitre 22

Zack n'a pas remis les pieds à l'école après la réunion de la Confrérie.

Sa case est vide et lui-même s'est complètement volatilisé. Pendant quelques semaines, les rumeurs sont allées bon train sur les raisons de son absence. Certains ont dit qu'il séchait les cours pour une période indéterminée, d'autres ont raconté qu'il avait décroché, d'autres encore ont affirmé qu'il avait déménagé... Et il y a ceux, plus morbides, qui chuchotent qu'il est peut-être la première victime masculine du Tueur Fou et qu'on ne tardera pas à déterrer les restes de son corps.

— À mon avis, il est puni par ses frères, me confie Vince un jour, pendant l'heure du lunch.

— Qu'est-ce que vous avez tous à vous punir comme ça ? Vous êtes sadiques !

Je m'empare d'un plateau après avoir arrêté mon choix sur une salade grecque et un jus d'orange. À côté de moi, Vince garnit le sien d'une soupe au poulet, d'une assiette de raviolis, d'un éclair au chocolat, d'un muffin au son et d'une canette de boisson gazeuse. Il fronce les sourcils en voyant le contenu de mon plateau.

– C'est tout ce que tu manges ? Une assiette de concombres ?

– C'est une salade grecque !

Faisant fi de mes protestations, il laisse tomber son muffin dans mon plateau puis va s'aligner dans la queue devant la caisse.

– Je ne comprends pas où tu trouves l'appétit de bouffer tout ça, dis-je en refoulant un haut-le-cœur.

– Je suis habitué. Ce n'est pas parce que les aliments n'ont plus le même goût que je dois m'affamer. Tu ne devrais pas non plus.

Je hausse les épaules alors qu'il se penche vers mon oreille :

- Ce n'est pas normal que tu n'aies pas encore Soif. Ça fait dix-sept jours depuis la réunion...

Je garde mon air insouciant quoique je me demande s'il peut discerner mes battements de cœur à travers ceux des autres élèves.

– Phoebe m'a avertie que ça prendrait un peu de temps avant que je devienne régulière. Tu te fais du souci pour rien.

Il sourcille une seconde fois. C'est difficile de lui cacher quelque chose car il connaît toutes mes expressions, la façon dont j'insiste du regard pour convaincre mes interlocuteurs. Depuis que j'ai vidé le sang de cochon dans les toilettes, j'ai ressenti à deux reprises un malaise violent que j'ai associé à la Soif. Mais contrairement aux prédictions de Phoebe, je n'ai pas perdu le contrôle de moi-même. Je n'ai sauté à la gorge de personne, je ne me suis pas transformée en monstre.

— Tu ne t'Assoifferais pas, par hasard, Robin ? Tu sais que c'est dangereux.

Je mordille ma lèvre inférieure et concentre toute mon attention sur le choix d'ustensiles en plastique. Je ne regrette pas d'avoir jeté le sang que Phoebe m'a donné, je déteste seulement l'idée de décevoir Vince.

— Je t'apporterai une ration ce soir, ajoute-t-il.

— Ne te donne pas la peine, je n'ai pas...

— Écoutez, les amoureux ! grogne soudain la caissière, impatiente. Je n'ai pas dix mille ans devant moi !

Nous nous empressons de payer notre repas et de quitter la ligne.

— Tu me le dirais si tu avais Soif ?

— Bien sûr !

— Je n'en suis pas convaincu...

Thierry apparaît dans notre champ de vision et nous sommes forcés de nous séparer. Mon frère a pardonné à Vince de s'être introduit dans ma chambre. Enfin, presque. Quand il nous surprend ensemble, il s'immisce dans notre conversation ou nous talonne jusqu'à ce que nous perdions patience. Je trouve ça mesquin de sa part.

— On se voit ce soir, même heure, me chuchote Vince avant d'aller rejoindre Thierry.

Oh, non ! Pas encore...

333

Depuis la réunion de la Confrérie, Vince me réveille pratiquement toutes les nuits pour « m'entraîner » à la présence des morts. Je ne sais pas ce qui est pire : se faire dévorer par un golem ou être pourchassée par un Autre fou furieux. Je ne réussis jamais à rester calme quand je les croise ; ma nervosité attire leur attention. Vince est d'une patience incroyable : il ne perd pas espoir qu'un jour je maîtriserai mes craintes.

Entre ces sorties nocturnes avec lui et les examens de fin de semestre qui débutent cette semaine, je n'ai plus une minute à moi. J'ai hâte aux vacances de Noël, hâte que Vince réalise que je ne dompterai jamais ma peur des morts, hâte de consacrer un après-midi à regarder de vieux films d'horreur en compagnie de Steph, hâte de pouvoir papoter de tout et de rien avec Lana. Je croyais que devenir membre officiel de la Confrérie me permettrait de retrouver un semblant de normalité.

Mais non.

Je cherche Stéphanie des yeux et je l'aperçois, attablée à l'autre bout de la cafétéria. Elle agite le bras. En même temps, un surveillant s'approche de moi.

— Robin, tu es convoquée dans le bureau du directeur.

Je lance un regard déconcerté aux quelques élèves à proximité, qui l'ont entendu et qui m'observent maintenant avec curiosité. Depuis quand le directeur fait-il venir des élèves durant l'heure du dîner ? Je dépose mon plateau, puis je monte à l'étage des bureaux administratifs. Qu'est-ce que j'ai fait ? Je n'ai jamais été appelée par le directeur. L'inquiétude me frappe. Est-il arrivé quelque chose à mon père ?

Je cogne à la porte du bureau en m'incitant au calme. Lorsque j'entre dans la pièce, je vois tout de suite mon père, assis sur l'une des chaises rembourrées. Le soulagement qui m'envahit me fait presque négliger la présence de l'homme qui est installé à ses côtés. Je reconnais l'inspecteur Richard King.

— Bonjour, Robin, m'accueille-t-il d'un air aimable.

— Qu'est-ce qui se passe ? Papa, tout va bien ?

— Très bien, me rassure mon père avec un sourire forcé qui trahit son agitation. Robin, va chercher tes affaires. Nous devons nous rendre au poste de police.

— Pourquoi ?

— Nous avons besoin de toi pour identifier un suspect, répond l'inspecteur King. Ce matin, un homme s'est rendu aux autorités en affirmant être le Tueur Fou (il marque une pause). Certains de ses dires nous laissent perplexes.

— Comme... ?

L'inspecteur secoue la tête.

— Nous ne pouvons pas en discuter ici.

Je n'ai pas d'autre choix que de me plier à leur volonté. Pendant que je prends mon manteau, je réfléchis à la situation. Est-ce que Zack a charmé quelqu'un pour essuyer les blâmes de ses meurtres ? Est-ce que cette personne a révélé l'existence du golem ? Est-ce cette information qui laisse les policiers perplexes ?

Mon père ne peut me suivre lorsque l'inspecteur King et un autre agent m'isolent dans une salle munie d'une grande vitre, qui donne sur une seconde pièce avec un mur blanc en arrière-fond. Je reconnais l'endroit même si je n'y ai jamais mis les pieds : on dirait une scène sortie tout droit d'un film policier. L'inspecteur m'explique la procédure. Six hommes s'aligneront devant le mur sans savoir que je les observe derrière la vitre. Mon seul rôle est d'identifier celui qui m'a attaquée.

Les six suspects ne tardent pas à faire leur apparition.

— Est-ce que tu reconnais ton agresseur parmi eux ?

— Non.

— Tu es certaine, Robin ? Regarde-les attentivement. Ils correspondent à la brève description que tu as faite de ton agresseur...

C'est vrai : ils sont tous plus ou moins chauves. Ce n'est toutefois pas suffisant pour me convaincre que l'un d'eux est celui qui m'a attaquée. Présentez-moi une série de golems et je pointerai sans hésitation le coupable. Ces six hommes n'ont rien à voir, de près ou de loin, avec ma mort.

— Je ne le reconnais pas du tout, dis-je d'une voix plus assurée.

Monsieur King fait signe à un autre policier de me ramener dans le bureau où mon père m'attend. Je m'installe à sa droite et il me caresse l'épaule avec un petit sourire encourageant. L'inspecteur nous rejoint bientôt, la mine grave. Il tient un énorme dossier dans les mains.

— Essayons une dernière fois, Robin.

Il ouvre la chemise débordante et me montre plusieurs clichés qui représentent les six suspects sous des angles différents. Je secoue la tête devant chaque photo.

– L'homme qui s'est confessé ce matin s'appelle Matthew Peterson, m'explique-t-il enfin. Il est chauffeur d'autobus scolaires à Montréal. Il a donné tous les détails concernant la mort des cinq premières victimes : Jennifer Pierce, Karla Montesquieu, Fannie Beaulieu, Lily Brown et Kim Lauzon. Il les a choisies avec précaution, s'assurant qu'elles provenaient toutes d'établissements scolaires différents. Il connaissait leurs horaires, leurs adresses et leurs habitudes. Parce qu'elles étaient déjà familières avec lui, il lui était facile de les empoisonner puis de les tuer. Il nous a expliqué ses méthodes ; comment il fabriquait lui-même la « Neige Blanche », les endroits qu'il favorisait pour démembrer ses victimes. Il leur coupait à chacune une mèche de cheveux, qu'il conservait en guise de trophée. Il nous a absolument tout révélé. Tout ce qui concerne les *cinq* premières victimes.

Il se gratte le menton et je retiens mon souffle, sentant que je ne vais pas aimer la suite.

– Robin, ton incapacité à l'identifier parmi les six suspects a confirmé non seulement ses dires, mais aussi nos craintes : nous avons affaire à un imitateur.

– Il y a *deux* Tueurs Fous ?! s'exclame mon père, horrifié.

– Peterson nie toute responsabilité dans la mort d'Anna Rodriguez et de Jessica James, ainsi que dans l'agression de Robin. C'est rare, mais il est déjà arrivé qu'un meurtrier se confesse parce que son *ego* ne supporte pas qu'un autre l'imite. Et l'*ego* de Peterson est gigantesque.

– Êtes-vous... êtes-vous sûrs que c'est vrai ?

– Ça expliquerait certaines inconsistances, en tout cas, affirme le policier en rangeant les photos. Les cinq premières victimes étaient toutes montréalaises, tandis qu'Anna et Jessica habitaient Chelston, tout comme toi. Notre suspect dissimulait les membres de ses victimes dans des endroits significatifs, par exemple dans le parc favori de l'une ou derrière le studio de danse de l'autre. Les restes d'Anna et de Jessica ont été dissimulés dans différents coins de Chelston en ne suivant aucune logique précise. Et nous avons aussi remarqué que ces deux dernières avaient perdu beaucoup, beaucoup plus de sang durant leur agression que les premières victimes. Comme si l'imitateur s'amusait à les drainer avant de...

Mon père pâlit.

– S'il vous plaît, ma fille n'a pas besoin d'entendre ça.

– Désolé, dit aussitôt l'inspecteur King avec l'air de quelqu'un qui vient de se souvenir de ma présence (il se racle la gorge). Nous sommes portés à croire que Peterson dit la vérité lorsqu'il affirme qu'il n'a rien à voir avec l'agression de Robin et la mort d'Anna et de Jessica. Bien sûr, nous devons attendre les résultats du labo avant de confirmer que les mèches de cheveux en sa possession correspondent bien aux cinq autres victimes. Nous devons aussi vérifier ses allées et venues les soirs des meurtres d'Anna et de Jessica, ainsi que le soir de la fête chez le jeune Bronovov. S'il a un alibi, la thèse de l'imitateur sera confirmée. Un imitateur qui voulait faire porter le blâme au vrai Tueur Fou...

Je fixe mes mains sous la table. Elles tremblent. Je serre les poings pour ne pas trahir mon émoi. J'essaie de me convaincre que c'est impossible, que ce que j'entends là est monté de toutes pièces, mais plus j'y pense, plus je suis convaincue que ce Matthew Peterson dit vrai.

Ce qui me confirme que Zack est bel et bien le seul responsable de ma mort.

Je rate la dernière branche de l'arbre et m'étale à plat ventre sur le sol neigeux juste au-dessous de la fenêtre de ma chambre. Mes poumons évacuent tout l'air qu'ils contiennent. Je reste couchée, complètement sonnée. Après un moment, je recrache la neige que j'ai avalée, puis me relève, haletante. Je me tâte la poitrine, le ventre et les jambes afin de vérifier que je ne me suis rien cassé.

Je ne sais pas comment Vince s'y prend ! Il grimpe et descend de cet arbre comme s'il s'agissait d'une simple échelle ! Un vrai singe ! La dernière fois que je suis sortie par ma fenêtre, j'ai déchiré mon pantalon, et la fois d'avant, je me suis presque foulé la cheville.

La nuit est glaciale, des volutes de buée s'échappent de mes lèvres. Il est une heure du matin. Vince m'attend au coin de la rue, avec la voiture de Phoebe. Il me salue de la tête et je monte à côté de lui. Quinze minutes plus tard, il se gare devant le cimetière Sainte-Augustine. À notre dernière visite, nous n'avons rencontré aucune âme en peine. C'est comme ça certaines nuits. J'étais étonnée d'apprendre que les Autres ne gambadaient pas tous les soirs. L'heure aussi est une variable déterminante. Celle qui garde ma fenêtre apparaît souvent aux alentours de trois heures. C'est d'ailleurs pour cette raison que Vince et moi faisons notre tournée entre une et deux heures trente, afin d'éviter de tomber sur elle.

– Est-ce qu'il y a un moyen de se débarrasser de cette bonne femme une fois pour toutes ? l'ai-je déjà questionné. Comme, par exemple, lui acheter un billet aller-sans retour pour qu'elle retourne dans le monde des morts ?

– Il faudrait qu'on trouve son port d'attache et qu'on le détruise. Elle n'aura alors plus de raison de revenir.

– Tu parles... Je vois déjà la scène : « Bonjour ! Je m'appelle Robin ! C'est quoi ton port d'attache ?! »

Chaque fois que je discute avec Vince, j'apprends quelque chose de nouveau sur la vie des Maudits, sur les Autres, et parfois sur lui-même. Il n'est pas enclin à divulguer des informations sur ses proches et il n'est pas très bavard sur son passé ; il préfère raconter des anecdotes banales à propos de ses cousins, surtout Nigel. Par exemple, ce dernier lit et parle couramment dix langues, dont l'espagnol, le portugais et le japonais ! En ce moment, il loge dans la demeure des Salmoiraghi, à Westmount. Selon ses dires, il reste pour participer à l'enquête sur le golem ; selon Vince, c'est parce qu'il n'a pas de contrat de travail en Europe pour le moment (et qu'il est trop paresseux, de toute façon, pour s'en dénicher un).

À force d'être en présence de Vince, j'ai appris à le lire à travers ses gestes, ses silences et même, son habillement. Je sais qu'il est stressé quand il joue avec la tête de mort qui orne sa chaîne d'argent. Il hausse son sourcil percé quand il est étonné ou agacé, et l'autre quand il est amusé. L'impatience le pousse à toucher son piercing plusieurs fois du bout des doigts ; l'ennui lui fait rentrer les poings dans les poches de son jean. Tirer distraitement sur mes boucles de cheveux est un indice de sa très bonne humeur, mais il passe une main dans les siens lorsqu'il est irrité ou engagé dans une conversation qu'il préférerait éviter.

C'est fou, toutes ces subtilités qui révèlent la personnalité de quelqu'un.

– Par ici, lance-t-il en désignant une brèche dans la clôture du cimetière. Attention de ne pas te blesser.

La neige craque sous nos bottes. C'est le seul bruit qui brise le silence de l'endroit. Je frissonne malgré mon manteau d'hiver. Les lieux empestent la mort et me donnent la chair de poule. Vince marche longtemps avant de s'arrêter devant une énorme pierre tombale fissurée. Il se juche dessus.

– Ce n'est pas respectueux de s'asseoir sur la tombe de quelqu'un, lui dis-je.

– Ah... ouais...

Il s'ébouriffe les cheveux et son regard fait le tour du cimetière.

– C'est tranquille et pourtant, il s'agit de leur lieu favori, commente-t-il.

Je lance à brûle-pourpoint, et un peu nerveusement :

– Je dois t'annoncer quelque chose. À propos du Tueur Fou.

Il m'écoute attentivement pendant que je lui relate nerveusement mon après-midi au poste de police.

– Au début, j'ai cru que c'était une arnaque : que ce Matthew Peterson a été charmé et forcé d'avouer des crimes qu'il n'a pas commis. Mais il a remis plusieurs preuves aux policiers. Seule mon agression et celles de Jessica et d'Anna sortent du lot.

– Ne sous-estime pas l'influence des Bronovov. C'est possible qu'ils aient comploté cette histoire d'imitateur (la bouche de Vince prend un pli revêche). Damien a des contacts dans la police, il fait aussi partie du conseil municipal de la ville. Son charme est encore plus puissant que celui de Zack. Cependant, je suis prêt à croire que ce Matthew Peterson est le Tueur Fou original et que Zack l'a – mal – imité pour camoufler l'existence de son golem.

– Tu disais ce matin que ses frères le punissaient. Alors ils le croient coupable, eux aussi ! conclus-je.

– Disons que son absence souligne encore plus sa culpabilité, admet Vince. D'après moi, Damien n'était pas au courant que Zack détenait un golem avant que le sujet soit soulevé en réunion. Son orgueil l'empêchait d'admettre qu'un des siens avait risqué la réputation de sa famille, alors il l'a défendu jusqu'au bout. En privé, par contre, il lui a sûrement fait payer son erreur.

– Est-ce que Zack est enfermé dans un Tombeau ?

– Je ne sais pas ce que ses frères lui ont réservé comme châtiment, réplique Vince en secouant la tête. Et bien sûr, la punition n'est qu'une théorie. Peut-être qu'il a seulement quitté l'école.

– Si le vrai Tueur Fou a été arrêté et que les Bronovov ont éliminé le golem, ça veut dire que je n'ai plus rien à craindre. À part les Autres..., dis-je pensivement.

Je forme une boule de neige dans ma mitaine puis l'aplatis. Je recommence mon manège trois fois avant de couper le silence.

– Alors, ils viennent ou pas, tes morts ?

Il regarde par-dessus mon épaule et soudain, ses traits se durcissent.

— Rapproche-toi de moi (il prend mes mitaines entre ses mains pour m'attirer vers lui). Tu te souviens des trois règles d'or que je t'ai apprises ?

— Oui.

— Répète-les.

Les mains de Vince serrent les miennes très fort. J'ai parlé trop vite. Il y a un Autre avec nous, bien que je ne sente pas sa présence et que je ne le voie pas. Il est sûrement derrière moi, c'est pour ça que Vince m'a appelée à ses côtés.

— Règle numéro un, je ne dois pas paniquer, dis-je en sentant justement la panique monter en moi.

Il lâche ma main droite pour appuyer ses doigts sur ma gorge.

— Relaxe, ordonne-t-il avec plus de fermeté. Ta peur les attire. Quelle est la deuxième règle ?

— Je ne dois pas croiser leur regard. Même si le mort que je rencontre est quelqu'un que je connais, je dois l'ignorer. Et finalement, si je faillis aux deux premières règles... je cours le plus vite possible !

Il se penche vers moi et son nez touche le mien. Il murmure :

— Il y en a un derrière toi, à quelques mètres de nous. Je veux que tu ailles à sa rencontre et que tu le contournes sans attirer son attention.

– Jamais !

Je remue la tête de droite à gauche.

– Chut ! Fais-le, Robbie, c'est le seul moyen de t'habituer à eux. Tu dois apprendre à contrôler ta peur.

– S'il te plaît, Vince, non, non, non !

Il me repousse doucement. J'essaie d'agripper ses doigts, mais il contre mes efforts. Résignée, j'aspire une grande bouffée d'air et je serre les poings. Je compte jusqu'à dix et je me retourne. Je cligne des yeux.

Il n'y a personne.

Dans mon dos, Vince éclate de rire. Je fais volte-face.

– Tu te crois drôle ?! Espèce de... !

Je me propulse sur lui, le fais tomber de la pierre tombale et le plaque dans la neige. Il continue de s'esclaffer ; les notes de son rire se répercutent dans le cimetière désert.

– Ne ris pas si fort, tu risques d'en attirer un pour vrai ! lui dis-je en pressant ma mitaine sur sa bouche.

Il parvient à se maîtriser, bien que ses yeux rient encore. Inclinée au-dessus de lui, avec ses mains sur mes hanches et son visage tout près du mien, à ce moment précis, à cette seconde-là, je réalise que le lien qui me rattache à lui est plus profond que je le croyais, que mes sentiments vont au-delà de la simple gratitude qu'on éprouve envers une personne qui vous a sauvé la vie. Cette prise de conscience allume chacun de mes nerfs. C'est une sensation éblouissante. Je me redresse et l'aide à se remettre debout. En dépit du froid, mes mains deviennent moites dans mes mitaines. Je le fixe tandis qu'il replace son manteau. J'ai l'impression de regarder une personne différente.

— Tu aurais dû voir ta tête, me taquine-t-il.

— Ce n'était pas amusant, Vincent Salmoiraghi.

— Pour quelqu'un qui raffole des films d'horreur, Robbie, tu es vraiment peureuse, continue-t-il à glousser. Allez, viens, je te ramène. Ce soir, c'est vraiment trop tranquille.

Je glisse ma main dans la sienne alors que nous rebroussons chemin jusqu'à la voiture de Phoebe. Durant tout le trajet, je pense à cette nouvelle émotion qui m'a surprise quelques instants plus tôt. Et je découvre qu'en fait, elle n'est pas si nouvelle que ça, seulement plus intense. Il s'agit du même trouble qui m'a perturbée quand Steph m'a demandé si j'étais amoureuse de Vince, du même qui contractait mon ventre après sa bagarre avec Zack. J'étais seulement trop préoccupée par le sort qu'on me réservait pour m'y arrêter, trop entêtée à me convaincre que nous n'étions que des amis.

Arrivés chez moi, nous entrons dans la cour, puis, Vince retire un flacon de sa poche. Il me le tend par la suite.

— Je veux que tu boives devant moi.

— Franchement, je...

Il me regarde droit dans les yeux et je sais que c'est perdu d'avance. Bourrue, j'ouvre le flacon et le vide le plus rapidement possible. Comme la dernière fois, le sang de cochon me revigore aussitôt de la tête aux pieds. Je vais me haïr d'avoir failli une seconde fois à mes principes.

Vince sourit, puis me pince la joue pour faire disparaître ma moue. C'est bête, mais ça marche.

– Nous reprendrons l'entraînement la semaine prochaine. Je te laisse dormir en paix pour réviser tes examens, déclare-t-il.

– Très généreux de ta part, merci, dis-je, sarcastique.

Je croise les bras, hésite un peu, puis me lance enfin :

– Peut-être qu'on pourrait faire quelque chose de plus *normal*, ce week-end ? Comme... sortir au ciné ?

Wow. Je n'ai vraiment pas la touche romantique, moi. La preuve, Vince secoue déjà la tête.

– Je ne peux pas, je suis désolé.

– Pourquoi ?

– Je vais chasser avec ma sœur.

Je le dévisage, bouche bée.

– Chasser ? Tu pratiques cette activité barbare, toi ?!

– Oui..., répond-il lentement.

– Où ça ?

– Dans le Nord. Nous avons un chalet là-bas. Et puisque c'est congé, ce vendredi, on a décidé d'en profiter au maximum.

Je considère la chose, envahie par la déception. Je ne m'imagine pas vivre sans Vince pendant tout un week-end.

346

Que je sois devenue aussi insatiable de sa présence m'effraie et m'émeut en même temps.

— Je sais que tu es contre la chasse, ajoute-t-il en se méprenant sur mon air désappointé. Je respecte ton opinion. N'empêche, ça nous permet de nous réapprovisionner en... rations de sang sans devoir passer tout le temps chez le boucher.

— Je veux venir, dis-je sur un ton décisif.

Il a l'air tellement surpris par ma requête que sa réponse fuse tout de suite :

— Quoi ? Non.

— Amenez-moi avec vous !

— Robin, ce genre d'activité va à l'encontre de tes principes.

— Boire du sang aussi, mais tu me forces bien à le faire !

Pour appuyer mon propos, je touche la poche arrière de son jean, là où il a réinséré le flacon vide. Il recule d'un pas. Je le suis dans son mouvement, sentant sa résistance s'effriter à mon approche.

— Ton frère..., commence-t-il à protester.

— Il participe à un tournoi de hockey à Halifax, cette fin de semaine. Mon père me laissera partir seulement si je lui dis que je vais à ton chalet avec toute ta famille (Vince plisse les yeux). Bon d'accord, j'ajouterai que Steph est invitée elle aussi.

– C'est non, répète-t-il, mais avec beaucoup moins de conviction.

– S'il te plaît ? Je serai super gentille.

Je lui fais les yeux doux et il me dévisage pendant un moment, déconcerté. Il soupire finalement.

– D'accord. Interdiction de te plaindre, par contre.

Ravie, je me surprends moi-même en lui sautant au cou pour l'embrasser sur la bouche. Son corps se raidit contre le mien. Ses mains empoignent mes épaules pour m'éloigner de lui. Je l'interroge du regard : il secoue la tête.

– Ne fais pas ça si tu ne ressens pas la même chose que moi.

Stupéfaite, je m'apprête à lui répondre que c'est le contraire, mais il me devance :

– Je serai là vendredi matin, à huit heures pile. Bonne nuit.

Il me tapote ensuite la tête comme si j'étais un labrador, puis il s'éloigne avant que je puisse formuler une réplique.

Qu'est-ce qui lui prend ?!

Je remonte péniblement dans le chêne, entre sans bruits dans ma chambre et me déshabille en fulminant. Je n'arrive pas à croire que Vince pense que je l'ai embrassé juste comme ça ! C'était un geste spontané, c'est vrai, mais cette émotion qui me contracte les tripes est vraie aussi.

Je le lui prouverai.

Chapitre 23

Vendredi matin, je suis prête à l'heure convenue. Le reste de la semaine m'a paru interminable, avec tous les examens que j'ai dû me taper chaque jour. Il ne me reste plus qu'un test de lecture lundi prochain, qui est aussi le dernier jour avant les vacances de Noël. J'apporte mes notes au chalet de Vince ; j'aurai amplement le temps de les relire là-bas.

Avant de négocier mon départ avec papa, j'ai attendu que Thierry prenne la route d'Halifax pour éviter qu'il ne soit mis au courant. Ça n'a pas été du gâteau. Même si la venue des fêtes rend mon père deux ou trois crans plus permissif que d'ordinaire, j'ai dû user de toute ma persuasion pour le convaincre que le Tueur Fou ne me suivrait pas jusque dans le Nord, que ce serait sécuritaire et que oui, oui, oui, je vais étudier, je ne coulerai pas mon dernier examen, je le jure.

J'observe la rue par la fenêtre du salon en attendant l'arrivée de Vince. La neige saupoudre le rebord de la vitre comme une mince couche de sucre. Je souffle sur l'un des carreaux puis, du bout de l'index, je trace un cœur dans la buée. Je l'examine un instant avant de l'effacer d'un coup de pouce. Au même moment, une vieille camionnette se stationne devant la maison.

– Papa ! Il est là !

Je soulève mon sac, cours dans la cuisine et plante un bisou sur la joue de mon père.

– Prends soin de toi, dit-il distraitement. Ne fais pas de bêtises.

J'enfile mon manteau et rabaisse le capuchon sur mes yeux. Je m'efforce de marcher normalement vers la camionnette, me retenant de ne pas courir. C'est Phoebe qui m'ouvre la portière et, accueillante comme toujours, elle me balance :

– Mets tes trucs sur la dernière banquette.

Sur quoi je réplique joyeusement :

– Bonjour à toi aussi !

Je contourne la camionnette et, ce faisant, je réalise que Nigel est confortablement avachi sur la banquette du centre. Il descend ses lunettes de soleil sur son nez et me fait un clin d'œil.

– Toujours en vie, la Gitane ?

– *Elle s'appelle Robin*, réplique Vince derrière le volant. Je ne veux plus t'entendre la surnommer comme ça !

– Eh ben, on dirait que j'ai touché une corde sensible, ricane Nigel. Qu'est-ce qui te rend aussi revêche, le petit cousin ?

– Le fait que tu t'incrustes dans notre week-end pour nous casser les pieds, peut-être ? rétorque Vince, son sourcil percé levé sur son front.

– Il m'adore, me confie Nigel en aparté. Il refuse tout simplement de se l'avouer.

– Ne t'occupe pas de lui, me lance Vince en démarrant.

Je croise son regard dans le rétroviseur. Je lui souris. Il me sourit aussi.

– Qu'est-ce que vous êtes mignons, bâille Nigel en s'étirant. Sérieusement, j'avais besoin de bouger un peu. Tu ne sais pas à quel point c'est mortel de vivre sous le même toit que le Doyen ! Il dort *non-stop* !

– Tu n'avais qu'à retourner en Italie...

– Pas si vite, Vinçounet. Tu ne te débarrasseras pas de moi aussi facilement. Je suis tombé amoureux de Chelston. Je compte même m'y installer.

– Ne gaspille pas ta salive, conseille Phoebe à l'intention de son frère. Après avoir perdu son bronzage, il va plier bagages en moins de deux.

Nous éclatons tous de rire. Scoop : Phoebe est capable de blaguer ! Sa présence sera peut-être moins désagréable que je le pensais.

Nous atteignons notre destination quelques heures plus tard. Nigel me donne un coup d'épaule pour me réveiller. Je contemple les environs pendant que les autres se dégourdissent les jambes. Nous sommes stationnés en pente, en face d'une habitation en rondins. Derrière le chalet se dressent des montagnes boisées. En contrebas, des hectares de forêt à perte de vue. La placidité des lieux m'inspire un sentiment de sérénité. On se croirait seuls au monde.

Vince encercle mes épaules d'un bras avant de m'inviter à l'intérieur du chalet. Une odeur de résine me chatouille les narines. Il insiste pour me faire visiter chaque pièce. Je dois admettre que je suis un peu déçue. Après le manoir luxueux de son grand-père, je m'attendais à me retrouver dans le repaire secret de Tom Cruise, pas dans un vrai chalet rustique avec des lampes à huile (d'accord, j'exagère). L'endroit a sérieusement besoin d'être revampé. Par contre, dans le salon, il y a un foyer qui n'attend qu'à servir. Sur le manteau de cheminée trône un portrait de la famille Salmoiraghi. C'est bizarre de constater que Vince a déjà été pris en photo d'époque. Monsieur et madame Salmoiraghi ont l'air aussi vieux qu'aujourd'hui, ce qui ne fait que confirmer mes doutes sur leur âge bicentenaire. Les jumeaux posent côte à côte, les cheveux parfaitement séparés au milieu par une raie, leurs costumes sagement repassés. Je n'ai jamais vu Vince aussi bien coiffé et accoutré. Je me retourne vers la version « en chair et en os » qui attend derrière moi. Je souris devant son manteau ouvert sur un t-shirt des Beatles et sa chevelure ébouriffée.

– Tu étais chou, à six ans.

– Neuf, corrige Vince avec un faux air indigné. Allez, viens.

Le chalet comprend trois chambres à coucher, une table de billard qui menace de s'écrouler dans le sous-sol et une cuisine aussi minuscule qu'une boîte à souliers.

– Tu dormiras avec Phoebe, m'annonce Vince lorsque nous entrons dans la dernière chambre de l'étage.

– Non, je veux dormir avec toi.

Son regard s'attarde sur mon visage.

– Hé, les amoureux ! nous hèle Nigel, en bas. Surtout, faites comme si nous n'étions pas là ! Descendez donc au lieu de vous bécoter !

– On arrive ! répond Vince.

Il se tourne une dernière fois vers moi avant d'acquiescer. Un frisson électrise ma nuque. Nous rejoignons Phoebe et Nigel dans la cuisine. Ce dernier déballe les armes et les dépose sur le comptoir.

– Vous chassez avec des arbalètes ?

Étonnée, je les étudie de près.

– Ouaip, fait Nigel. Les armes à feu, ce n'est pas notre truc.

– Et il faut combien de temps avant que l'animal meure après avoir reçu une flèche ?

– Vingt à trente minutes. Ça dépend de l'endroit où tu l'atteins.

Je ravale lentement ma salive alors que Phoebe me scrute d'un œil perçant.

– C'est un peu cruel, non ?

– Vince, s'exclame Phoebe sur un ton agacé, elle commence !

– Je n'ai rien dit !

Pendant une seconde, je regrette d'être venue. L'implication de cette escapade me pèse de plus en plus sur la conscience. Je me force quand même à sourire et demande :

– Quand est-ce que nous partons chasser ?

– Demain, en soirée. Aujourd'hui, nous allons juste nous reposer (Vince s'appuie sur le comptoir, près de sa sœur). Robin, c'est important que tu ne parles à personne de ce que nous faisons ce week-end.

– Pff, je n'ai pas l'intention de rapporter nos habitudes alimentaires à quiconque, ne t'en fais pas !

– Il ne s'agit pas de ça... (il se racle la gorge) Ce n'est pas la saison de la chasse en ce moment.

Lorsque je comprends ce qu'il veut dire, j'écarquille les yeux de stupeur.

– Attends... c'est du *braconnage*, ce que vous faites ?! Oh. Mon. Dieu !

Phoebe et Nigel échangent un regard et quittent la cuisine avec empressement. J'enfonce mes poings dans les poches de mon manteau et me détourne de Vince. Il me rattrape en trois enjambées.

– Tu étais prévenue.

C'est vrai. C'est moi qui ai insisté pour venir, donc je me tais. Nous sortons rejoindre les deux autres dans la cour arrière et je finis par oublier mon ressentiment quand je découvre que je m'amuse franchement avec les trois Salmoiraghi. À peine avons-nous plongé nos bottes dans la neige que les garçons entament une course à travers la cour. Je souris devant leurs efforts pour courir sans tomber. Même Phoebe ne reste pas impassible devant leurs enfantillages. Ses yeux brillent de plaisir.

– Ces deux-là n'ont jamais vraiment dépassé le stade des onze ans, me confie-t-elle.

Je pouffe de rire. Nigel revient vers nous, couvert de poudre blanche. Pendant que Phoebe s'éloigne pour aller rejoindre son frère, il me convainc de lancer une boule de neige sur cette dernière. Le capuchon baissé, Phoebe offre en effet une cible parfaite. Je façonne une boule que je lance ensuite sur ma victime. La balle éclate dans ses cheveux. Un cri d'étonnement s'arrache de sa gorge. Nigel est plié en deux, mort de rire.

– Dix points pour la Gitane ! s'écrie-t-il après avoir repris son souffle.

Furibonde, Phoebe se hâte dans ma direction. Mon sourire s'efface lorsque je lis une envie de meurtre dans ses yeux. Oh, oh !

Elle se fige à mi-chemin, la bouche grande ouverte, le corps tendu : une seconde boule de neige vient de s'écraser dans sa chevelure ténébreuse. Derrière elle, Vince s'enfuit en riant. Phoebe rougit jusqu'aux oreilles, s'accroupit et fabrique à son tour une arme enneigée. Nigel m'agrippe par l'avant-bras.

– Cours, Robin !

Je vacille à sa suite, hilare. Le projectile de Phoebe m'est destiné, mais il atteint le cou découvert de Nigel. Ce dernier me libère en jurant. S'engage ensuite une bataille chaotique. Nous nous retournons rapidement les uns contre les autres. Je serais incapable de dénombrer toutes les fois où j'ai avalé de la neige ! Au final, je suis trempée de la tête aux bottes, glacée jusqu'à la moelle, transportée par la gaieté. Même le masque froid de Phoebe disparaît, je ne la reconnais plus. En compagnie de sa famille, elle est beaucoup plus volubile : elle plaisante, s'esclaffe, bavarde, bascule Vince par terre grâce à un habile croc-en-jambe. Il est d'ailleurs tellement mignon avec ses joues rosies par le froid, ses yeux bleus rieurs et son front dégoulinant de mèches blondes que, sans réfléchir, je me jette sur lui pour embrasser ses joues. Il m'envoie rouler dans la neige. Son geste est beaucoup plus taquin qu'un moyen de me repousser. Ce qui m'amène à penser qu'il est peut-être moins réticent à mes avances qu'il veut me le laisser croire...

— Ça suffit ! décrète Phoebe, à bout de souffle. Je rentre !

— Je connais une fille qui a besoin d'une bonne tasse de chocolat chaud, note Vince à mon intention, en me pinçant la joue.

Ou d'un verre de sang de cochon...

Ma bouche est terriblement sèche malgré toute la neige que j'ai ingurgitée dans la bagarre. Je me blottis contre Vince et frotte mon nez contre son cou, contre sa gorge palpitante...

— Retiens-toi, Robin, m'ordonne-t-il en m'éloignant gentiment de lui.

— Mmmm...

Son bras ferme me repousse.

— Tu as Soif.

— Oui, je suis la fille qui a besoin d'une bonne tasse de chocolat chaud.

— Tu sais très bien ce que je veux dire. J'aurais dû te faire boire avant de partir.

— Tu te fais des idées, Vince. Je suis en pleine forme !

Il n'a pas l'air convaincu. Pour dissiper ses soupçons, je secoue ma mitaine mouillée sur son visage. Apparemment, ça ne fonctionne pas, parce que dès que nous rentrons, Vince force le goulot d'une fiole remplie de sang de cochon dans ma bouche. C'est la deuxième fois, cette semaine ! On dirait que plus j'en consomme, plus le laps de temps entre chaque ration se raccourcit...

Je troque mes bottes contre des pantoufles puis je retrouve les Salmoiraghi dans le salon. Affalée dans un sofa, avec Vince assis par terre tout près de moi, je suis plus concentrée sur la main de Vince qui caresse distraitement mon genou que sur la conversation en cours. Toutefois, quand la discussion prend un détour inattendu sur les Bronovov, je redeviens tout ouïe.

— Les trois frères ne quitteront pas la ville, assure Vince. S'ils ont établi les nouveaux quartiers de la secte ici, ils vont rester.

Mal à l'aise, je tripote le dossier du sofa. Je n'ai toujours pas confié à Vince les derniers propos de Damien Bronovov au sujet de ma mère. Chaque fois que j'ouvre la bouche pour lui en parler, quelque chose m'en dissuade mais je ne parviens pas à mettre le doigt dessus. Et plus le temps passe, plus j'ai l'impression que ça ne vaut plus la peine d'en parler. C'est carrément stupide et inexplicable ! Encore là, ce soir, au lieu de profiter de la discussion pour me confier, je demande à la ronde :

— Selon vous, pourquoi Damien a voté en ma faveur ?

— Il te trouvait mignonne, dit Nigel avec un clin d'œil.

Même si je ne le vois pas, je sens que Vince lève les yeux au ciel. Je ravale un sourire.

— Ça ne vous a jamais traversé l'esprit que Damien Bronovov a sauvé Robin *justement* à cause de son ascendance de Gitane ? déclare froidement Phoebe. Il a peut-être des plans obscurs en ce qui la concerne. Surtout s'il est à la tête du Cercle, comme nous en sommes persuadés. Nous ne devrions pas nous réjouir de la survie de Robin, mais nous en inquiéter, au contraire.

D'une voix cinglante, je lance :

— Merci de me rassurer, Phoebe ! Je vais pouvoir dormir sur mes deux oreilles maintenant !

— Soyons réalistes, réplique-t-elle, indifférente à ma réaction. Damien n'agit jamais sans d'abord évaluer les bénéfices qu'il pourrait tirer de chaque situation.

— Qu'est-ce que ça peut lui rapporter que je sois une Gitane ? Je n'ai aucun pouvoir !

— Pour l'instant.

Je frissonne.

— Encore une fois, merci pour cet éclaircissement, Phoebe, finis-je par dire sèchement.

— Ne t'en fais pas, les Bronovov ne s'approcheront pas de toi, promet Nigel. Tu es sous la protection des Salmoiraghi.

Le silence nous alanguit par la suite. J'ai conscience du feu qui crépite, de la main de Vince, de la respiration plus lente de Phoebe qui commence à somnoler, des battements réguliers de nos cœurs. Quand Vince se lève pour aller prendre une douche, j'en profite pour m'allonger sur le sofa et me laisser bercer par l'ambiance zen du salon. Je ne me suis pas sentie aussi détendue depuis trop longtemps. Je pourrais rester comme ça pendant une éternité.

J'étouffe finalement un bâillement et décide de m'éclipser. Je souhaite « bonne nuit » aux deux autres, puis monte jusqu'à la chambre de Vince pour repérer ma brosse à dents. Je me dirige ensuite vers la salle de bains en traînant les pieds.

Les dernières vapeurs d'une douche fraîchement terminée me fouettent le visage lorsque j'ouvre la porte. Vince est encore dans la pièce. La serviette qu'il utilise pour se frotter les cheveux n'est pas assez longue pour camoufler sa nudité. Surprise, je referme brusquement la porte en me répandant en excuses. Je l'entends rire doucement derrière le battant. Je m'enfuis au rez-de-chaussée pour me brosser les dents dans la deuxième salle de bains. La dernière image de Vince hante mon esprit bouillonnant.

Je retourne dans la chambre et me glisse sous l'édredon, n'ayant plus du tout sommeil. Je suis une idiote ! Ma réaction était tellement enfantine ! Comme si je n'avais jamais vu le corps d'un homme nu (bon, d'accord, c'est effectivement le cas).

La porte s'ouvre sur Vince, cette fois-ci vêtu d'un caleçon. Il me sourit en s'arrêtant devant la glace de la commode. Je baragouine une excuse :

– Désolée ! J'avais oublié que tu prenais ta douche. J'étais à moitié endormie !

– Ne t'en fais pas, c'était juste drôle, dit-il, amusé.

Je l'observe discrètement du coin de l'œil pendant qu'il s'avance vers le lit. Ses gestes sont lents, assurés. Il s'assoit à côté de moi, un grand sourire aux lèvres. A-t-il changé d'avis sur mon compte ? Mon cœur cogne sourdement dans ma poitrine alors que mon regard glisse sur son torse. Il sent bon, son odeur me monte à la tête. Je peux palper la tension qui s'élève entre nous. Il se penche vers moi, comme attiré par une force irrésistible. Son souffle atteint mes lèvres. Nous ne bougeons pas pendant plusieurs secondes puis, à mi-voix, je confesse :

— Je n'ai jamais fait l'amour.

— Ah, ouais..., murmure-t-il, un peu absent.

Il se redresse avec l'air de quelqu'un qui vient d'émerger d'un rêve.

— Ce n'est pas moi qui vais t'enseigner ça ce soir... Et tu peux tout de suite rayer Nigel de ta liste de professeurs potentiels, ajoute-t-il sur un ton de reproche.

— Nigel !? Je n'ai aucun intérêt pour lui !

Il est beau, c'est tout.

— Tant mieux, dit Vince en se glissant sous les couvertures.

La tension est encore là. Mon ventre gronde d'une faim charnelle qui n'a rien à voir avec tout ce que j'ai pu ressentir jusqu'à présent.

— Vince... embrasse-moi.

Il secoue la tête.

— Nous sommes juste amis, Robin, me rappelle-t-il.

— Nous sommes plus que ça et tu le sais.

– Peut-être, mais ne me tente pas.

– Pourquoi pas ? Je sais que tu en as envie. Et moi aussi.

– Humm.

– Tu m'as déjà embrassée.

– C'était sous le coup du stress, se défend-il.

Je lui coule un regard éloquent.

– Dans ce cas, fais semblant d'être stressé....

Vince rit doucement.

– Non (son visage reprend une expression sérieuse). Ne sois pas si pressée. Tu es encore jeune, tu n'as pas besoin de te jeter dans une aventure pour laquelle tu n'es pas prête. Tu as toute la vie devant toi, attends de mûrir un peu avant de déterminer ce que tu veux vraiment.

Les joues en feu, je proteste :

– Je suis prête, plus que prête ! J'ai toujours voulu que ma première fois soit avec quelqu'un que je respecte, qui me respecte et pour qui j'ai une grande affection. Cette personne, c'est toi.

Il soupire en fermant les yeux. Je m'approche de lui. Ma main trouve son torse, j'effleure sa peau du bout des doigts. Je colle ma jambe contre sa cuisse. Il n'ouvre pas les yeux, ne m'encourage pas, ne me repousse pas non plus. J'embrasse le creux de sa gorge et je perçois sous mes lèvres le frémissement qui le saisit. Je grimpe sur lui et je me couche sur son corps. Une de ses mains enlace ma taille et me presse contre lui. Il entrouvre les paupières. Son regard est embué de désir. Je murmure contre sa bouche :

– Laisse-toi aller...

Mes dents tirent délicatement sur sa lèvre inférieure. Sa main resserre son étreinte. Un courant d'excitation foudroie ma colonne vertébrale. Mes cuisses tremblent. Je lâche sa lèvre et j'appuie ma bouche sur la sienne.

Aussitôt, je me retrouve coincée sous lui, le souffle court, son corps m'épinglant sur le lit. Ayant repris le dessus ainsi que son sang-froid, il me contemple sous les mèches blondes qui lui retombent sur les yeux.

– Ça suffit, Robin. Tu t'engages sur un terrain dangereux.

– Je...

– Tes caprices ne m'amusent plus. Laisse tomber, d'accord ?

Je caresse sa joue. Il détourne le visage. Ma main s'empare de son menton et je l'oblige à me regarder.

– Embrasse-moi.

Il se penche et m'offre un bisou sur les lèvres, qui me choque tout autant qu'il m'irrite.

– Tu appelles ça un baiser ? Pff !

Je lui tourne le dos.

– Je ne tomberai pas dans tes combines, Robin. Je ne veux pas t'entraîner dans une situation qui te dépasserait (il soupire une seconde fois). Je sais que ce n'est qu'une passade pour toi.

— C'est faux ! Je... je crois que je t'aime, Vince.

— Tu *crois* ?! Tu t'illusionnes sur ce que tu ressens pour moi, juste parce que nous sommes devenus proches l'un de l'autre.

— Oh et puis, laisse faire !

Je remonte les couvertures sur mes épaules en fulminant. Je ne sais pas combien de secondes s'écoulent ainsi, sans que ni l'un ni l'autre ne fasse le moindre mouvement. Finalement, il revient vers moi et chuchote à mon oreille :

— Écoute, Robin, ne force pas le cours des choses, d'accord ? Ça viendra avec le temps. Je t'attendrai s'il le faut. Mais maintenant, c'est trop tôt pour toi, pour nous.

Ses doigts frôlent ma joue. Il quitte ensuite le lit et se dirige vers la porte.

— Où vas-tu ?

— Demander à Phoebe d'échanger nos chambres. Ce n'était pas très futé de ma part d'accepter de dormir avec toi. Désolé si je t'ai laissé croire que notre relation deviendrait plus intime.

Je bondis hors du lit pour lui barrer la route.

— Non, s'il te plaît, pas ça ! Je n'insisterai plus, promis ! Je ne veux pas dormir avec Phoebe, je vais faire des cauchemars ! Je croyais seulement que... Je voulais seulement que ça soit plus fort entre nous deux.

— S'il n'en tenait qu'à moi, Robin, je te ferais vivre une nuit inoubliable. Mais avant ta résurrection, je n'existais même pas à tes yeux. Je me demande si tu aurais développé cet intérêt si je ne t'avais pas ramenée à la vie... M'aurais-tu regardé comme tu me regardes maintenant ? Dans deux mois, me regarderas-tu encore ainsi ?

Je ne sais que répondre. Sa voix baisse d'un cran, devient rauque.

— En te ressuscitant, j'ai déclenché ta magie de Gitane. Par conséquent, tes émotions peuvent te jouer des tours. Je veux que tu sois sûre et certaine de m'aimer.

— Embrasse-moi et tu verras qu'il ne s'agit pas seulement d'un caprice.

— Tu recommences ! s'emporte Vince. Est-ce que tu as écouté un seul mot de ce que je viens de te dire ?

— D'accord, Vince, va dormir ailleurs si ça te chante ! Tu as raison, c'était passager et stupide de ma part. Bonne nuit !

Je retourne m'emmitoufler sous les draps. Je l'entends soupirer derrière moi.

— Robin...

— Fiche-moi la paix !

Je le sens hésiter sur le pas de la porte, puis j'entends celle-ci s'ouvrir et se refermer avec douceur.

Je refoule avec peine mes larmes d'humiliation.

Chapitre 24

Je suis réveillée par une caresse sur la joue.

Je bats des paupières, puis je soupire en croisant le regard de Vince. La faible lumière du jour s'infiltre à travers les rideaux et la pièce baigne dans une atmosphère léthargique. Je frotte lentement mes joues, les paupières lourdes de sommeil.

— Tu as manqué le petit déjeuner, m'annonce doucement Vince. Ainsi que le dîner. Je ne voulais pas te réveiller mais... nous allons bientôt partir en chasse. L'après-midi tire presque à sa fin.

— Ah...

La conversation de la nuit précédente me revient en mémoire.

— Tu sembles avoir bien dormi, ajoute-t-il sur un ton réservé.

Effectivement, j'ai dormi comme un bébé. Mais je mens pour le culpabiliser :

– Ce n'était pas le cas. Toi ?

– Je n'ai pas fermé l'œil de la nuit, dit-il tristement.

Satisfaite par sa réponse, je descends du lit et me plante devant le miroir de la commode. Je démêle mes cheveux courts avec mes doigts. Je sens que Vince attend une réaction de ma part. Je plaque un sourire forcé sur mes lèvres.

– Ça ne veut pas dire que nous devons nous lever du mauvais pied, n'est-ce pas ? Une journée splendide nous attend. Ou plutôt, une soirée...

Il me fixe sans répondre, probablement désarçonné par mon attitude joviale.

– Vince ?

– Tu as raison, acquiesce-t-il.

– Je vais prendre une douche. Je serai prête dans une demi-heure.

– Robin, attends.

Il me rejoint près de la porte. Je soutiens son regard.

– Je suis désolé pour hier, chuchote-t-il. Je ne voulais pas te blesser...

– C'est déjà oublié. J'ai appris ma leçon, je me conduirai comme une sage petite fille à l'avenir. Promis.

Je lui tapote l'épaule avant de m'éloigner.

Je pleure de rage sous la douche.

En réalité, je suis tellement amère de notre dispute de la veille que je voudrais revenir sur mes pas et gifler Vince. Je n'accepte pas qu'il m'ait éconduite, qu'il ait qualifié mes sentiments de caprices ! Je ne doute plus de mon amour pour lui, ça m'est apparu tellement évident, l'autre soir, au cimetière ! Qu'est-ce que ça change, que j'aie développé ces sentiments après ma résurrection ? Ils existent, ils m'avalent tout entière, ils m'engloutissent dans un précipice sans fond ! C'est une certitude qui se cramponne à mon estomac, qui pilonne ma poitrine. J'aime Vince et je le veux.

Je le veux, je le veux, je le veux, je le veux !

À mon arrivée dans la cuisine, j'affiche un sourire joyeux (faux bien entendu). Nigel, qui se balance sur une chaise (à force de faire ça, il finira par se casser les dents un jour), m'accueille avec bonne humeur.

— Bon après-midi, la Gitane... oups, je veux dire, Robin. Tu sais que l'avenir appartient à ceux qui se lèvent tôt ? Il est seize heures, ajoute-t-il en consultant sa montre.

— Le temps n'existe plus pour moi.

Appuyé sur le comptoir, Vince scrute mes moindres gestes. Phoebe glisse une tasse de chocolat chaud vers moi lorsque je prends place à table.

— Tu as faim ? demande-t-elle.

Je roule des yeux en entendant sa question, dont la réponse est si évidente. Elle fronce les sourcils.

— Tu devrais manger un croissant. Tu maigris à vue d'œil.

Pour quelqu'un qui prétendait, il n'y a pas si longtemps, n'avoir « rien à cirer de ma misérable existence », elle est plutôt bienveillante. Se pourrait-il que j'aie réussi à me tailler une toute petite place dans le cœur de Phoebe Salmoiraghi ? Juste pour ça, je choisis le croissant le plus dodu dans le panier posé au centre de la table. Je prends une bouchée que je fais descendre avec une gorgée de chocolat chaud, pour mieux la faire passer. Le goût reste épouvantable.

— Vous vous souvenez des lieux stratégiques ? s'enquiert Phoebe auprès des garçons. Séparons-nous en deux groupes pour couvrir le plus de territoire possible.

— Parfait, répond Vince. Robin et m...

Je l'interromps :

— Je ferai équipe avec Nigel.

— Alors là, tu parles ! s'exclame ce dernier en se penchant au-dessus de la table pour me taper dans la main. Nous formerons une équipe d'enfer ! À condition, bien sûr, que tu ne me tires pas dans les jambes !

— Aucun risque, je ne toucherai pas aux armes.

L'expression de Vince s'assombrit. Il quitte la cuisine sans un mot.

— J'en connais un qui n'est pas ravi de passer la soirée avec toi, Phibbs, se moque Nigel, la bouche pleine de croissants.

Elle l'ignore et me dévisage.

— Tu l'as froissé.

– Vous vous êtes querellés ? veut savoir Nigel.

– Non... !

J'avale d'un trait le reste de mon chocolat chaud (je suis certaine qu'un cendrier goûterait pareil), puis je me lève en annonçant que je suis prête à y aller. Phoebe lance un œil noir au croissant que j'abandonne sur la table. Je sors de la cuisine avant qu'elle puisse émettre un commentaire. En dépassant le salon, j'aperçois Vince, penché sur les équipements de chasse. Je me dépêche d'enfiler mon manteau et j'enfouis mes boucles dans un bonnet rouge criard. Nigel me rejoint bientôt.

– En tout cas, impossible de passer inaperçu avec toi dans les parages, remarque-t-il en me toisant de la tête aux pieds.

– Ça peut nuire à la chasse ?

– T'inquiète. L'animal que je souhaite attraper ne perçoit pas les couleurs de toute façon.

Il tend la main vers moi et rabat mon bonnet sur mes yeux.

– Voilà qui est mieux.

– Ha-ha, très drôle, Nigel !

Lorsque je relève ma tuque, Vince s'est rapproché et nous toise maintenant d'un regard sombre. J'arrête de rire. Il tend l'une des arbalètes à son cousin, puis une autre à sa sœur qui vient d'apparaître dans le hall. Elle nous précède ensuite dehors.

Nous descendons la pente vers la forêt en contrebas. À l'orée du bois, Nigel et moi nous séparons des jumeaux, tel que convenu. Nos pas sont étouffés par le lit de neige. Il ne

369

fait pas trop froid, juste assez pour qu'on puisse rester longtemps à l'extérieur. L'odeur mixte de pin blanc et d'épinettes me remplit les narines.

— Ils sont d'une humeur massacrante aujourd'hui, remarque Nigel en faisant allusion aux jumeaux. Quand Vince se fâche, Phoebe devient maussade elle aussi.

J'enfonce mes mains dans mes poches. Je commence à regretter mon attitude. Je n'aurais pas dû punir Vince en lui préférant la compagnie de Nigel. Ça ne fait que lui prouver mon immaturité, et ce n'est certainement pas l'impression que je veux lui donner en ce moment.

Après une longue marche dans la forêt, durant laquelle Nigel sème des pommes et du sel un peu partout, nous nous accroupissons derrière un rocher. Nigel espère abattre un cerf de Virginie.

Au bout d'un long moment, j'étouffe un bâillement.

— Je ne vois pas grand-chose.

— Parle moins fort, Robin. L'ouïe de ces bêtes est soixante fois plus développée que la nôtre.

— Désolée...

Le silence le plus complet retombe sur nous.

— Si tu te concentres bien, murmure-t-il un peu plus tard, tu peux les percevoir.

Je ferme les yeux en ouvrant mes sens. Quelque chose me tiraille, attire mon attention... un frisson, un battement de cœur, un museau qui se redresse, alerte.

– Tu l'as senti, n'est-ce pas ? demande Nigel. Il y a un gros gibier à quelques mètres de nous.

Mon cœur cogne dans ma poitrine, mes tempes deviennent fiévreuses ; l'acuité de mes sens me surprend et m'impressionne. J'entends les battements de cœur de l'animal. Je peux même suivre la trajectoire du sang qui circule dans ses veines. Une étrange fébrilité s'empare de moi. Nigel, lui, demeure immobile, aux aguets. J'écoute attentivement. Une branche craque. Une patte s'enfonce délicatement dans la neige. Le cerf se rapproche de nous. Je l'aperçois qui renifle l'appât de Nigel. Son pelage est roux, teinté de gris. C'est un mâle adulte puisqu'il n'a pas encore perdu ses bois. Nigel plisse les yeux et positionne son arbalète.

Le cerf se cambre soudain puis détale la seconde d'après.

Nigel pousse un juron en tirant trop tard. La flèche se perd entre les branches.

– Je l'ai loupé ! Suis-moi !

Après quelques instants de course vaine, Nigel se résigne : le chevreuil a complètement disparu. Il baisse son arme d'un geste frustré.

– Il était parfait !

Nous poursuivons notre marche durant plusieurs minutes, sans croiser de cerfs. Je commence à m'ennuyer grave. Nigel veut un chevreuil à tout prix. Il retourne enfin sur ses pas, vers les appâts qu'il a laissés. Il me fait signe de rester tranquille et porte un doigt à sa bouche pour que je ne fasse plus de bruit. Un deuxième chevreuil vient d'apparaître.

Cette fois, il ne rate pas sa cible.

La flèche atteint l'animal au cou. Ce dernier pousse un aboiement pitoyable, puis tourne en rond pendant quelques secondes avant de s'écrouler, des spasmes lui traversant les pattes. Figée, je le regarde agoniser. Sa poitrine remonte et descend au fil d'une respiration de plus en plus laborieuse. L'image de ma propre mort me revient en tête. Des larmes me remplissent les yeux. Les rôles sont inversés : dans ce scénario, c'est moi le golem. C'est moi qui regarde ma victime mourir à petit feu, c'est moi qui suis excitée par l'odeur de son sang...

Je serre les lèvres, dégoûtée par la Soif qui monte dans ma gorge.

Nigel se rapproche du cerf et lui décoche une deuxième flèche en plein cœur. Je ferme les yeux. C'est la dernière fois de ma vie que je participe à une chasse !

— Robin, viens voir ! C'est une superbe proie ! s'exclame Nigel, fébrile.

— Non merci !

— Est-ce que ça va ? s'enquiert-il devant mon manque d'enthousiasme.

— Je pensais que je serais capable de supporter ça, dis-je en gardant les paupières closes. Mais c'est trop pour moi. La chasse me répugne. As-tu l'intention d'en abattre un autre ou nous pouvons rentrer au chalet maintenant ?

Nigel ne répond pas. J'ouvre les yeux et aussitôt, je croise le regard d'une fillette assise sur un tronc d'arbre mort.

Une Autre.

Ses pieds sont nus et bleuis par le froid. Ses cheveux, qui ont dû être d'un beau blond cendré autrefois, s'agglutinent autour de son visage émacié. Ses yeux sans vie s'enfoncent dans des orbites charbonneuses. Une longue plaie ouverte lui traverse la moitié de la figure. Elle est nue et sa vulnérabilité me glace d'effroi.

Le cœur au bord des lèvres, je tire sur la manche de mon compagnon.

– Nigel...

J'ai peur de faire un geste brusque qui inciterait la petite à se lancer sur nous. La fillette semble inoffensive, mais ce serait bête de ma part de me laisser berner par son apparence. Je chuchote à toute vitesse :

– Nigel, allons-nous-en. Elle me fiche la trouille.

Il ne remue pas d'un muscle.

– *Je me suis perdue*, dit-il d'une voix rauque, inhabituelle.

– Quoi ?

– *Je me suis perdue*, répète-t-il plus fort.

Mon regard hésite entre lui et la fillette. Je comprends alors que l'Autre me parle à travers lui ! Je me cramponne carrément au bras de mon compagnon.

– Nigel ! Reprends tes esprits, s'il te plaît ! Je suis terrifiée !

C'est comme s'il ne m'entendait plus. Il est aussi figé qu'une statue de pierre. La main de la fillette retombe et elle gratte le tronc sur lequel elle est perchée avec ses ongles cassés. Le son est inquiétant, presque surnaturel.

– *Je me suis perduuuuue*, reprend Nigel dans une longue et triste plainte.

Cette fois-ci, je n'en peux plus, je cède à la panique.

– NIGEL !!!

Je le secoue de toutes mes forces, mais rien n'y fait, il reste stoïque. Désespérée, je le gifle sur les deux joues. Il inspire âprement et cligne des yeux à plusieurs reprises, l'air confus. Je ne perds pas de temps pour appliquer la troisième règle d'or : je lui saisis le bras et je détale à toute vitesse.

– Robin, où vas-tu ?

– Je ne sais pas ! N'importe où, pourvu que ça nous éloigne d'elle !

– Arrête, nous allons nous perdre ! Le chalet est dans cette direction.

Plus nous nous éloignons, plus ma respiration retrouve son rythme régulier, bien que j'aie encore la chair de poule. La masse de conifères s'ouvre devant nous, nous arrivons bientôt en aval de la pente qui remonte jusqu'au chalet. Lorsque Nigel dépose son arbalète par terre, je remarque que ses mains tremblent.

– Nigel, qu'est-ce qui...

– Pas maintenant, Robin. Je ne suis pas en état de parler.

Je détourne la tête en prétendant ne pas l'avoir vu essuyer des larmes à la hâte. Je me sens stupide d'avoir pris mes jambes à mon cou comme ça. Les heures que Vince a consacrées à m'entraîner n'ont servi à rien. C'est évident, maintenant, que la fillette ne me voulait aucun mal ! Elle souhaitait seulement que nous l'aidions à retrouver son chemin ou je ne sais pas quoi. Rendue à ce stade, je devrais être capable de distinguer les Autres inoffensifs de ceux qui sont agressifs !

— Merci de m'avoir sorti de cet état, souffle Nigel. Je ressentais sa détresse comme si c'était la mienne, l'horreur qu'elle a vécue avant d'être... Enfin, bref.

— Est-ce que nous devrions y retourner pour récupérer le chevreuil ?

Je grimace déjà à l'idée de croiser à nouveau la fillette.

— Sincèrement, je ne suis plus d'humeur à chasser. Mais toi, tu peux y aller, propose-t-il en me tendant l'arbalète. Je t'attendrai ici (je le dévisage, bouche bée). Je plaisantais, la Gitane. Ne fais pas cette tête.

Je n'arrive pas à lui rendre son sourire.

— Comment se fait-il qu'elle parlait à travers toi ?

— Je communique avec les morts. Certains d'entre eux, les enfants surtout, arrivent à prendre possession de mon esprit.

Sa pomme d'Adam monte et descend dans sa gorge tandis qu'il parle. Fascinée, je la fixe. Monte. Descend. Un fourmillement curieux m'envahit.

Bam-bam. Bam-bam.

Son cœur vibre comme une symphonie de tambours dans mes oreilles. De plus en plus fort. Ça me remplit bientôt la tête.

BAM-BAM. BAM-BAM.

Mes pensées convergent vers une seule idée.

Je veux sentir son pouls contre ma bouche.

Je veux sentir son pouls contre ma bouche.

Je veux.

Sentir.

Boire.

Les mains de Nigel s'abattent sur mes épaules et m'éloignent précipitamment de lui.

— Holà, Robin ! Pourquoi tu te jettes comme ça sur moi ?!

— Désolée ! (mortifiée, je constate que j'ai agrippé le col de son manteau à deux mains) Je n'ai pas pu... je ne sais pas ce qui m'a prise !

— Tu es Assoiffée. Recule un peu avant que ton petit ami ne nous surprenne dans une situation compromettante.

J'émerge avec peine de l'état second dans lequel la Soif m'a plongée. Évidemment, c'est l'instant précis que choisissent les jumeaux pour apparaître. Vince nous dévisage, Nigel et moi.

– Que faites-vous ? nous interroge-t-il, visiblement soupçonneux.

Son cousin me relâche et lui sourit aimablement.

– Rien du tout, nous vous attendions. Est-ce que la chasse a été fructueuse de votre côté ?

– Vince m'a fait rater ma première cible en éternuant au moment où je tirais ! dénonce Phoebe. Ce n'est pas grave, j'en ai abattu un autre qui nous attend derrière. Il va falloir s'y mettre à quatre pour le ramener.

Les joues et le nez de Vince sont roses de froid. Mon cœur se ramollit. Je lui souris, mais il détourne les yeux.

– La faune ne collabore pas beaucoup ce soir, commente Phoebe. Comme si les proies s'étaient toutes donné le mot pour se tapir je ne sais où. Nous n'aurons pas d'autre choix que de sortir chasser plus tôt demain. Aucun gibier de votre côté ?

– Si, mais nous avons rencontré une Autre sur notre chemin. Une enfant per...

Vince lève brusquement son arbalète et la pointe dans ma direction. Mon dernier mot reste en suspens. Je suis paralysée.

– Vince ?

Il ne remue pas, les traits durs, le regard froid.

– Vince, qu'est-ce qui te...

– Avance lentement vers moi, Robin, dit-il sèchement. Ne te retourne pas.

Je vois le choc traverser le visage de Phoebe. Elle positionne aussi son arme. À mes côtés, Nigel lâche un juron en italien. Mes jambes refusent d'obéir.

– Avance ! m'ordonne Vince.

Je réalise alors qu'il ne me regarde pas moi, mais un point par-dessus mon épaule. Quelque chose rugit derrière moi. Une terreur absolue m'envahit. Je reconnaîtrais ce son n'importe où. Mes yeux s'écarquillent à la vue d'une silhouette sinistre qui se détache à la lisière des arbres, derrière Vince. Le même front proéminent, la même expression démoniaque...

Le golem !

– Merde ! s'exclame Phoebe en remarquant celui que je viens de voir. Il y en a deux !

Elle vise le nouvel arrivant. Nigel me pousse impitoyablement dans la neige pour me protéger des tirs. Je reste transie pendant que les flèches sifflent au-dessus de ma tête.

– À mon signal, Robin, tu cours vers le chalet et tu te barricades à l'intérieur ! crie Vince. Nigel, baisse-toi, tu es dans ma ligne de tir ! *GO*, vas-y !

Je m'élance à toute vitesse, non sans lancer un regard affolé par-dessus mon épaule. Le deuxième golem est plus petit et plus poilu, avec des yeux jaunes et tellement globuleux qu'on les jurerait prêts à jaillir de leurs orbites. Il évite les flèches de Vince avec une habileté effrayante et continue son avancée vers nous, les babines écumantes.

Je n'atteins jamais le chalet.

Le premier golem, celui qui m'a tuée en octobre, parvient à désarmer Phoebe en la bousculant sur le côté. Il fonce ensuite droit sur moi. Il ouvre la gueule, sur le point de m'ouvrir la gorge. Je lui donne un coup de genou dans l'abdomen avant de bifurquer vers la forêt. La bête me rattrape et m'écrase au sol en m'enfonçant la tête dans la neige. Mon manteau se déchire quand elle lacère mon dos. Je me débats comme une folle pour m'arracher à ses griffes. Un hurlement de rage et de désespoir s'échappe de ma poitrine.

Soudain, je *disparais*.

Chapitre 25

Je *réapparais*, la tête encore ensevelie sous la neige.

Je me redresse, pantelante. Une quinte de toux m'assaille. De nombreuses minutes s'écoulent avant que je reprenne mon souffle. Je considère ensuite les environs, complètement désorientée.

Je suis en pleine forêt. Je ne saurais dire comment j'ai atterri là. Aucun son de bagarre ne parvient à mes oreilles. Pas de sifflements de flèche, pas de voix, pas de rugissements, rien. Je ne reconnais pas les lieux que Nigel et moi avons explorés un peu plus tôt. J'essaie de comprendre la situation. Où est le golem qui était si près de me tuer une deuxième fois ? J'étais couchée sous lui, sans défense... et je me suis sentie... *disparaître*. Je me suis littéralement volatilisée. Pouf !

Je palpe mon corps pour m'assurer que tous mes membres m'ont suivie lors de ce déplacement inattendu. Je suis trop confuse pour trouver une explication rationnelle à ce phénomène. Tout ce que je veux, c'est retrouver les Salmoiraghi avant que l'un des golems me rattrape !

Je progresse lentement dans une direction choisie au hasard. La neige me ralentit, mon corps s'alourdit, je suis frappée de vertige. Je glisse sur le sol, cale ma tête entre mes jambes et me berce doucement en priant pour que la nausée me quitte. Ma gorge brûle, mon cœur tambourine et chaque battement se répercute dans mes oreilles, mes bras, mes reins.

Je pousse un hurlement.

Les buissons s'agitent, un animal s'enfuit. Je ravale mon cri. Qu'est-ce qui me prend ?! C'est la meilleure façon d'alerter tous les golems de la planète ! Je ne dois pas paniquer. Je ne dois pas paniquer. Je ne dois pas paniquer.

Je me relève et erre à travers les arbres. Je n'ai aucune idée du chemin que je choisis, il n'y a pas de sentier, pas d'indication qui puisse me ramener au chalet. La nuit enveloppe maintenant le ciel tel un rideau de velours. Mon visage est engourdi par le froid. Je peux à peine remuer les lèvres. Je veux crier le nom de Vince, mais j'ai trop peur d'attirer les créatures. Comment Zack a-t-il pu nous retrouver ici et les envoyer à nos trousses ? Pourquoi ne me laisse-t-il pas tranquille ? La réunion de la Confrérie ne date même pas d'un mois ! Son propre frère m'a sauvé la vie !

Je sillonne les bois pendant plusieurs heures avant d'abandonner, découragée, épuisée, frigorifiée. Vince ne me retrouvera jamais si je continue à m'enfoncer dans la forêt. Toutes mes forces me désertent et je m'affaisse dans la neige. N'y a-t-il pas un moyen d'avertir les autres ? Des étincelles, je ne sais pas moi, un truc magique, abracadabra ? Je ferme les yeux, je me concentre, j'essaie de *disparaître* encore, de revenir au chalet.

Disparais, disparais, disparais...

Je n'ai pas besoin d'ouvrir les yeux pour savoir que je n'ai pas bougé d'un poil. Impuissante, je laisse mes larmes déferler. Il fait tellement froid que je suis certaine qu'elles vont geler entre mes cils.

J'ai froid.

J'ai Soif.

Oh, j'ai si Soif !

Je me roule en boule, secouée de sanglots silencieux.

Robin.

Je grogne.

Robin.

Cette voix douce, cette modulation particulière... je la reconnais... elle appartient à ma mère. Un soupir de soulagement s'échappe de mes lèvres ; j'ouvre faiblement les yeux. Maman est penchée sur moi. Son visage... ça fait tellement longtemps... ses yeux en amande, ses pommettes hautes, son teint basané. Elle me caresse la joue en souriant. Son sourire gagne mes lèvres. Je tends une main hésitante vers elle, j'effleure sa joue. Sa peau douce m'a tellement manqué. Elle m'étreint tendrement et ses longs cheveux s'entremêlent aux miens. Je me laisse engloutir par son amour protecteur.

Je pourrais mourir, là, maintenant...

Elle se raidit, me repousse ensuite. Son expression s'est durcie.

Maman, qu'est-ce que tu as ?

Je ne suis pas ta mère, rétorque-t-elle.

Tout devient sournoisement froid. La lumière du jour décline, nous sommes enveloppées par les ténèbres. Terrifiée, je tente de retrouver la chaleur réconfortante de ses bras, mais elle persiste à me tenir loin d'elle.

Est-ce que tu peux te lever ? demande-t-elle d'une voix différente. La couleur de ses cheveux s'obscurcit, ses yeux s'éclaircissent... ils prennent une teinte olivâtre...

Robin, réveille-toi !

Elle tapote ma joue à plusieurs reprises. C'est un geste agaçant, je ne comprends pas pourquoi ma mère se montre aussi désagréable.

— Robin, c'est moi, Phoebe ! Relève-toi !

Je prends une brusque inspiration qui me donne l'impression d'avaler une tasse d'eau glacée. La douleur se répand dans toute ma poitrine. Je grelotte.

— Où-où-où-où sommes-nous ?

Elle plaque une main sur ma bouche en secouant vivement la tête. Je remarque qu'elle tient son arbalète à l'affût, prête à décocher au moindre instant. La peur me tire de ma léthargie. Les golems !

Une branche craque derrière nous. Phoebe brandit son arme aussitôt.

– Qui va là ? somme-t-elle d'une voix menaçante.

– C'est moi !

Elle baisse son arbalète alors que la silhouette de Nigel se découpe d'un arbre.

– Aide-moi à la ramener au chalet. Il faut la réchauffer au plus vite : elle souffre d'hypothermie.

Nigel me hisse dans ses bras et emboîte le pas à Phoebe. Je n'arrive pas à me raccrocher à lui tellement mes doigts sont gourds. Par chance, il me tient étroitement serrée contre lui.

– Qu-qu-qu-qu'est-ce qui s'est passé ?

– Nous avons abattu un golem. L'autre s'est enfui. Nous avons cru qu'il t'avait entraînée avec lui.

– Tu étais leur seule cible, renchérit Phoebe. Ils refusaient de nous attaquer. Heureusement qu'on a réussi à en éliminer un. Ça nous a quand même pris treize flèches...

– Est-ce que-que-que-que vous croyez que le deuxième reviendra ?

– Aucune idée, répond Phoebe. S'il a reçu l'ordre de te tuer, sûrement. Nous devrons rester sur nos gardes.

Nous arrivons enfin au chalet. Vince fait les cent pas devant la porte, arbalète en main. Il court dans notre direction dès qu'il nous voit. Nigel me transfère dans ses bras.

– Robbie ? Ça va ? Tu n'as rien de cassé ?

– Dépêche, il faut qu'on la réchauffe ! jette sa sœur en ouvrant la porte d'entrée.

Elle allume un feu dans la cheminée pendant que Vince me retire mes bottes et m'aide à me coucher sur l'un des canapés. Il frotte vigoureusement mes bras, mes jambes et mes pieds. Rien n'y fait, je ne sens toujours pas mes extrémités. Des spasmes involontaires me secouent de temps à autre. J'ai tellement Soif...

Nigel revient dans le salon en traînant derrière lui la dépouille du golem qu'ils ont réussi à neutraliser.

— J'ai verrouillé toutes les portes et vérifié tous les accès, les loquets des fenêtres, la porte du garage, déclare Nigel en lâchant le cadavre en plein milieu du salon.

— Quelle idée, de traîner *ça* ici ! glapit Phoebe.

— Vous m'aidez à l'examiner ?

C'est la créature qui était plus petite, avec des yeux jaunes et globuleux. Recroquevillée sur le sol, elle a maintenant beaucoup moins l'air d'un golem que d'un chien. Une odeur de putréfaction emplit bientôt toute la pièce. Ça me rend nauséeuse. Je me tiens le ventre à deux mains. Mes muscles abdominaux se contractent à intervalles de plus en plus réguliers.

— Il a retrouvé son apparence originelle en mourant, constate Phoebe en auscultant le golem. C'est le cadavre d'un doberman.

— C'est cette chose qui a attaqué Robin la première fois ? s'étonne Nigel.

— Non, le golem qui a tué Robin est celui qui s'est enfui, précise Vince. Je l'ai reconnu.

– Il a un sceau ! s'écrie tout à coup Phoebe. Là, sur la nuque !

Les deux garçons se penchent aussitôt au-dessus du cadavre.

– Tu as tiré une flèche directement dessus. C'est celle-là qui l'a tué.

– Qu'est-ce que le sceau signifie ?

– Ce sont des signes que je ne reconnais pas...

– Bouge un peu ta main, Phibbs, que je puisse lire, grogne Nigel (ses lèvres remuent sans bruit). C'est écrit en hébreu... Je pense que ça signifie *Gorge Rouge*.

– *Gorge Rouge* ? répète Phoebe, incrédule. Tu es sûr que tu sais lire l'hébreu ? Ça ne veut rien dire du tout !

– Je crois que c'est une image. Ça veut peut-être signifier : « Coupe sa gorge, fais couler le sang », tente Nigel, incertain.

– J'en doute, commente Phoebe à voix basse.

– Non, Nigel a raison, intervient Vince. Il s'agit bel et bien d'une métaphore, mais il l'a décodée à l'envers. En fait, c'est *rouge-gorge*, comme l'oiseau. Si on traduit le terme en anglais, on obtient *robin*.

Ils se dévisagent, consternés, avant de se retourner vers moi.

– Robin ? Ça va ? veut savoir Nigel. Tu es bien silencieuse.

Une douleur aiguë électrise tous mes nerfs. Je tremble de la tête aux pieds. J'entends les pas de Nigel qui se rapprochent ; je grince des dents et d'un bond, je me précipite sur lui. La violence de mon assaut me surprend moi-même. Notre impact nous propulse tous les deux sur la table basse du salon. Celle-ci ne résiste pas à notre poids : dans un craquement sonore, deux pattes se cassent et elle s'écroule avec fracas. Nous roulons parmi les débris, puis je le saisis à la nuque et plante mes dents dans son épaule.

Nigel parvient à se libérer en m'enfonçant un genou dans l'abdomen. Je me replie sur moi-même en cherchant mon souffle. Des larmes perlent au coin de mes yeux, un râle irrite ma gorge, un goût de bile envahit mon palais.

Je pousse un hurlement strident.

Toutes les ampoules explosent et le feu s'évanouit dans un nuage de poussière. Les ténèbres plongent sur nous. Une poigne ferme me tire par les cheveux, m'éloigne de Nigel...

– Calme-toi ! Contrôle ta Soif ! m'impose Phoebe.

Je me débats sauvagement. Je lui griffe les bras, le visage, je veux que le sang gicle, m'éclabousse, me noie, m'abreuve, m'extirpe de cette agonie !

– C'est trop tard ! constate Nigel d'une voix étranglée. Vous l'avez vue ? Elle est en première phase de transformation !

– Qu'est-ce qu'on fait, Vince ? s'écrie Phoebe après avoir esquivé l'un de mes coups. Nous n'avons pas ramené de gibier avec nous ! Nous n'allons quand même pas lui servir du sang de golem !

– Tu es malade ?! réplique Nigel, et même à travers ma démence, je perçois le dégoût dans sa voix.

– Je lui ai donné notre dernière fiole hier, dit Vince. Nous pouvons nous retenir pendant une journée de plus, mais pas elle... Et ce serait trop dangereux d'aller récupérer le gibier maintenant, avec ces golems sortis d'on ne-sait-où !

Une autre convulsion me transperce les muscles, j'ai la sensation de plonger dans un bain d'eau bouillante. Un second cri m'échappe : c'est un son qui ne me ressemble pas, qui ébranle tout le salon. Phoebe réussit à m'immobiliser sur le plancher en me maintenant fermement les poignets.

– Qu'est-ce qu'on fait alors ? répète-t-elle dans un souffle. Nous avons une Gitane Assoiffée sur les bras, en pleine transformation en plus !

Vince caresse ma joue.

– Je m'en occupe, annonce-t-il.

Sa voix a des accents lugubres. Phoebe semble abasourdie.

– Tu n'as quand même pas l'intention de... ?

– Je n'ai pas le choix. Nigel, va me chercher un couteau dans la cuisine.

Nigel revient quelques instants plus tard. Il tend silencieusement l'arme blanche à Vince, qui la glisse dans sa poche avant de se tourner vers sa sœur.

– Relâche-la, s'il te plaît.

Phoebe obéit à contrecœur. Une nouvelle vague de douleur arc-boute mon corps et je retombe sur le sol, haletante.

Avant que j'aie le temps de bouger, Vince s'est déjà emparé de mes bras pour les coincer derrière mon dos, plaquant mon corps contre son torse. Je suis à présent coincée dans un étau, incapable de bouger un seul muscle. Sans avoir l'air de fournir le moindre effort, Vince me soulève avec lui, gravit les escaliers et d'un coup de pied, ouvre la porte de sa chambre. J'aperçois mon reflet dans la glace de la commode. Je ne me reconnais plus, je me suis totalement métamorphosée. Mon visage est hagard, jauni et répugnant. Mes yeux sont exorbités et écarlates, mes canines m'apparaissent plus prononcées. Mon regard descend sur mes bras décharnés, sur mes doigts courbés comme les serres d'un rapace. Pendant quelques secondes, cette vision me paralyse d'épouvante et me ramène à mes esprits.

« *Si tu ne satisfais pas ta Soif, tu deviendras un monstre* », m'avait avertie Phoebe.

Vince commet alors l'erreur de desserrer sa poigne. Aussitôt, je recommence à me débattre comme une folle. Je lui fais perdre l'équilibre et nous tombons sur le lit. J'essaie de le coincer sous moi, de le mordre, de lui lacérer le visage. Il réussit à me maîtriser une seconde fois et plaque une main sur ma bouche, la tête penchée sur moi, le regard sévère.

– Reste tranquille, sinon je change d'avis et je te laisse agoniser dans cet état. Tu m'entends ?

Je secoue frénétiquement la tête de droite à gauche, je veux battre des jambes et des bras pour me libérer. Vince reste implacable jusqu'à ce que j'abdique, sans forces, endolorie par sa prise et par la Soif. Lorsqu'il s'est complètement assuré de ma capitulation, il me relâche. C'est avec un effort surhumain que je me retiens de lui sauter dessus. Il change de position, s'adosse contre le montant du lit et sors le couteau de sa poche. Sans la moindre hésitation de sa part, il retire son chandail et s'entaille l'avant-bras. Mon cœur accélère alors que mes yeux se rivent sur la plaie suintante de sang, qui m'invite... J'agrippe son poignet à deux mains et j'écrase mes lèvres sur son bras. Une faim insatiable gronde dans mon estomac, tenaille tous mes sens. Son sang a un goût riche qui excite mes papilles dans une explosion d'étincelles, il s'écoule dans ma gorge comme une lampée d'eau-de-vie, à la fois brûlante et sublime. Je gémis et j'enfonce mes ongles dans sa peau en repliant mes jambes sous mon corps, frissonnante. Une sensation indescriptible se répand dans chacun de mes muscles, de mes nerfs, embrase ma poitrine, envoie des fourmillements dans mes cuisses. Je recroqueville les orteils tellement c'est intense. Le sang de cochon ne m'a jamais procuré une telle extase, c'est à la fois un supplice et une délivrance !

La respiration de Vince s'arrête brièvement lorsque je mords dans sa blessure. Un nouveau flot de sang coule sur mes lèvres, la sensation est décuplée, comme une déflagration. C'est plus que charnel, c'est métaphysique. J'aspire le sang comme si l'instant était sans lendemain, sans pouvoir m'arrêter, j'ai toujours et encore plus Soif. Une vague de plaisir déferle sur moi, mes entrailles se contractent, mes cuisses sont traversées par un séisme qui se déloge des profondeurs de mes reins et qui me fait agiter les jambes. Je repousse le bras de Vince, emportée par le cataclysme...

Je retombe inerte sur son torse, haletante. Sa main écarte les cheveux collés à mon front. Il embrasse mes paupières, mes joues, mon nez. Le calme après la tempête. L'accalmie des sens. Les battements fous de mon cœur s'apaisent. Je lèche fébrilement mes lèvres humides et resserre mes cuisses l'une contre l'autre. Elles sont mouillées. À la fois confuse et émerveillée par cet épisode, je bredouille :

– Que vient-il de m'arriver ?

Vince caresse mon dos.

– Tu viens d'expérimenter un orgasme, souffle-t-il.

– Oh. *Oh !*

Embarrassée, je veux m'écarter de lui, mais il resserre son étreinte.

– Boire le sang de quelqu'un est une expérience très intime, me confie-t-il. C'est à la limite du meurtre et de la sexualité. Tu es rassasiée ?

Je hoche la tête, sans mots. Il soulève mon menton, m'oblige à plonger mon regard dans le sien.

– Je t'interdis de boire le sang de quelqu'un d'autre. Que du sang animal à l'avenir.

– Promis.

– Jure, Robin. Tes promesses ne valent pas grand-chose.

– Je le jure. Juré, juré, juré.

– Laisse-moi panser ma blessure maintenant.

Il déniche un rouleau de gaze dans le fond d'un tiroir de la commode et revient vers moi en grimaçant. Je l'aide à nouer son pansement, puis je repose ma tête sur son épaule. Nous demeurons longtemps dans cette position, sans échanger une seule parole. Des spasmes perdus me secouent encore, diminuant lentement en intensité et en fréquence. Au bout d'un moment, je décide d'aller prendre une douche.

Je quitte la chambre et cours me noyer sous le jet d'eau brûlante. J'appuie mon front contre le mur carrelé et inspire profondément, plusieurs fois.

Je me sens en parfaite forme.

Je suis animée d'une énergie flambant neuve et d'une assurance que je ne possédais pas il y a à peine une heure. C'est comme si je n'avais jamais été attaquée par des golems, comme si je ne m'étais jamais perdue dans la forêt, comme si je n'avais pas été proche de succomber à l'hypothermie !

Avant de retourner dans la chambre, je m'examine dans le miroir. Je note avec soulagement que j'ai retrouvé mes traits familiers, mes yeux marron, mes dents aux proportions normales. Je remarque cependant une nouvelle lueur pétillante dans mon regard, une teinte plus rosée sur mes joues... Je me trouve belle. Belle et étrangement puissante.

Je regagne le lit et je me couche sur Vince, me sentant d'humeur folâtre. Il a laissé retomber sa tête contre le montant du lit. Il semble épuisé et respire un peu difficilement. Du nez, je câline son menton.

— Je me sens *vraiment* bien.

— Tant mieux, chuchote-t-il sans bouger.

Mes doigts caressent la courbe de son épaule. Un sourire me vient.

— Vince, c'est incroyable comme sensation. Tous les verres de sang de cochon ne pourront jamais égaler une goutte du tien. Pourquoi est-ce tabou de boire le sang de quelqu'un ? Mis à part le côté macabre de la chose...

– Je te l'ai dit : c'est un acte extrêmement intime. Ça crée entre deux personnes un lien puissant qui peut aussi engendrer une dépendance, à cause de l'ivresse qu'il procure.

Je frissonne.

– Et toi, est-ce que ça t'est déjà arrivé ?

Il ne répond pas tout de suite.

– Je ne m'abreuve pas de sang humain.

Je sens une certaine réserve dans sa réponse. Bon, d'accord, s'il ne veut pas me le dire. Je change donc de sujet.

– Excuse-moi pour cet après-midi. J'espère que tu ne m'en veux pas d'être partie chasser avec Nigel. Je sais que c'était stupide... Je voulais seulement te punir pour hier soir.

– C'était en effet très enfantin de ta part, mais ça a fonctionné. N'essaie plus de me manipuler comme ça, Robin. Tu m'as manqué toute la soirée.

– Nous nous rattraperons demain. Toi et moi, rien que nous deux, toute la journée.

Je suis déjà enthousiasmée par l'idée. Mais Vince me ramène rapidement sur terre.

– Tu as déjà oublié les golems lâchés à tes trousses ? Nous déguerpissons d'ici à la première heure demain matin.

– Oh... zut.

– Quand je mettrai la main sur ces fichus Bronovov..., menace Vince d'une voix rogue.

– Ne parlons pas d'eux. Ni des golems. Ça gâcherait mon humeur.

Je me repositionne contre lui et trace un cercle imaginaire sur son torse avec mon ongle.

– Est-ce que tu as connu beaucoup de filles ?

– En soixante-dix-huit ans, j'ai eu l'occasion d'en croiser plusieurs, oui.

– Non, je veux dire, sexuellement parlant.

– C'est quoi « beaucoup » pour toi ?

– Euh... au moins une dizaine.

– Alors, j'en ai connu beaucoup, répond-il avec précaution, guettant ma réaction.

Je mordille ma lèvre inférieure en tentant de ne pas écarquiller les yeux.

– Et durant toutes ces années, tu n'as jamais pensé à te marier ? dis-je à la blague.

J'attends une réplique qui ne vient pas. Je capte l'affolement soudain de son cœur. D'un bond, je m'arrache à lui en l'observant, perplexe.

– Tu as *déjà* été marié ?!

– Oui.

Les bras m'en tombent tellement je suis renversée.

— C'était un mariage de convenance, m'explique Vince très vite. Une alliance supplémentaire entre les Bellucci et les Salmoiraghi.

Le nom Bellucci me ramène le visage de Laeticia en mémoire. Voilà qui explique son regard haineux et sa ferveur à voter contre la légitimité de ma résurrection ! Je demande dans un souffle :

— Tu l'aimais ?

— Je croyais l'aimer.

— C'était il y a longtemps ?

— Nous sommes séparés depuis sept ans.

Ma voix devient acide.

— *Seulement* ? Dis donc, c'est tout récent ! Avec votre longévité, je m'attendais à quarante, cinquante ans. Tu t'es marié à quel âge ? Vingt-huit ? Trente-deux ? Cinquante ? Plus vieux ou plus jeune ? Vous vous parlez encore ?

— Nous n'avons pas vraiment le choix.

— Pourquoi ? Parce que vous avez des enfants en plus ? (l'idée est terrifiante)

— Non, rassure-toi, il ne s'agit pas de ça. Nos familles sont très proches et les occasions de se croiser ne manquent pas.

— Quel était son nom ?

— Écoute...

– *Quel* était son nom ?

Il ferme les yeux en réprimant un soupir.

– Kayla.

Ce prénom a déjà été prononcé devant moi, mais je ne me souviens plus dans quelles circonstances. Pendant la réunion de la Confrérie, sûrement. La trahison que je ressens est immense. Je me recouche loin de lui. Une fureur sourde gronde en moi. Vince, un homme marié ? Je veux bien croire qu'il a soixante-dix-huit ans et que c'est du passé, mais un mariage reste un mariage, arrangé ou pas. Cette femme signifie (ou a signifié) quelque chose à ses yeux. Il aurait dû m'en parler !

– Tu t'es fichu de moi ! Pourquoi m'avoir servi tous ces discours sur la patience et mon statut de Gitane qui influencerait mes émotions et patati et patata, quand la vérité c'est que tu ne veux rien savoir de moi parce qu'il y a une autre femme dans ta vie ? Tu allais me faire poireauter pendant combien de temps, hein ? Tu n'es qu'un hypocrite, Vince !

Je repousse sa main qui tente de me calmer et je fixe le plafond. Je me sens bernée, voire idiote de m'être attachée à lui. Il ignore ma rebuffade, entrelace ses doigts avec les miens. Une bouffée de chaleur me monte à la tête. Je serre les dents en refoulant mes larmes.

– Je ne t'ai pas menti à propos de mes sentiments, Robin. Ni sur les raisons qui me poussaient à refuser tes avances. Je n'avais pas l'intention de te cacher mon mariage avec Kayla, tu l'aurais su tôt ou tard de toute façon. Mais je ne voulais pas que tu l'apprennes comme ça, que tu te sentes trahie.

Il pousse un soupir contrit, enfouit son visage dans mes cheveux. D'une voix ferme, je demande :

– Est-ce que tu m'aimes vraiment ?

– Plus que tout. N'en doute jamais.

– Alors, embrasse-moi.

Il s'incline et ses lèvres baisent délicatement les miennes. Je demeure parfaitement immobile.

– Déshabille-moi.

– Robin...

Je répète ma demande en détachant chaque syllabe. Un peu malgré lui, il retire mon t-shirt. Il m'observe longtemps, à la fois émerveillé et attristé. Sa main me touche avec une hésitation mêlée d'une sorte de vénération. Je l'attire par les épaules pour qu'il se retrouve au-dessus de moi. Il happe ma bouche dans la sienne. Je lui enlève son caleçon, et je me débarrasse de ma culotte. Le contact de sa peau nue sur la mienne me fait tressaillir. Mon bassin rejoint le sien et un grognement lui échappe lorsqu'il réalise qu'il ne peut dissimuler son excitation. Ses mains tremblent sur mes hanches. Je resserre mon étreinte sur ses épaules, puis murmure :

– Créons une coupure définitive avec ton passé. Prouve-moi que tu m'aimes plus que toutes les autres filles, toutes les autres femmes que tu as connues (une larme s'égare sur ma joue). Fais-le Vince ou je ne te pardonnerai jamais de me repousser encore une fois.

– Tu me forces la main.

– Je sais.

– Je te déteste, chuchote-t-il.

– Moi aussi.

Il plaque ses lèvres sur les miennes, me faisant oublier tout le reste.

Rien, absolument rien, ne m'a préparée à ce que Vince m'a fait vivre.

Le moindre de ses gestes, de ses baisers, de ses soupirs, transpirait d'une douceur et d'une tendresse infinies. Jamais il ne s'est montré brusque, jamais il ne m'a laissée soupçonner qu'il agissait contre son gré, il n'a pas cessé une seule fois de se montrer attentionné. Vince s'est ouvert à moi, sans aucune barrière, sans aucun scrupule. L'ampleur des sentiments qu'il ressent pour moi m'a frappée et j'ai compris que, jamais auparavant, il ne s'était révélé ainsi à quiconque, jamais il n'a exhibé son cœur avec autant d'abandon. Alors, j'ai réalisé que peut-être...

... peut-être, je ne l'aimerais jamais autant qu'il m'aime.

Chapitre 26

J'observe Nigel qui se débat pour entasser les bagages, les équipements de chasse et la carcasse du golem (enveloppée dans trois couches de sac de poubelle) sur la dernière banquette de la camionnette. Il donne finalement un coup de pied sur le crâne de la créature : dans un craquement d'os, celle-ci entre dans le véhicule.

– Bingo ! lance-t-il, triomphant.

Au-dessus du col de son manteau, j'aperçois les marques violacées que je lui ai faites la veille.

– Je suis désolée pour ta gorge.

– Bah, ce n'est rien, la Gitane. Je ne peux plus faire de gestes brusques ni tourner la tête à gauche, me pencher ou hausser les épaules... mais ce n'est rien, je t'assure.

Il reçoit une paire de lunettes de soleil sur le côté de la tête. Derrière lui, Vince lui jette un regard menaçant.

– N'essaie surtout pas de la culpabiliser.

– Je blaguais, je blaguais !

Nous prenons tous les trois place dans la camionnette, Vince derrière le volant et moi à ses côtés. Phoebe nous rejoint plusieurs minutes plus tard, après avoir fait je-ne-sais-quoi avec les restes des deux chevreuils abattus la veille et récupérés ce matin par les garçons. Ils les ont peut-être découpés en morceaux pendant que je dormais encore. Je ne cherche pas en à savoir plus...

– J'ai hâte de voir la tête du Doyen quand nous lui rapporterons le golem, dit Nigel.

– Il faut prendre des mesures draconiennes en ce qui concerne les Bronovov, affirme Phoebe. Qu'ils s'acharnent sur Robin alors qu'ils sont surveillés par la Confrérie, c'est la pire bêtise qu'ils aient commise !

– En plus, ils ont attendu que nous soyons éloignés dans les montagnes...

– Robin ! s'exclame Phoebe. Qui, dans ton entourage, savait que tu venais dans le Nord avec nous ?

– Personne, sauf mon père. À moins que les Bronovov ne soient clients à sa clinique – ce qui m'étonnerait franchement –, je ne vois pas comment il aurait pu les informer.

– Le sceau du golem indiquait le nom de Robin, intervient Vince. Il l'aurait retracée n'importe où. Son maître n'avait pas besoin de savoir qu'elle allait dans les montagnes.

– Alors pourquoi avoir attendu ce week-end ? Pourquoi n'a-t-il pas décidé de lui envoyer ses créatures plus tôt ?

La question de Phoebe nous réduit au silence. Que va-t-il m'arriver lorsque je rentrerai chez moi ? Est-ce que je devrai craindre la venue inopinée d'un golem en plus des visites nocturnes de l'Autre dans ma cour ?

– Il faudra demander à l'un des neveux Vlahakis de patrouiller sur sa rue, ajoute Vince comme s'il avait lu dans mes pensées. Au cas où.

Il me lance un regard oblique que je prétends ne pas remarquer. Je pose ma tête contre la vitre, les yeux tournés vers le paysage qui défile devant moi. J'ai beau tenter de me distraire, les images (ainsi que certaines sensations) de la nuit dernière ne cessent de me revenir à l'esprit. J'ai mal au ventre rien que d'y penser.

Malgré ma nouvelle perception du temps, les heures suivantes paraissent interminables. Je dors par intermittence, réveillée parfois par les éclats de rire de Nigel ou par un nid-de-poule sur l'autoroute. En milieu d'après-midi, je vois enfin les panneaux routiers qui signalent notre arrivée à Chelston. Vince se gare bientôt devant chez lui pour y déposer d'abord sa sœur et son cousin.

– Au plaisir de te revoir, Robin ! fait Nigel dont la bonne humeur cadre mal avec les incidents de la veille.

Il se penche par-dessus mon dossier et son bec atterrit à la commissure de mes lèvres. Il décoche ensuite un regard malicieux dans la direction de Vince.

– Dégage, lui ordonne ce dernier, exaspéré.

– Bye, Nigel, dis-je.

Il descend de la camionnette. Phoebe hoche seulement la tête en guise d'au revoir. Je sais qu'elle désapprouve le fait que son frère m'ait abreuvée de son sang. C'est à peine si elle nous a regardés depuis ce matin.

Me retrouver seule avec Vince me rend nerveuse. Je ne sais pas quoi dire pour remplir le silence et, honnêtement, je n'en ai pas envie.

– Qu'est-ce tu as, Robin ? s'inquiète-t-il alors que nous approchons de mon quartier. Tu n'as pas dit grand-chose depuis que tu t'es levée.

– Rien. Je suis fatiguée.

Sans un mot d'avertissement, il gare le véhicule au coin d'une rue. Je me crispe sur mon siège.

– Ton cœur bat à toute allure. Dis-moi ce qui ne va pas.

Je triture ma ceinture de sécurité. Ses doigts viennent immobiliser mes mains agitées.

– S'il y a un truc qui te tracasse, nous devons en parler. Tu es gênée à propos de notre nuit ? Tu regrettes ?

J'aimerais répondre « non » sans hésitation. Vraiment. Mais je ne sais plus, tout est embrouillé dans ma tête. En aguichant Vince hier soir, j'étais sûre de moi, de ce que je voulais, de ce que je ressentais. En ouvrant les yeux ce matin, les choses ont changé. Maintenant, je me sens dépassée par l'intensité des événements de la nuit dernière.

Devant mon silence prolongé, Vince me lâche et redémarre.

– Je t'avais prévenue, grogne-t-il d'une voix basse, en colère.

– Je n'ai pas dit que je regrettais !

– Inutile, ton silence est plus qu'éloquent !

– Vince. Ce n'est pas... c'est que... j'ai...

C'est atroce. Les mots ne se forment tout simplement pas. Je creuse, je creuse et je m'enfonce dans mon propre bourbier. Vince s'arrête devant ma maison sans que j'aie réussi à bredouiller une phrase complète. Il attend silencieusement que je clarifie mes propos.

– Je ne regrette pas notre nuit. Je regrette seulement que... qu'elle soit arrivée aussi tôt. Tu n'avais pas tort quand tu disais que je n'étais pas tout à fait prête. Je... je crois que j'ai besoin de clarifier tout ça dans ma tête. Je ne veux pas que tu penses que je suis un monstre d'insensibilité. Je t'aime vraiment. J'ai juste... je ne sais pas. Je dois m'ajuster à notre nouvelle situation.

Il ne dit rien. Sa tête est penchée sur le côté, comme s'il réfléchissait. Je me sens immonde.

– Vince ?

– Tu ferais mieux de descendre.

Je ne bouge pas d'un poil.

– Tu viens de me dire que si quelque chose me tracassait, nous en parlerions !

– Oui, mais je ne m'attendais pas du tout à ce que tu sortes ça ! Si tu veux t'éloigner de moi, je ne te retiendrai pas.

– Je n'ai jamais dit que je voulais m'é...

— Robin. S'il te plaît. Sors avant que je perde mon calme.

Je reprends mes bagages à la hâte et sors de la camionnette. Celle-ci repart en trombe. Je suis horrible, horrible, horrible. Et terriblement stupide ! Je me suis arrangée pour que Vince me déteste !

Je traîne les pieds jusqu'à la maison. Mon père est absent. Thierry n'est pas encore revenu de son voyage sportif. Je vérifie tous les loquets (pas question de me faire sauter dessus par un golem !) avant de me cloîtrer dans ma chambre, passablement dépressive. Mon téléphone cellulaire, que j'ai laissé sur ma table de chevet avant de partir pour le Nord, me révèle que j'ai raté plusieurs appels de Lana et de Steph. Je ne trouve pas la volonté de les contacter.

La culpabilité me torture. J'essaie d'analyser ce qui a bien pu se passer entre le moment où je me suis endormie dans les bras de Vince et l'instant où je me suis réveillée. Ai-je vraiment succombé à un caprice passager ? Qu'est-ce que je ressens réellement pour Vince ? Est-ce à jamais fini entre nous ? Plus je me pose la question, plus je me sens confuse. Je veux revenir en arrière, effacer cette nuit, modifier tout ce que j'ai dit par la suite.

Afin de me changer les idées, je lis mes notes de français (que je n'ai pas touchées une seule fois durant le week-end) pour mon examen de demain. En vain. Ça ne rentre tout simplement pas dans ma tête. Énervée, je déchire mes notes en mille morceaux puis je tourne en rond dans ma chambre, comme un animal pris en cage.

L'après-midi tire à sa fin, il commence à faire noir. Je ne sais pas quand Thierry et mon père rentreront ; ce dernier n'est pas au courant que je suis revenue plus tôt que prévu, mais il a quand même laissé une note prévenant qu'il sortait avec la voisine ce soir. Je me rapproche de la fenêtre pour tirer les rideaux et remarque, avec un petit hoquet de surprise, que l'Autre est campée dans ma cour.

Qu'est-ce qu'elle fait déjà là, à cette heure ?! Il ne manquait plus que ça, qu'elle change son horaire de visite ! Je l'épie discrètement à travers un pan du rideau. Son apparence est toujours la même : longs cheveux emmêlés, robe grisâtre, attitude rigide. La chair de poule apparaît sur ma peau. Sa position est tellement... bizarre. Elle se poste toujours au même endroit, à la droite du chêne, à cinq pas du boyau d'arrosage.

Soudain, elle lève la tête et son regard me foudroie à travers la vitre de ma chambre. Mon cœur cesse de battre durant les trois secondes où nous nous dévisageons. Un froid glacial m'envahit de la tête aux pieds.

Je reconnais un visage familier sur ses traits.

Un cri involontaire s'extirpe de ma bouche. Je plaque une main sur mes lèvres, mais il est trop tard. J'ai crié son nom.

Elle m'a entendue.

Je l'ai invitée.

À entrer chez moi.

Sans plus tarder, elle grimpe dans le chêne avec une rapidité et une souplesse surprenantes. Épouvantée, je trébuche en reculant vers mon lit. Non, non, c'est impossible ! J'ai rêvé. J'ai mal vu. Il n'y aucune chance que ce soit elle. Aucune. Il s'agit d'une copie, d'un sosie, d'une hallucination, je ne sais pas moi, n'importe quoi sauf ça !

Son visage apparaît derrière la vitre. Les yeux qui auraient dû être en amande sont ronds comme des billes, la bouche, tordue... ce visage bleu, tuméfié... Tous les traits sont les siens, toutefois... je ne comprends pas le tourment qui les déforme.

Son poing fait exploser la fenêtre.

Je claque la porte de ma chambre et dévale les escaliers. Je traverse le vestibule en courant. Le son d'un corps qui se laisse lourdement tomber sur le plancher me parvient de l'étage supérieur. Un râle inhumain se fait entendre par la suite. Sans réfléchir, je m'élance vers les escaliers du sous-sol. J'accours à la porte de l'antre, l'ouvre et m'enferme dans le noir. J'agrippe une chaise et je la coince sous la poignée. Je ravale les sanglots hystériques qui me déchirent la poitrine. Les pas saccadés de la morte retentissent dans l'escalier. Je tente de réfléchir, de calmer mes pensées qui volent dans toutes les directions. Cette femme lui ressemble, c'est vrai, mais ce visage putréfié, ces yeux à fois vides et remplis d'angoisse... Non, ce n'est pas elle, je le sais ! J'en suis convaincue !

Un râle déchire le silence du sous-sol. Je recule jusqu'au mur du fond de l'antre. Je ne peux pas aller plus loin. Je glisse lentement sur le sol glacé, voulant me faire toute petite, priant tous les cieux qu'elle me fiche la paix, qu'elle disparaisse ! Le plancher gémit sous ses pas inégaux. Le son ressemble à celui d'une ventouse que l'on arrache d'une surface collante. Elle se rapproche, puis s'arrête. Mes yeux se rivent sur la poignée.

Elle gratte la porte.

Kriiich... Kriiich...

– NON ! VA-T'EN !!!!

Je plaque mes mains sur mes oreilles, refusant d'admettre la soudaine révélation qui m'est imposée. Les souvenirs refoulés remontent dans mon esprit. Malgré mes mains, j'entends encore ce bruit infâme.

Kriiiiiiich... Kriiiiiiich...

Je revois la flaque d'eau sous ses pieds.

– NON !

La corde.

Kriiiiiiiiiiiiiich...

Ses yeux levés au plafond, à jamais figés dans une expression de profonde douleur, une douleur au-delà du stade physique, une douleur de l'âme, la douleur de vivre. Je sanglote éperdument.

– NOOOON !!! S'il te plaît, va-t'en ! Je ne veux pas ! Je ne veux pas me souvenir ! S'il te plaît !

Puis soudain, plus rien.

Plus de grattements, plus de râles, plus un seul son.

Elle est partie.

Je reste pétrifiée, dans un état second. Je ne sais pas combien de temps dure ma léthargie. Des minutes ? Des heures ? Le temps n'existe plus... Je sombre dans le silence du sous-sol, le regard vissé sur la poignée de la porte. Enfin, lentement, je me redresse. Mes jambes ont peine à supporter mon poids. Je décoince la chaise. Je tourne la poignée.

Le sous-sol est vide.

Toujours sous le choc, je pivote sur moi-même et cherche l'interrupteur des doigts. Je ne cille pas sous la lumière crue que répand l'ampoule au-dessus de ma tête. Je me traîne jusqu'à la table la plus proche. Les larmes remplissent mes yeux alors que je redécouvre notre dernier portrait de famille. Maman, papa, Thierry et moi, tous étroitement enlacés et hilares. Le cliché est un peu flou parce que ma mère tenait l'appareil à bout de bras et qu'elle n'arrêtait pas de s'esclaffer. La seconde d'après, nous nous écroulions dans le gazon, morts de rire. C'était notre photo favorite, à mon père et à moi.

Je retire le cliché de son cadre.

— Mensonge...

Je sens une tempête naître au creux de ma poitrine. Je déchire la photo d'un coup sec et jette les morceaux dans les airs. Avec un cri de rage, je renverse la petite table.

— Mensonge ! Mensonge !! Mensonge !!!

Je vide les boîtes, piétine ses vêtements, lance ses bijoux contre le mur. J'arrache les pages des albums-photos, emportée par l'orage de haine qui se déchaîne en moi.

— Tout ! Ça ! N'est ! Qu'un ! MENSONGE !!!

Ma rage rebondit sur les murs, fait tomber les étagères et exploser des pans du passé. En transe, je remarque à peine ce qui se passe autour de moi. Des livres volent au-dessus de ma tête, prennent feu et retombent dans une pluie de cendres. Les vêtements se lacèrent d'eux-mêmes et parsèment le plancher de lambeaux de soie, de coton, de rayonne. Je fracasse tout, je veux *tout* détruire. La vérité me plonge dans une démence totale.

Mes forces finissent par s'épuiser, m'abandonnent debout et haletante au milieu de l'antre, le regard fou, les cheveux en bataille. La pièce est un carnage.

— Robin !!

Je fais volte-face. Une main crispée sur la poignée de la porte, l'autre tenant toujours son sac de sport, Thierry est paralysé sur le seuil. Ses yeux font le tour de l'antre avant de se poser sur moi, incrédules.

— Qu'est-ce que... Bordel ! Qu'est-ce qui t'a pris ?!

La colère et l'affolement se disputent sur son visage. Avant qu'il puisse placer un seul mot de plus, je me rue sur lui et me cramponne à son chandail.

— Écoute-moi ! C'est un mensonge ! Maman n'a jamais été heurtée par une automobile ! Elle s'est pendue ici, dans le sous-sol ! C'était un suicide, tu m'entends ?!

Les sanglots ont raison de ma voix ; c'est par hoquets que j'achève ma déclaration.

— Thierry... c'est moi qui ai découvert son corps...

Chapitre 27

Je m'étais disputée avec Stéphanie, ce jour-là.

Il s'agissait d'une querelle stupide, au sujet d'un bracelet que je ne voulais pas lui prêter parce que ma mère l'avait confectionné pour moi deux jours auparavant. Steph m'irritait tellement que, sur un coup de tête, j'avais décidé de rentrer chez moi sans attendre que mon frère vienne me chercher à pied, après son entraînement de hockey. J'avais dix ans, mais je devais encore me faire garder par la sœur de Steph après l'école.

C'était une fin d'après-midi plutôt fraîche. L'été des Indiens tirait à sa fin, les arbres se dénudaient de leurs feuilles. Je marchais rapidement, impatiente de rentrer. Au moment où j'allais insérer ma clé dans la serrure, j'avais réalisé que la porte était entrebâillée.

Quelqu'un était déjà à la maison.

J'avais poussé la porte sans bruit et l'avait refermée doucement derrière moi. Normalement, papa quittait la clinique aux alentours de dix-huit heures et maman assistait à un cours à l'université. J'avais étudié nerveusement la rangée de souliers dans le vestibule, tentant de repérer qui était là. Pour sûr, ce n'était pas Thierry ni papa et je m'en sentais soulagée : ma mère était la moins sévère, elle me pardonnerait plus facilement ma petite « fugue ».

Maman ! C'est moi, je suis là !

Seul le silence m'avait répondu. Peut-être que la porte avait été mal fermée, peut-être que maman était encore à son cours. Cependant, après m'être rendue dans la cuisine, j'avais constaté que les couverts étaient déjà placés sur la table.

Maman !

La maison demeurait silencieuse.

Ou presque.

Un son distinct, comme un grincement, se faisait entendre.

Kriiiich... Kriiich...

Ça provenait du sous-sol.

En descendant les premières marches, j'avais trébuché sur un objet mou. La seconde suivante, j'atterrissais sur le plancher du sous-sol, un éclair de douleur me traversant la tête de part en part. Retenant mon souffle, j'avais tâtonné dans le noir jusqu'à ce que mes doigts identifient l'objet responsable de ma chute : un mocassin.

Maman ?

Encore le même grincement en guise de réponse. *Kriiich... Kriiich...*

J'avais actionné l'interrupteur en vain ; le sous-sol demeurait plongé dans la noirceur. J'avais alors fait quelques pas à l'aveuglette, tendant l'oreille et plissant les yeux pour trouver l'origine du grincement. Un frisson avait subitement parcouru mon épine dorsale ; après avoir baissé les yeux, j'avais constaté que je piétinais dans un filet d'eau. J'avais avancé de deux pas, suivant le filet des yeux, qui sinuait à travers le sous-sol jusqu'à une flaque d'eau... située juste au-dessous d'une paire de pieds secoués de spasmes. L'effroi m'avait figée sur place. Une silhouette se balançait à moins d'un mètre de moi. C'était le corps d'une femme, hissé à quelques pouces du sol. Chaque détail de la scène, un à un, s'était alors imprimé dans ma mémoire.

La chaise renversée sur le plancher.

Le deuxième mocassin, gisant dans la flaque d'eau.

Le visage contusionné, l'expression d'agonie.

La langue pendante.

Les yeux exorbités vers le plafond.

La corde solidement nouée à la tuyauterie, écorchant le métal à chaque mouvement du corps. *Kriiich... Kriiich...*

Après avoir repris un semblant de conscience, j'avais remonté les escaliers, claqué la porte d'entrée derrière moi et dévalé le perron. J'avais couru, éperdue, à travers la rue. C'était la première fois que je voyais un cadavre, mais... mais je savais que le corps n'appartenait pas à ma mère. Cette femme n'était pas ma mère. C'était impossible !

Cette femme n'était pas ma mère !

La phrase se répercute encore dans ma tête, alors que je me replie, en silence, à côté de Thierry, sur l'un des fauteuils du salon. Les aiguilles de l'horloge indiquent une heure et demie lorsque la porte d'entrée s'ouvre tout doucement. Mon père range son manteau dans la penderie et traverse le vestibule à petits pas feutrés, afin de masquer son retour tardif. Il sursaute lorsqu'il nous aperçoit dans le salon.

— Que faites-vous debout à cette heure ?!

Sa cravate est dénouée, sa plus belle chemise est froissée et ses cheveux décoiffés achèvent la note sur son allure débraillée. Aucun doute sur qu'il a pu faire en compagnie de madame Stellas...

— Nous t'attendions. Assieds-toi, nous devons discuter, annonce mon frère.

Une expression suspicieuse glisse sur le visage de papa. Il obéit à la requête de Thierry en prenant place sur le canapé en face de nous.

— Qu'as-tu encore fait, Robin ?

— Il ne s'agit pas d'elle, intervient Thierry.

— Écoutez, je sais ce que vous pensez, soupire papa en se laissant tomber contre le dossier du canapé. Vous êtes adorables, mais je suis un adulte responsable qui n'a pas besoin de répondre de ses actes devant ses enfants. Entre Suzanne et moi...

— Ça ne concerne pas ta relation avec madame Stellas non plus, réplique Thierry. Nous voulons seulement te poser quelques questions.

Notre père fronce les sourcils. Il retire lentement sa cravate.

— D'accord..., vas-y.

– Est-ce que maman a vraiment été victime d'un délit de fuite ?

Papa se raidit, cravate en main. La panique transparaît dans ses yeux.

– Pourquoi tu me demandes ça ? Quelqu'un... quelqu'un vous aurait dit quelque chose ?

– Est-ce qu'il y aurait quelque chose à dire ?

– Non. Elle a été heurtée au coin de la rue, point final ! C'est ça votre moyen de me culpabiliser pour être sorti avec madame Stellas ? Très bien, ça fonctionne, je me sens vraiment mal !

Bourru, il fait un mouvement pour se lever. Thierry lève une main pour l'arrêter.

– Nous n'avons pas terminé.

– Il est un peu tard pour ressasser le passé, les enfants...

Papa se réinstalle sur le canapé avec une mauvaise foi évidente. Il tripote les bras du meuble en évitant notre regard.

– Pourquoi es-tu nerveux quand il s'agit de parler de sa mort ? Est-ce que tu nous caches quelque chose ? Tu n'as plus besoin de nous protéger de la vérité. Nous savons ce qui lui est arrivé.

– Je ne sais pas qui vous a mis des idées dans la tête, mais votre mère a bel et bien péri dans un acci...

– NON !

Le cri m'a échappé. Je me redresse sur le fauteuil, à la fois enragée et consternée devant l'entêtement de mon père.

— Je l'ai *vue*, papa ! Elle s'est suicidée !

Ma dernière phrase résonne comme un glas dans le salon. Pendant un instant, personne n'ose dire quoi que ce soit. Le cœur de mon frère tambourine sourdement jusqu'à mes oreilles. Papa me dévisage comme s'il venait tout juste de découvrir mon existence.

— Qu'est-ce que tu racontes ? Je vous... (il trébuche sur ses mots) Je vous ai retrouvés tous les deux chez Suzanne. Elle m'a affirmé que...

— Je n'ai pas attendu Thierry ce jour-là, chez les Cooper ! Je voulais rentrer seule à la maison et j'ai découvert le corps dans le sous-sol à mon retour et...

Ma voix se brise. Je réprime mes sanglots, puis je déballe tout ce dont je me souviens, tout ce que j'ai vu.

— Je suis retournée chez les Cooper et Thierry est revenu et... et madame Stellas nous attendait au coin de la rue. Elle a insisté pour qu'on aille prendre la collation chez elle. Quand tu es venu nous chercher et que tu nous as raconté qu'elle... que maman avait été victime d'un accident, j'ai préféré croire ton mensonge, je me suis tout de suite accroché à ça. J'ai... j'ai chassé l'image... la scène que j'ai vue. Cette femme... ce n'était pas elle. Je ne voulais pas que ça soit elle ! Ce n'était pas son visage, ce n'était pas... ce n'était pas ma maman !

Les larmes ruissellent enfin sur mes joues sans que je puisse les retenir.

— C'est vrai ce qu'elle dit, papa ? Maman s'est enlevé la vie ? s'enquiert Thierry à voix basse.

Après ce qui semble être une éternité, notre père hoche la tête, le regard fuyant.

– Pourquoi, papa ? Qu'est-ce qu'on lui a fait ? Qu'est-ce que *tu* lui as fait ? Dis-le-nous ! Est-ce que nous la rendions malheureuse ?

– Robin, voyons, ne dis pas des choses comme ça. Vous étiez sa fierté, vous... elle vous adorait.

– Alors POURQUOI !?!

Je sanglote, je n'arrive plus à me calmer, je veux connaître la réponse, je veux comprendre. Papa se prend la tête entre les mains. Ses paroles ne nous parviennent plus qu'à travers un filet de voix :

– Je n'en ai aucune idée. Je me suis posé la même question jour après jour, pendant des années. Elle ne m'a laissé aucune lettre, aucun motif. J'ai passé en revue toutes les raisons possibles... Je suis désolé de vous avoir menti. Je ne me voyais pas annoncer à mes enfants que leur mère s'était suicidée. Le délit de fuite, c'est la première chose qui m'est venue en tête.

– Est-ce que nos grands-parents connaissent la vérité ? interroge mon frère.

– Oui. Suzanne aussi.

– La *voisine* est au courant et pas nous, ses propres enfants ?! s'étrangle Thierry, purement et proprement scandalisé.

– Elle n'était pas d'accord pour que je mente. Personne ne l'était. Écoutez, je suis vraiment désolé ! Je savais que vous l'apprendriez tôt ou tard (Papa soupire entre ses doigts). Je m'étais convaincu que j'attendrais le bon moment, que vous ayez grandi un peu, mais avec les années, c'était de plus en plus difficile.

— Je n'arrive pas à croire que tu nous as menti pendant toutes ces années ! Du courage ? En effet, tu n'en as jamais eu ! Tu as été plus que lâche !

Effrayée par la hargne qui vibre dans la voix de Thierry, je murmure son nom pour l'apaiser. C'est la première fois que je l'entends hausser le ton devant Papa. Je me sais bouleversée par la tournure des événements, mais je n'avais pas songé aux conséquences que cela aurait sur mon frère.

— Pendant deux ans, tu t'es enfermé dans ta propre bulle, continue Thierry en ignorant mon intervention. Tu nous as complètement négligés, tu t'es cloîtré dans le silence, tu as sombré dans la dépression, tu ne nous as même pas donné l'occasion de partager ta souffrance ! Est-ce que tu t'es déjà demandé si ton attitude nous avait affectés ? Tu crois que c'était mieux que de nous dire la vérité ? J'ai dû porter tout le poids de cette famille sur mes épaules ! Je me suis occupé de Robin, je préparais ses lunchs, je l'amenais à l'école, je l'aidais dans ses devoirs, je m'inquiétais pour toi, je te rappelais tes rendez-vous, je prenais tes messages et pendant tout ce temps, tu nous mentais ? La moindre des choses aurait été que tu nous dises la vérité !

Thierry se lève si brusquement que je sursaute. Il quitte le salon. Ses pas retentissent dans le vestibule, puis la porte d'entrée claque sur ses gonds. Je n'ose pas regarder mon père en face, alors je m'extirpe du fauteuil et monte dans ma chambre. Papa n'essaie pas de me retenir.

Je fais les cent pas jusqu'à ce que mes émotions s'atténuent un peu, puis je tire les rideaux en prenant garde de ne pas marcher sur les fragments de vitre qui gisent par terre. Je m'étends ensuite sur mon lit en guettant le retour de Thierry, enfouie sous mes couvertures pour contrer le froid qui s'infiltre par la fenêtre fracassée. À trois heures cependant, le seul battement de cœur qui résonne dans la maison à part le mien est toujours celui de mon père.

Tant pis pour l'heure tardive. Je dois parler à quelqu'un, n'importe qui. Non, pas n'importe qui. Vince. Je me penche pour saisir mon cellulaire, sur ma table de chevet. Ce faisant, mon regard tombe sur la main putréfiée qui dépasse sous mon lit.

Mes gestes se suspendent.

Elle est cachée sous mon lit !!!

Un spasme parcourt mes membres. Je tente de le réprimer, de me souvenir des règles de Vince, de ne pas céder à la panique. J'entends son râle s'élever du plancher. Je croise mes bras autour de mes jambes, ignorant l'intruse sous mon lit, taisant l'angoisse qui m'étreint les tripes. Son râle se transforme en murmure avant de se taire tout à fait. Je ne suis pas dupe, je sais qu'elle est encore là. Je passe les heures suivantes à fixer les rideaux, grelottante de froid et de terreur. Je permets à mes muscles de se relâcher au fur et à mesure que le matin s'installe dans le ciel. Lorsque les premiers rayons de soleil pénètrent enfin dans ma chambre, je prends conscience de deux choses.

Premièrement, l'Autre a disparu. Le jour l'a chassée.

Deuxièmement, je sais qu'elle reviendra dans douze heures. En l'invitant à entrer, je lui ai donné le droit de revenir à sa guise.

De revenir me hanter pour toujours.

Chapitre 28

Des bruits provenant du sous-sol me tirent du demi-sommeil dans lequel je viens juste de glisser. Je me crispe, pensant qu'il s'agit de l'Autre, mais je me raisonne rapidement : les Autres n'apparaissent pas durant la journée. J'entends ensuite un juron familier et je me rends compte que Thierry est à la maison. Il est sûrement rentré pendant que je dormais.

Je m'empresse de descendre. La porte de l'antre est ouverte. Mon frère est en train de remettre sur pied la table que j'ai renversée dans mon délire. Ses cheveux sont ébouriffés et il a des poches sous les yeux. Il porte les mêmes vêtements qu'hier. À sa gauche gît un sac-poubelle déjà à moitié rempli d'objets que j'ai brisés, piétinés ou brûlés. Je m'empare d'un autre sac et je m'affaire à mon tour, silencieuse.

— Comment as-tu réussi à mettre le feu à tout ça sans faire exploser la maison ? demande-t-il après avoir découvert les pages carbonisées d'un album-photo.

Je fais semblant de ne pas avoir entendu sa question. Qu'est-ce que je pourrais bien lui expliquer de toute façon ? Que ma rage était incontrôlable et que mon côté gitan s'était manifesté sans que je puisse le retenir ? Devrais-je lui confier aussi que notre mère n'était pas ce qu'elle prétendait être ? Vince n'a pas précisé que je devais garder mes origines secrètes... Seulement, il est peu probable que Thierry me croie si je lui dis la vérité. Il exigera peut-être que je lui prouve mes dires en lui montrant mes pouvoirs, chose que je suis loin de maîtriser au gré de ma volonté. Je ne sais même pas comment ça marche ! Et puis, je ne peux pas révéler nos origines gitanes à mon frère sans mentionner ma résurrection et tout le reste.

Il nous faut une heure et des poussières pour redonner à la pièce un aspect convenable. À part quelques bijoux de maman, il n'y a pas grand-chose qui a survécu à ma crise.

— Excuse-moi. Ma réaction était... (je hausse les épaules) Inqualifiable.

— Ça vaut peut-être mieux comme ça, élude Thierry. Il était temps que nous fassions le ménage ici. Approche, ajoute-t-il en me tendant la main.

Je m'avance dans sa direction. Il m'enlace avec affection. Je suis contente de voir qu'il redevient lui-même.

— Où as-tu passé la nuit ?

— Nulle part. J'ai marché longtemps et j'ai beaucoup réfléchi, répond-il sans me regarder droit dans les yeux.

Je m'enquiers d'une toute petite voix :

— Est-ce que tu es encore fâché ?

— Un peu, oui. Surtout contre papa (son ton se durcit). Il n'aurait pas dû nous cacher ça !

– Thierry, tu sais aussi bien que moi dans quel état il doit se sentir, ce matin. Il pensait bien faire... il... s'il te plaît, pardonne-lui. Je ne veux pas que ça redevienne comme avant entre nous. Le silence, chacun enfermé dans sa bulle... je ne veux pas revenir à cette période !

Il reste muet pendant quelques secondes.

– Donne-moi une journée pour m'en remettre, marmonne-t-il enfin. Et il faudra établir certaines règles.

– OK.

– Plus de mensonges entre nous. Si quelqu'un a un problème, il doit le dire aux deux autres avant que ça empire. Le suicide de maman en est le parfait exemple. (il soulève deux sacs-poubelles avant de me faire signe de prendre le troisième) Elle souffrait et elle ne nous a pas donné la chance de l'aider. Regarde où ça l'a menée. Et si papa nous avait dit la vérité au sujet de sa mort, nous aurions pu affronter ça tous ensemble. Alors, puisqu'on ne se ment plus maintenant, je t'avoue d'emblée que j'ai un problème avec Vince et toi. Je n'aurais jamais cru que les deux personnes en qui j'avais le plus confiance me cacheraient leur relation.

Ouf ! Je ne l'ai pas vue venir, celle-là !

– Vince et moi...

– Oh, je t'en prie, n'essaie pas de me convaincre que vous n'êtes que des *amis*. Je ne suis pas idiot, je sais que tu es allée à son chalet ce week-end ! Il me l'a confirmé. Je mets les choses au clair : tu es une zone interdite et tous mes potes sont au courant. Donc, Vince et toi, rangez de côté votre petit truc sentimental et passez à autre chose !

Je refoule la réplique qui me monte aux lèvres. « Un petit truc sentimental », ça sonne tellement ridicule, dit comme ça ! Cependant, je ne sais plus si ce que je ressens pour Vince est authentique ou non ; je serais donc mal placée pour le contredire.

Je repousse ces pensées afin de me concentrer sur mon examen de français, que je subirai dans quelques heures. Je suis consciente que c'est peine perdue : je vais le couler d'aplomb, je n'ai plus de notes de cours. Et puis, je n'arrête pas de penser que je devrais me réconcilier avec Vince (que mon frère et lui le veuillent ou non) et ce, même si je ne parviens pas à expliquer la confusion de mes sentiments à son égard. Je le coincerai à sa case s'il le faut, j'exigerai que nous ayons une discussion. Forte de cette décision, je me prépare pour subir ma dernière journée d'école.

Papa a laissé la Chevrolet à mon frère avant de partir pour la clinique, avec un petit mot placé sur le coffre à gants : « Nous devons parler ce soir. »

Mon frère n'émet pas un seul commentaire pendant tout le trajet jusqu'à l'école, sauf pour grogner :

– Ils auraient pu annuler nos examens aujourd'hui ! On annonce une tempête de neige cet après-midi !

En effet, quand je sors du véhicule, une rafale de vent chargée de flocons me repousse contre la portière, comme pour m'empêcher d'avancer vers les grilles de l'école. Je courbe le dos en courant à la suite de Thierry, mon bonnet baissé jusqu'aux yeux. Aussitôt réfugiés à l'intérieur de l'établissement, je me sépare de lui pour descendre dans l'aire des casiers. À ma grande surprise, Vince est déjà là, appuyé contre ma case. En voyant ses traits familiers, sa chevelure désordonnée et sa posture nonchalante, mon cœur s'emballe.

Je suis certaine qu'il peut l'entendre, mais je ne me défile pas pour autant. Je parviens à sa hauteur, indécise quant à la façon dont je vais l'aborder, mais résolue. Vince glisse sa main à l'intérieur de son blouson de cuir. Je reconnais le geste qui annonce une nouvelle dose de sang.

– Ne prends pas cet air de conspiration, dit-il lorsqu'il me voit regarder furtivement à gauche et à droite. On va croire que je te vends de la drogue en plein milieu de l'école.

Il me tend la fiole. Nos doigts n'entrent pas en contact lorsque je m'en empare. Je me demande s'il le fait exprès. Son visage ne trahit aucune émotion. Avec un pincement au cœur, je me rends compte qu'il a rebâti entre nous les barrières invisibles, celles qui étaient tombées pendant notre dernière nuit au chalet. Le discours que j'avais préparé pour notre éventuelle réconciliation me semble tout à coup insipide et inutile. Comment ai-je pu penser que ce serait aussi facile ? Même si nous décidions de passer l'éponge sur ce qui s'était passé cette fin de semaine, plus rien ne sera jamais pareil entre nous deux.

– Les effets du sang humain durent plus longtemps que le sang de cochon, ajoute-t-il pendant que j'avale le contenu de la fiole avec un immense malaise. Mais je crois que tes symptômes se stabilisent maintenant. Nous trouverons un endroit où je pourrai te donner tes rations plus discrètement, chaque jour.

Si je n'avais pas senti ce mur invisible entre nous, je me serais réjouie qu'il projette de me rencontrer chaque jour, en secret. Je hoche la tête pour lui démontrer que je suis d'accord et lui remets la petite bouteille, à présent vide. Il la range dans son manteau et s'écarte vivement de ma case. Choquée de le voir mettre fin à notre entretien aussi promptement, une détresse soudaine s'empare de moi.

— Vince !

J'ai crié son nom sans réfléchir. Il se retourne lentement. J'intercepte quelque chose dans son regard. Une hésitation. Minime, à peine perceptible, mais il pourrait s'agir de la première brèche dans le mur qui nous sépare. Au même instant, Steph surgit dans mon champ de vision et me secoue par les épaules, en pleine crise de panique.

— J'ai perdu mes notes ! Tu as encore les tiennes ? Oh mon Dieu, je vais couler cet examen ! Je le sens, je le sens !

— Steph, pas maintenant...

— Oui, c'est *maintenant* ou jamais ! Ma mère va me tuer si j'échoue le test ! Argh, qu'est-ce que je fais ? On établit un plan de triche ?

Je réussis à l'éloigner de moi pendant un moment. Vince a disparu. Je retiens un soupir et redirige mon attention sur ma meilleure amie.

— Je n'ai pas de notes de cours, non plus. Peut-être que Lana peut nous aider ?

J'ignore la moue de Steph et cherche Lana des yeux. Elle n'est pas présente dans la salle, aussi je m'installe sur un banc du couloir pour l'appeler. Les piles de mon téléphone portable sont presque à plat, conséquence de ma négligence des derniers jours. Ça sonne trois fois avant que Lana décroche.

— Allô ! Où es-tu ? Steph et moi, on a besoin de tes notes pour l'exam !

Il y a un silence à l'autre bout de la ligne.

– Je suis chez moi, répond enfin Lana d'une petite voix.

– Qu'est-ce qui se passe ? Tout va bien ?

– Oui, oui...

Son ton est bizarre : on dirait qu'elle se retient de crier ou d'éclater en sanglots.

– Je dois te laisser, lance-t-elle précipitamment. Bye.

– Lana !

Elle a raccroché. Je fixe mon téléphone, éberluée. Qu'est-ce que Lana fait chez elle ? Elle n'est clairement pas en train de réviser pour l'examen de cet après-midi ! Je suis persuadée que son père l'a encore maltraitée. Ça fait trop longtemps que je ferme les yeux sur son problème. Ses absences répétées, les bleus qu'elle s'évertue à dissimuler... Je suis au courant de ce qu'elle endure chez elle. Malgré mes soucis, c'est irresponsable de ma part de la laisser souffrir comme ça. Je suis son amie. Je dois l'obliger à me parler et la convaincre de rapporter ces abus à la police ou à toute autre autorité sociale.

– Qu'est-ce que Cruella d'Enfer a dit ? s'enquiert Steph. Qu'on peut bien crever ? Hé, où vas-tu ?!

Je me suis levée d'un bond pour m'élancer dans le corridor. Steph me rattrape. Je réponds sans ralentir :

– Chez Lana.

– Pourquoi ?

J'hésite, puis je lui confie mes craintes au sujet de Lana et de son père. C'est presque bizarre de ne pas voir Stéphanie grimacer ou faire semblant de se tuer à la mention de la rouquine.

— Robbie, ne sois pas ridicule. Notre examen final est dans deux heures !

— J'ai le temps de faire un saut chez elle, ce n'est pas loin d'ici. Je veux juste m'assurer de son état.

— Tu ne vas quand même pas y aller seule ! Et si son père était là ?

Après les golems et les Autres, le père de Lana figure bon dernier sur ma liste de créatures effrayantes ! Mais ça, bien sûr, je ne peux pas le dire à Steph.

— Attends-moi ! Je viens aussi, s'écrie-t-elle lorsqu'elle réalise que je suis déterminée. Écoute, je vais t'y emmener, j'ai la voiture de ma sœur !

Je la dévisage, un peu sceptique.

— Bon, je n'aime pas beaucoup Lana, ça je te l'accorde. En fait, je ne l'aime pas du tout, mais j'ai pitié d'elle. J'ai entendu moi aussi des rumeurs sur son père. Tu veux l'aider ? D'accord. À condition que je vienne avec toi : je refuse de te laisser partir toute seule.

Nous récupérons nos bottes et notre manteau, puis nous courons à l'extérieur. Le temps s'est calmé un peu, il ne neige plus. Le ciel demeure cependant plombé de gris et des bourrasques de vent continuent de nous gifler. Je remonte la fermeture éclair de mon manteau jusqu'au menton, les yeux plissés à cause du reflet de la neige.

— Tu as son adresse ? demande Stéphanie.

Je consulte la fiche de Lana dans la liste de contacts de mon cellulaire. Elle habite au 3450, St-Andrews. Quinze minutes plus tard, nous tournons sur la rue en question. Steph scrute les adresses des bungalows tassés les uns sur les autres, séparés par des clôtures de métal. Certains ont l'air plutôt négligés. Mon amie affiche une expression de désenchantement.

— Et bien entendu, elle vit dans le quartier le plus délabré de la ville ! On ne devrait peut-être traîner dans le coin. Je n'ai pas trop envie de me faire piquer mon argent ou...

— Ne te fais pas de scénario maintenant ! C'est là ! dis-je en reconnaissant la vieille Toyota de Lana.

Nous avançons difficilement vers la maison, la neige nous montant presque aux genoux. La boîte aux lettres déborde de courrier. La peinture s'écaille sur la porte, les rideaux sont tirés. Si je n'avais pas appelé ici il y a quelques instants, je serais convaincue que l'endroit est inhabité. J'appuie sur la sonnette tandis que Steph sautille sur place pour combattre le froid. Aucune réponse. Je sonne deux autres fois. J'entends de la musique qui joue en sourdine derrière la porte.

— Bon, lâche Stéphanie en faisant demi-tour. Viens, on retourne étudier ce qu'on peut...

Un mouvement derrière les rideaux attire mon regard. Je me mets à cogner sur la porte.

— Lana ! Je sais que tu es là ! Ouvre ou je défonce !

Le loquet se déclenche et la porte s'entrebâille sur le visage blême de Lana. Ses cheveux défaits lui camouflent la

431

moitié de la figure. Elle lance un regard nerveux par-dessus son épaule.

– Lana, il était temps !

– Je... je pensais que c'était quelqu'un d'autre. Entre vite et... Oh, salut.

Elle vient de remarquer Steph. Son expression passe dramatiquement de la nervosité à la méfiance. Ma meilleure amie lui offre un sourire forcé.

– Hé, Sarkys ! Ça fait un bail ! lance-t-elle avec une camaraderie exagérée.

– Fantastique, marmonne Lana en nous ouvrant le passage.

C'est la première fois que je mets les pieds chez elle. Je comprends maintenant pourquoi je n'ai jamais été invitée avant. À cause des rideaux tirés, il fait sombre à l'intérieur : je remarque quand même que les murs sont délabrés et que le tapis a grand besoin d'être remplacé. En trois enjambées, j'aboutis dans le salon, où traînent des bouteilles de bière sur la table, sur l'unique sofa de la pièce et sur le petit téléviseur. D'autres objets jonchent le plancher, dont un sac à dos vide, des pantoufles, une laisse de chien...

– Suivez-moi, soupire Lana en se dirigeant vers la cuisine. Je vais vous servir quelque chose à boire.

Bien que je sois contente que Steph aie décidé de m'accompagner, sa présence risque de compliquer la conversation que je souhaite avoir avec Lana. Apparemment, cette dernière n'a aucune envie de se confier devant mon amie d'enfance. Je me rappelle les bons moments que nous avons passés ensemble au début du trimestre, sa jovialité et ses blagues salées. La fille que j'ai maintenant devant moi est maigre, revêche et visiblement en train de traverser un moment épineux.

— Est-ce que ton père est là ?

Elle ne répond pas. Elle ouvre les armoires, sort des tasses, chauffe de l'eau dans une bouilloire. Une chaîne stéréo crache une chanson rock à tue-tête ; Lana ne se donne pas la peine de baisser le volume. Stéphanie et moi prenons place autour de la petite table branlante pendant que notre hôtesse appuie ses coudes sur le comptoir, le menton dans les paumes. Elle n'essaie même pas de dissimuler son ennui de voir ma meilleure amie avec moi. C'est mal parti pour les confidences !

— Je n'ai pas grand-chose à vous offrir à part des tisanes.

Je lui assure que ce n'est pas grave. Lana dépose deux tasses fumantes sur la table. J'avale une ou deux gorgées en réprimant une grimace. Le goût de la camomille me laisse une sensation âcre et poussiéreuse sur la langue. Je bois une troisième gorgée pour paraître polie. S'installant en face de nous, Lana reste silencieuse, le visage fermé comme une huître.

Je repousse ma tasse.

— Et si tu arrêtais la musique ? On pourrait discuter plus cal...

— Je t'entends très bien. Pourquoi êtes-vous ici ? demande t-elle d'un ton sec.

— Je m'inquiète pour toi, Lana.

– Vraiment ? Tu as ignoré mes appels ce week-end ! Tu t'inquiètes des autres seulement quand tu en as le temps ! siffle-t-elle.

Ma mine tombe. Je ne m'attendais pas du tout à cette réplique cinglante. Même Stéphanie ne sait plus où se mettre. Elle boit sa tisane à petites gorgées rapides.

– J'étais dans le Nord lorsque tu as appelé !

– Je sais, ton père me l'a dit. De toute façon, je m'en fiche maintenant, ajoute Lana avec un haussement d'épaules désintéressé.

Je sens l'irritation me gagner.

– Tu peux bien parler ! Tu m'as évitée pendant des semaines depuis notre conversation dans les toilettes de l'école !

– Parce que j'étais fâchée, qu'est-ce que tu crois ?

– Écoutez, ce n'est pas le moment de vous disputer..., intervient timidement Stéphanie.

Lana soulève vivement la torsade de cheveux roux qui lui cachait la figure. Steph recrache sa gorgée de tisane et je refoule une exclamation de stupeur. L'œil droit de Lana est complètement fermé et tuméfié. C'est le plus gros œil au beurre noir que j'ai vu de ma vie ! Même dans les films d'action, ils n'en maquillent pas des comme ça.

– Voilà pourquoi je ne pouvais pas me présenter à mon examen final.

Je demeure muette, sous le choc. Je note un autre hématome sur son cou. Je devine que sous son pull noir, elle en a plusieurs autres. Elle relâche sa mèche de cheveux. L'indignation monte en moi.

– Qu'est-ce que tu attends pour déposer une plainte à la police ?!

Lana me sourit comme si je venais de faire une bonne blague. Elle jette un regard rapide vers l'entrée du sous-sol avant de reprendre la parole.

– C'est trop tard.

– Il n'est jamais trop tard ! Tu n'as pas à subir ça !

Encore une fois, elle sourit amèrement. Son menton tremble.

– Je t'ai déjà dit que j'étais capable de me défendre.

– À te voir, j'en conclus que ce n'est pas très réussi, remarque Steph d'une voix légèrement pâteuse.

Elle fait exprès ou quoi ? Ce n'est pas très sensible de dire ça à une victime de violence familiale ! Je lui donne un coup de pied sous la table pendant que le menton de Lana tremble encore plus. Son masque commence à s'effriter. Elle enfouit son visage dans ses mains. Un sanglot sans larmes la traverse tout entière. Elle ne parvient pas à dire quoi que ce soit pendant un long moment, au point où j'hésite à me lever pour aller la prendre dans mes bras. Avant que je puisse faire un geste, elle nous confie enfin, d'une voix difficilement contenue :

– Mon père... hier soir... Il a bu une bouteille de trop. Il a commencé par m'insulter, par me crier plein de choses horribles. Il m'a frappée, puis m'a poussée très fort. Je suis tombée près de la table du salon. Il était tellement en colère et je ne savais même pas pourquoi... C'était pire que d'habitude ! J'ai cru que c'était la fin. Que cette fois, je ne survivrais pas. Alors, j'ai saisi la première chose que ma main a trouvée par terre. Une bouteille de bière vide. Je lui en ai donné un coup à la tête. Ou plusieurs, je ne sais pas... Je ne sais plus ! Je voulais juste me défendre ! Il s'est écroulé et il ne s'est pas relevé. Je croyais que c'était parce qu'il était trop soûl, alors je suis allée m'enfermer dans ma chambre en me disant que, ce matin, il ne se souviendrait plus de rien. Mais... mais justement, ce matin...

Elle inspire profondément. Je suis suspendue à ses lèvres. Peu importe la suite de son récit, je pense que c'est un point de non-retour, que je ne sortirai pas d'ici sans être complètement bouleversée. Lana renifle plusieurs fois. Au bout de quelques minutes, elle lance sa bombe.

— Il était encore là, couché par terre ! J'ai pris son pouls et j'ai paniqué parce qu'il ne respirait plus. Il était froid. Il était mort ! Quand je te dis que c'est trop tard, Robin, c'est vrai ! Tu comprends ? *Je l'ai tué !*

Le vertige grimpe en moi alors que la chair de poule envahit mes bras. Mon cœur bat plus vite, la peau de mon visage s'échauffe. Mes doigts sont agités de tressautements. Steph a fermé les yeux avec l'air de quelqu'un qui voudrait être n'importe où sauf ici. Derrière elle, le vent hurle contre la fenêtre de la cuisine. Je ne vois que du blanc à travers la vitre. La tempête annoncée s'est finalement présentée... J'aurais dû écouter Steph, j'aurais tellement dû ne pas venir ici et rester à l'école pour couler mon examen en paix !

En souhaitant que tout cela ne soit qu'un mauvais rêve, je demande :

– Dis-moi que c'est une blague, Lana Sarkys ?

– Bien sûr que c'est sérieux ! réplique-t-elle. Pourquoi j'inventerais une histoire pareille ?!

– Où est le corps ?

Lana secoue la tête en silence.

– *Où* est le corps, Lana ?

– Je... je l'ai mis dans le sous-sol.

– Tu n'as pas appelé l'ambulance !

– C'est trop tard !

Je ferme les yeux. Je rêve, c'est impossible que je sois en train d'avoir cette conversation avec Lana ! Toutefois, lorsque je rouvre les yeux, elle est encore en face de moi et la réalité est encore ce qu'elle est. Une vague de nausée me submerge. Il me faut toute la volonté du monde pour ne pas défaillir. Un goût de bile me remplit la bouche.

– Écoute-moi bien, Lana. Tu n'as pas le choix d'appeler la police. Ils...

– Non, je ne peux pas ! Est-ce que tu as compris ce que je viens de te dire ?! *Je l'ai tué !*

– Ils vont comprendre que c'était de la légitime défense !

– Je ne veux pas aller en prison à cause de ce vaurien qui m'a rendu la vie misérable pendant des années ! C'est tellement stupide, tellement injuste !

Je prends ma voix la plus douce, la plus rassurante, même si au fond de moi, mes entrailles sont nouées d'angoisse :

— Plus tu attendras, plus les choses empireront. Tu ne peux pas cacher un cadavre dans ton sous-sol éternellement. Crois-moi, je sais de quoi je parle. Tu dois agir *maintenant*. (je cherche mes mots avant d'ajouter) Je serai là, avec toi. Je resterai à tes côtés, quoi qu'il arrive.

À la suite d'un très long silence, Lana opine de la tête. Je me tourne vers Stéphanie. Elle a la tête couchée entre les bras, sur la table. Elle est immobile.

C'est à ce moment précis que je réalise que je viens de me faire avoir.

Je ravale lentement ma salive en dissimulant mes mains tremblantes sous la table. Je réussis tout de même à articuler ma question sur un ton posé.

— Lana, où sont les toilettes ?

Je la vois se raidir.

— Deuxième porte à ta droite.

— Merci. Quand je reviendrai, nous appellerons la police ensemble. D'accord ?

— D'accord.

Je suis ses indications en conservant une expression neutre. Dans la salle de bains, je referme la porte derrière moi et me précipite sur la cuvette pour vomir. Le malaise ne dure pas longtemps, mais il m'abandonne, faible, sur le plancher. Je touche mon front palpitant. Une sueur glacée me colle à la peau. Je me couche sur le sol, secouée de spasmes involontaires. La réaction a été plus rapide que la dernière fois, elle n'a même pas pris dix minutes avant de se manifester.

Je me trouve stupide. Incroyablement stupide.

Je sors lentement mon téléphone portable de la poche de ma veste. Je dois m'y prendre à trois reprises afin de composer le numéro de Vince sans commettre d'erreur. Ça sonne longtemps, sans réponse.

S'il te plaît, Vince, réponds... S'il te plaît, s'il te plaît ! Ce n'est pas le moment de me bouder...

Le répondeur s'enclenche après un bip. C'est à peine si je ne hurle pas de rage. Je me retiens, je ne vais pas me laisser abattre par l'obstacle. Ce message est peut-être la seule chance qu'il me reste d'assurer ma survie et celle de Steph.

— 3450 St-Andrews, 3450 St-Andrews ! C'est l'adresse de Lana ! Vince, s'il te plaît, dépêche-toi ! Je viens de boire une tisane qui contenait de la « Neige Blanche ». Les effets ont déjà commencé. Appelle un membre de la Confrérie ou fais quelque chose, n'importe quoi ! Et vite ! Nous nous sommes trompés depuis le début. C'est à Lana qu'appartiennent les golems !

Chapitre 29

L'écran de mon téléphone s'éteint brusquement. Ma pile vient de rendre l'âme. Je suis une idiote, j'aurais dû contacter la police à la place de Vince ! Maintenant, je ne peux qu'espérer qu'il prenne connaissance de ses messages dans les plus brefs délais.

Cette cinglée de Lana ! Elle m'a baratiné cette histoire de meurtre et de légitime défense pour laisser le temps au poison d'agir. Elle a dû en verser une quantité industrielle pour qu'il fasse effet aussi rapidement. La nuit de ma mort, les premiers malaises ne sont apparus que plusieurs heures après mon dernier *shooter*. À la vitesse de l'éclair, je repasse en mémoire les événements de cette nuit-là. Tout concorde, tout semble si évident en rétrospective. La façon dont Lana a insisté pour que je ne rate pas la fête, le fait qu'elle soit venue me chercher elle-même à la maison, comment elle m'a convaincue d'abandonner mon cellulaire dans son automobile pour que je ne puisse pas appeler au secours, les deux *shooter* qu'elle m'a offerts en prétendant qu'ils venaient de Zack, l'insouciance qu'elle a montrée lorsqu'il était l'heure de repartir... Ma tête tourne, je ne sais pas si c'est le poison ou l'émotion. Il reste des tas de questions, des pourquoi, des comment. Peut-être n'aurai-je jamais de réponse. Je m'en fiche. Je range mon téléphone dans ma poche. Je me rends soudain compte que je n'entends plus la musique rock.

L'effroi remplace ma nausée.

Steph.

Elle a bu sa tisane au complet !

Si trois gorgées ont cet effet-là sur moi, je n'ose pas imaginer ce qu'une tasse entière lui fera ! Je respire profondément plusieurs fois, puis je parviens à me redresser. Je m'appuie contre le lavabo afin de maîtriser les convulsions qui traversent mes bras et mes cuisses. Le séisme se calme petit à petit, je l'ai bientôt sous mon contrôle. La « Neige Blanche » ne tue pas ses victimes, elle les paralyse. Je n'ai bu que trois gorgées. Trois.

Je peux encore tenir debout.

Je m'avance vers la porte. Je n'ai aucun plan en tête. Juste une pulsion sauvage, qui fait tambouriner mon cœur : le désir, viscéral, de survivre.

S'il te plaît, Vince, écoute tes messages !

Je tourne la poignée en m'y prenant le plus silencieusement possible et... tombe face à face avec Lana.

Elle tient Stéphanie en otage, un couteau de cuisine appuyé sur sa gorge. Les yeux de mon amie d'enfance remuent avec frayeur. Elle est incapable de bouger quoi que ce soit d'autre. Des larmes ruissellent sur ses joues.

Je lève aussitôt les mains en signe de soumission.

– Qui viens-tu d'appeler ? demande Lana.

Ses doigts ne sont pas assurés ; le couteau tremble. La transpiration dégouline sur son nez, ses cheveux collent à son front. Vraiment, je la trouvais belle avant ? Rien ne me paraît plus hideux que son visage, en ce moment.

– La police.

Ses yeux s'écarquillent de panique.

– Sors ton téléphone.

Je ne bouge pas.

– Fais ce que je te dis ou je lui tranche la gorge devant toi !

Je ressors mon appareil en gardant les yeux rivés sur son couteau.

– Dépose-le par terre et envoie-le vers moi d'un coup de pied. Je te conseille de bien viser parce que moi, je ne raterai pas ma cible.

Elle appuie légèrement la pointe de son arme sur la gorge de Steph. J'obéis sans rouspéter. Elle se penche rapidement sans lâcher Steph, attrape le téléphone et l'ouvre avec sa main libre. Elle tape sur quelques touches avant de constater que mon téléphone ne sert plus à rien. Dégoûtée, elle le lance sur le mur. Le rabat se casse en deux et les morceaux glissent sur le plancher. Je m'empresse alors de lui faire savoir :

– J'ai eu le temps d'appeler Vince !

– Ton petit ami n'aura pas le temps d'arriver ici avant que j'en aie terminé avec toi. Il sera coincé dans la tempête.

– Je lui ai dit d'appeler la police.

– Il n'en fera rien. Même si ta vie en dépendait, il ne se risquera jamais à révéler à la police l'existence des golems.

Elle décoche un regard vers l'escalier conduisant au sous-sol. J'entends alors des grognements assourdis, inhumains. Des grognements, qui, quelques minutes plus tôt, étaient masqués par la musique. Je refoule ma terreur.

– C'est le golem qui m'a attaquée la première fois ? dis-je comme si je lui demandais comment allait son chien.

– Oui.

Je poursuis, toujours sur le même ton de conversation anodine :

– C'est le même qui a tué Anna et Jessica aussi ? Celui que tu as envoyé dans le Nord ?

– Ta gueule, laisse-moi réfléchir et n'essaie pas de gagner du temps ! s'emporte Lana d'une voix stridente.

Pour quelqu'un qui a déjà deux meurtres à son actif, elle n'a pas vraiment l'air d'être en contrôle de la situation, même si ladite situation est nettement à son avantage. Qu'est-ce qu'elle attend pour nous envoyer le golem ? Pourquoi a-t-elle pris la peine de nous empoisonner ? On dirait qu'elle n'a jamais fait ça avant...

– Voici le plan, annonce-t-elle enfin. Je n'attendrai pas que le poison te paralyse complètement. J'ai vérifié ta tasse, tu l'as à peine touchée. Tu vas me suivre gentiment jusqu'au sous-sol.

Je garde les deux pieds bien plantés dans le sol.

– J'ai un meilleur plan : négocions.

– Je n'ai rien à négocier avec toi !

– Oui, la vie de Steph ! Relâche-la ! Je ferai tout ce que tu voudras, n'importe quoi, je me trancherai moi-même la gorge s'il le faut ! Elle n'a rien à voir dans tout ça, c'est moi que tu veux !

– Non, tu n'y es pas du tout ! Tu es seulement un hasard qui a mal tourné. Nous n'avions rien de personnel contre toi quand nous t'avons choisie comme victime pour nourrir le golem. Pas au début, en tout cas... Allez, fais ce que je te dis, Robin ! Je ne le répéterai pas une autre fois !

D'un signe de tête, elle me désigne le sous-sol. Nous... qui ça, nous ? Lana aurait donc un ou des complices ? De qui s'agit-il et pourquoi ne sont-ils pas ici avec elle ? Est-ce que ça expliquerait pourquoi elle est tellement nerveuse en ce moment ? Serait-ce la première fois qu'elle agit toute seule ?

Je me dirige vers le sous-sol, les tempes martelées par le vertige. Derrière moi, j'entends Lana qui m'imite, traînant le corps de Stéphanie à sa suite. La descente est interminable. Une odeur répugnante, familière, assaille mes narines. À chaque pas, mes muscles se contractent encore plus. Je trébuche sur la dernière marche et regarde autour de moi, à la recherche du golem.

Il n'est nulle part en vue.

Dans un coin, il y a une machine à laver et un sèche-linge qui ont l'air de ne pas avoir été utilisés depuis des siècles. Le plafond est bas et recouvert de toiles d'araignées ;

des lambeaux de tapisserie décollent des murs, donnant l'illusion qu'un animal sauvage les a lacérés. Une paire de menottes et un bidon d'essence traînent à côté d'un large dessin qui a été brûlé à même le sol. Il s'agit de trois cercles imbriqués l'un dans l'autre. Ça me fait tout de suite penser aux pentacles qu'on utilise dans des rituels de magie noire et un haut-le-cœur me saisit.

Où est le golem ?!

La réponse à ma question ne tarde pas. À côté des appareils ménagers, la poignée d'une porte verrouillée s'agite frénétiquement. Derrière, les grognements du golem augmentent en intensité. Ma terreur n'a pas de nom, elle est si grande qu'elle me fait monter les larmes aux yeux. Lana arrive à mes côtés, avec Stéphanie.

— Il reconnaît ta peur. Ça l'excite.

Le golem grogne encore plus fort, la porte tremble sur ses gonds.

— Tu vois les menottes là-bas ? Va les chercher.

Son couteau menace toujours la gorge de Steph, alors je n'ai pas d'autre choix que de m'exécuter. À mi-chemin, par contre, je m'effondre par terre. Un nuage de poussière s'engouffre dans mes narines et je manque d'éternuer.

— Robin ?

Je ne réagis pas, ne réponds pas. Lana hésite et appuie le corps de Steph contre le montant de l'escalier. Elle s'avance vers moi, le couteau bien en vue. Elle me tâte du pied à plusieurs reprises.

– J'ai mal estimé la dose de « Neige Blanche » que tu as bue, murmure-t-elle en rangeant son arme dans son pantalon.

Elle glisse ses mains sous mes aisselles pour me remorquer jusqu'à la machine à laver. Elle s'agenouille devant moi, de sorte que je puisse la regarder dans les yeux. Jamais je n'ai ressenti autant de haine envers quelqu'un, une haine si puissante qu'elle enflamme chacun de mes nerfs en plus d'aggraver le vertige causé par le poison.

– Je suis désolée, Robbie, chuchote-t-elle alors qu'une mèche de ses cheveux s'écarte mollement de son œil tuméfié. Je n'avais pas le choix. Je *dois* nourrir le golem avec ton sang. C'est la seule façon de m'en débarrasser.

La porte close est agitée de coups violents : la créature se déchaîne. La peur se lit dans les yeux de Lana. Elle s'empresse d'aller chercher les menottes qu'elle m'a ordonné de récupérer plus tôt.

– S'il n'en tenait qu'à moi, poursuit-elle en revenant à mes côtés, j'aurais abandonné l'idée de te tuer depuis ta résurrection. Je t'aimais bien, au fond... Mais après avoir découvert que tu étais une Gitane, Zack m'a expliqué que le seul moyen de couper le lien avec le golem était de te tuer. Toi.

Zack ! Il est donc bel et bien dans le coup depuis le début ! C'est lui le complice de Lana !

– Brûle en enfer, Lana, dis-je en détachant chaque syllabe.

La surprise de m'entendre la laisse pantoise. Je suis plus rapide qu'elle. Je lui assène un coup de tête sur le front. Une douleur explosive se répand dans mon crâne pendant qu'elle tombe sur le côté en poussant un cri. Je vois des étoiles partout. Aveuglée de douleur, j'essaie de cligner des yeux sans sombrer dans l'inconscience. *Pense à Steph. Tu dois la sortir d'ici.* Avec beaucoup de difficulté, je me relève. Devant moi, Lana se masse le front en gémissant.

– J'aurais dû me douter que tu faisais semblant ! beugle-t-elle. Je vais te tuer !

Je me jette sur Lana tandis qu'elle se démène pour retirer le couteau de son pantalon. La collision la propulse contre le mur. Je reçois un coup de couteau à l'épaule ; la douleur est instantanée, mais pas assez importante pour que je m'en préoccupe. Je frappe son visage. Elle me repousse loin d'elle. Ma tête heurte le plancher et ma vision devient trouble pendant quelques secondes. Je vois ensuite Lana s'élancer vers moi, arme blanche en main, une expression démente sur le visage.

J'attrape la première chose que ma main trouve par terre – le bidon d'essence – et le lui lance en pleine figure. Elle n'a pas le temps de l'éviter, le bouchon saute et une giclée de carburant l'éclabousse avant de se déverser sur le plancher. Lana reprend son équilibre, son couteau traçant des arcs de cercle au hasard dans le vide. Je me précipite à sa rencontre, évite de justesse de me faire égorger et j'attrape son poignet pour le tordre. Un cri étranglé lui échappe. Je continue jusqu'à ce que le cri se transforme en hurlement de pure douleur et que j'entende la cassure d'un os. Son arme tombe sur le sol. Je lui donne un coup de pied dans le genou gauche et sa rotule cède aussi facilement que si j'avais frappé le loquet d'un jouet d'enfant. Lana s'écroule par terre avec un autre hurlement. Elle essaie de s'enfuir en rampant, mais sa jambe est fichue. Je ramasse les menottes et je l'attache contre la tuyauterie, juste à côté de la machine à laver. Je saisis ensuite le couteau pour le presser contre sa gorge. Lana ne bouge

448

plus, des larmes (des vraies, cette fois) remplissent ses yeux. Derrière nous, le golem devient hystérique. La porte va bientôt craquer, mais je l'ignore pour l'instant.

– J'ai quelques questions pour toi, Lana. Et tu as intérêt à y répondre.

Chapitre 30

L'odeur d'essence s'infiltre dans mes narines. Ma respiration est sifflante. Mon combat avec Lana a épuisé le peu d'énergie qui me restait. Si je ne me dépêche pas, la paralysie aura bientôt raison de moi.

— Tu as exactement trois minutes pour tout m'expliquer !

— Va chier ! grince-t-elle, les lèvres tremblantes.

— Deux minutes et cinquante-neuf secondes, dis-je froidement.

— Je ne te dirai rien !

J'écrase la pointe du couteau sur sa jugulaire, exactement comme elle l'a fait à Steph, bien que dans mon cas, je réussis à faire perler une goutte de sang. Les geignements de Lana ne parviennent pas à me satisfaire. Je veux lui faire *mal*, je veux qu'elle paie pour tout ce qu'elle m'a fait vivre !

— J'avais confiance en toi ! J'étais prête à t'aider !

— Arrête... Robbie ! J'ai mal !

– Tu crois que ça vaut une seule seconde de ce que j'ai vécu avec ton golem ? Le sang que j'ai perdu, la terreur que j'ai eue, la façon dont il m'a ouvert le ventre, comment il s'est mis à me dévorer par la suite ?

Je hurle sans m'en rendre compte. Je lâche le couteau et agrippe deux de ses doigts, que je casse d'un geste sec et précis. Je recule ensuite, à la fois enragée et révulsée par ce que je viens de faire.

Il n'y a rien de plus dangereux que le courroux d'une Gitane...

Un rire hystérique s'évade de mes lèvres ; je le réprime tant bien que mal. Le visage de Lana est littéralement vert. Elle a fermé les yeux et mordu sa lèvre inférieure jusqu'au sang. L'odeur d'essence ne parvient pas à camoufler complètement celle du sang. Je recule encore, écœurée à l'idée de m'abreuver de cette folle.

– Je n'avais pas le choix, Robbie, sanglote-t-elle.

Ses bêlements ne me font ni chaud ni froid. Je parle par-dessus ses pleurs :

– Pourquoi Zack et toi m'aviez-vous choisie comme victime ?

– C'était un hasard ! hoquète Lana. Tu étais à côté de moi en maths, à la rentrée...

– Tu parles d'un hasard ! Pourquoi tu as fait ça ? C'était un jeu entre vous ? « Tuons toutes les filles de notre école en deux mois, yeah ! »

Je fais les cent pas devant elle, hors de moi.

– Non, non, tu ne comprends pas, je *dois* nourrir mon golem ! braille Lana en agitant la tête dans tous les sens. Si je ne le fais pas, je m'affaiblis et il devient incontrôlable...

– C'est simple ! Débarrasse-toi de lui !

– JE NE PEUX PAS FAIRE ÇA, QU'EST-CE QUE TU CROIS ?! hurle-t-elle d'une voix stridente qui trahit son impuissance.

Une pensée me traverse l'esprit. Je m'avance vers elle d'un pas décidé. À mon approche, Lana se replie sur elle-même. J'écarte ses cheveux gluants d'essence et j'examine le tatouage sur sa nuque.

Un tatou hébreu...

– Tu as tatoué son sceau sur ton cou !

Je relâche sa tête, incrédule. Je n'ai jamais fait le lien... alors que j'aurais pu ! J'avais l'évidence sous les yeux tous les jours, à l'école !

– Qu'est-ce que ça signifie ? Réponds !

– Ça signifie que nous ne faisons qu'un, que je vis à travers lui, qu'il vit à travers moi. Si je ne le nourris pas, il se déchaîne et je m'affaiblis. Si je le nourris, il se calme et je reprends mes forces.

– Donc, la seule façon de s'en débarrasser, c'est d'arracher son sceau. Te tuer, en fait.

Ses yeux s'agrandissent. Pendant un moment, je considère l'idée de lui enfoncer le couteau dans le cœur. Lentement, très lentement, pour la faire souffrir au maximum, pour lui donner un aperçu de ce que c'est, mourir dans l'agonie. Mais je sais que si je fais ça, je ne pourrai plus jamais me regarder en face par la suite. Je suis une Gitane, une Maudite, mais pas une meurtrière.

Je reprends, sans cligner des yeux :

— C'est pour ça que tu étais en pleine forme, après la mort de Jessica James ; tu venais de nourrir ton golem. Qu'est-ce que t'es bête, Lana. Dans quoi tu t'es laissée embarquer ? C'est Zack qui t'a convaincue de créer ce golem et de ne faire qu'un avec lui ?

— Oui. Je ne savais plus quoi faire du corps alors il m'a dit...

Je l'interromps, confuse :

— Du corps ? Quel corps ?

— Celui de mon père.

— Quoi ?!!

— Tu crois que je mentais tout à l'heure ? (elle se démène contre ses menottes) C'est arrivé pour *vrai* ! J'ai vraiment tué mon père ! C'est lui le golem ! C'était un accident ! En juillet dernier...

Elle couine un son qui se situe entre un gémissement et un grognement ; dans son emportement, elle a remué la jambe dont j'ai cassé le genou. De nouvelles larmes se mêlent aux éclaboussures d'essence qui tachent ses joues.

— C'est impossible ! Quelqu'un aurait remarqué depuis longtemps que ton père est devenu un golem !

454

– Pas tant qu'il est rassasié, halète Lana en cessant de bouger. Il a l'air tout à fait normal quand il vient de se nourrir. Il reste à la maison, il répond à la porte si quelqu'un sonne, mais il ne peut pas parler... C'était un vaurien qui ne travaillait déjà pas avant, alors personne n'a vu la différence. Les effets du sang ne durent que deux semaines. Après, il perd de plus en plus son apparence humaine. J'ai passé la fin du mois de juillet enfermée à la maison, pour le surveiller, et aussi parce que j'étais trop faible pour sortir.

– C'est là que tu as sacrifié la vie d'Anna.

Lana me dévisage avec un mélange de désespoir et de cynisme.

– La mort d'Anna était aussi un accident ! Elle a remarqué que je n'assistais plus aux cours de théâtre, que j'évitais de sortir avec elle et sa bande. Elle a décidé de se pointer ici sans m'avertir ! Je ne savais pas, à ce moment-là, que mon tatou mélangeait mes forces vitales avec celles du golem, je ne savais pas non plus qu'il fallait le nourrir pour le contrôler ! Anna a forcé l'entrée quand j'ai essayé de lui bloquer l'accès. Il... il s'est jeté sur elle et l'a tuée sous mes yeux.

Elle crache un rire jaune qui ressemble plutôt à un sanglot.

– Zack non plus ne savait pas qu'il fallait le nourrir, ajoute-t-elle comme si elle ne pouvait plus s'empêcher de parler maintenant. Quand je l'ai appelé en panique après la mort de mon père, c'est la solution qu'il m'a proposée pour cacher mon acte. Il m'a montré toute la procédure, comment utiliser et invoquer les bons cercles (mon regard dévie rapidement sur les dessins brûlés sur le plancher), les formules, les accessoires nécessaires... C'est lui aussi qui a décidé de nous débarrasser du corps d'Anna en imitant le mode opératoire du Tueur Fou.

— Et justement, où est ce crétin de Zack, en ce moment ?

— Je ne sais pas ! Ses frères le punissent parce qu'il refuse d'avouer que le golem m'appartient. Je ne serais pas ici s'il l'avait fait...

J'écarquille les yeux.

— Alors, tu es au courant de l'existence des Maudits et de la Confrérie ?!

— Oui.

— Et c'est bien toi qui as envoyé les deux golems dans le Nord, au chalet ?

— C'était ma dernière solution ! J'étais devenue trop faible pour sortir de chez moi et chaque fois que j'ai envoyé mon père chez toi, il revenait toujours les mains vides. Je n'ai jamais compris pourquoi. J'ai alors essayé autre chose, j'ai capturé un chien et je l'ai transformé en golem, me disant que celui-là pourrait aider le premier... et quand j'ai appelé chez toi et que j'ai su que tu partais pour le Nord, j'ai cru que c'était l'occasion parfaite, qu'en étant éloignée de chez toi, tu devenais vulnérable.

J'ai de plus en plus de difficulté à tenir sur mes jambes à cause du poison : rester debout requiert à présent un effort surhumain. Je dois poser les bonnes questions, avant de ne plus en avoir la force.

— Pourquoi mon sang de Gitane aurait-il coupé le lien qui vous unit, ton golem et toi ?

— Tes pouvoirs te permettent de guérir rapidement, non ? riposte Lana. S'il boit ton sang, peut-être que ça aurait annihilé notre lien et que je n'aurais plus jamais besoin de le nourrir !

Je répète, outragée :

– Peut-être ?! Donc, tu n'en es même pas *sûre* ? Tu t'es acharnée sur moi alors que tu n'as aucune idée du résultat !

– Je te rapporte seulement les déductions de Zack ! Je suis désespérée, Robin, je suis prête à faire n'importe quoi !

Elle secoue la tête en se laissant emporter par ses sanglots. Un craquement sonore se fait entendre. Je bondis sur mes pieds et me retourne. Un des bras du golem a traversé la porte de la pièce dans laquelle il est emprisonné. Sa main griffue cherche furieusement la poignée.

– LANA ! Ordonne-lui de se calmer !

– Tu crois que ça va changer quelque chose ? Je ne peux PAS le contrôler quand il a faim ! C'est pour ça que j'ai cet œil au beurre noir !

Je range le couteau dans mon manteau et me précipite sur Stéphanie. Je la tire avec moi dans les escaliers. Son corps pèse une tonne dans mes bras et mes muscles sont affaiblis par la « Neige Blanche ». Je serre les dents et canalise toutes mes forces dans mes bras et mes jambes. Étourdie, je parviens à monter l'escalier, mais je sais que je n'aurai pas le temps ni la force nécessaire de me rendre à l'extérieur, ni même dans le vestibule.

J'hésite pendant une fraction de seconde.

Puis, je décide de cacher Steph dans la penderie. J'étends son corps par terre, j'écarte une mèche de ses cheveux sur

457

son front. Ses yeux remplis de frayeur me questionnent. Je baise ses joues fiévreuses très, très doucement.

— Je t'aime, Stéphanie Cooper.

Je referme la porte du placard et titube jusqu'à la cuisine tout en retirant le couteau de mon manteau. À deux reprises, je tombe. Après la deuxième fois, je dois ramper jusqu'au comptoir. Mes jambes donnent l'impression d'avoir été plâtrées. Mes cheveux sont inondés de sueur. La respiration courte, je me juche sur le comptoir de la cuisine à l'aide de mes bras. Mes jambes sont définitivement hors d'usage, mais le haut de mon corps possède encore une certaine mobilité. En bas, j'entends une porte propulsée contre le mur et le cri de Lana.

Je sais que je vais mourir, mais je ne partirai pas sans me battre. Contrairement à la dernière fois, je suis prête, je n'ai plus peur. Je ne sais pas d'où me vient cette soudaine bravoure. C'est peut-être à cause de Steph, dont la vie compte plus que la mienne en ce moment, à mes yeux. Quand le golem en aura fini avec moi, il sera trop affaibli ou rassasié pour dévorer Stéphanie. Du moins, je l'espère de tout mon cœur.

Je lève le couteau, en attente. Ma main ne tremble pas.

Le golem franchit la porte menant au sous-sol. Il renifle l'air avec ses narines immenses et semble hésiter entre mon odeur et celle de Steph.

— Je suis ici, espèce de retardé ! ICI !!!

Il charge dans ma direction.

J'entends alors la porte d'entrée claquer, des pas puis la voix d'un homme.

– VINCE ! DANS LA CUISI...

La créature me percute de plein fouet. Je chute sur le plancher et ma tête rate de quelques centimètres le bord de la table. Ma vision flanche mais pas ma main. Je plante le couteau dans le torse du golem. Il lacère mon visage en rugissant comme un forcené. Je sens ma peau s'arracher là où ses griffes me déchirent, m'étouffant presque de douleur. Ses crocs se plantent dans mon ventre, il mord et ne lâche pas prise. Je ne peux plus crier. Le sang coule abondamment sur mes paupières, je ne vois presque rien à part cette silhouette sur le seuil de la cuisine.

– Vin... ce... gnfhh...

Le golem cesse tout à coup de s'acharner sur moi, comme si une force invisible lui ordonnait de reculer. Il s'éloigne de mon corps ensanglanté et reste debout, parfaitement immobile. Des pas se rapprochent, je vois des cheveux blonds. J'essaie de parler mais je n'y parviens pas, je suis complètement paralysée. Je bats des paupières pour essayer de le remercier du regard et alors, je...

Chapitre 31

Je reprends soudain conscience.

Je suis couchée dans un lit inconnu dont les draps embaument le citron. Je cligne des yeux en me redressant lentement. Malgré mes précautions, une douleur fulgurante poignarde mes tempes et mon abdomen. Tout devient noir.

Lorsque je me réveille à nouveau, je n'ai pas changé de place. Je bouge avec précaution, ne voulant pas répéter la même erreur. Je touche mon ventre. Mes doigts effleurent une large blessure cicatrisée. Ma main remonte et palpe mon visage. Trois autres balafres sont en train de guérir là aussi.

Je regarde autour de moi. Derrière la grande fenêtre, à ma droite, le ciel commence à s'éteindre. Il y a une veste de cuir sur le dossier d'une chaise, face à un bureau spacieux croulant sous les livres et les papiers de toutes sortes. Un casque de moto sur la commode. Il me faut un certain temps avant de comprendre que je suis dans la chambre de Vince.

La porte s'ouvre justement sur ce dernier, sa sœur et son cousin. Les cheveux de Vince sont plus ébouriffés que jamais.

Ses yeux sont rougis et cernés par la fatigue. Sa joue gauche est gonflée et presque bleue.

— Robbie ? Tu es réveillée ?

Je tends la main vers lui. Il la prend aussitôt, se penche vers moi et m'embrasse. Entre deux baisers, je murmure en souriant :

— Tu m'as encore sauvé la vie...

Il ne me rend pas mon sourire, mais il saisit délicatement mon visage entre ses mains.

— Ne me refais plus jamais ça, Robin Gordon ! dit-il d'une voix rauque. Tu m'entends ? Ne disparais plus jamais comme ça !

— Je... hein ?

Les derniers événements me reviennent brutalement en mémoire. Alarmée, j'écarte les doigts de Vince de mon visage et je débite les questions suivantes dans un flot de panique :

— Où est Stéphanie ? Que s'est-il passé avec le golem ? Et Lana ?!

— C'est à nous de te poser ces questions, Robin. Tu es portée disparue depuis sept jours, réplique Phoebe qui, appuyée contre le mur, les bras croisés, évite soigneusement de me regarder droit dans les yeux.

— Quoi ? C'est impossible ! Tout ça s'est passé cet après-midi !

— Non, insiste Phoebe. Nous t'avons retrouvée aujourd'hui, inconsciente, pas très loin du canal.

462

– La police est encore à ta recherche, renchérit Vince avant que je ne puisse placer un mot. Tout le monde pense que tu as fugué après l'incendie chez Lana. Ta famille désespère de te retrouver...

– L'incendie ? Quel incendie ? Et qu'est-ce qui leur fait croire que j'ai fugué ?

Vince fouille dans sa poche, en retire une feuille de papier et me la tend. Je m'en empare, pleine d'appréhension. Je n'ai pas besoin de lire plus que la première ligne de la photocopie pour en reconnaître le contenu.

– C'est la lettre que j'ai écrite à mon père et Thierry, avant d'aller à la réunion de la Confrérie ! J'avais complètement oublié. Je l'avais laissée dans mon tiroir... Mais je n'ai pas fugué !

– Calme-toi et raconte-nous ce qui s'est passé chez Lana, réclame Vince. Nous t'expliquerons le reste quand tu auras terminé.

Je ravale ma salive, puis je leur résume l'après-midi tumultueux que j'ai vécu : l'accueil bizarre que Lana nous a réservé, les tasses de tisanes, mon malaise qui a trahi la présence du poison, les confessions de Lana au sujet de son père devenu golem...

– C'est la première fois que j'entends parler d'un sceau tatoué sur un maître, intervient Nigel. C'est normal que nous n'ayons pas songé à cette possibilité. Quelle était la nature exacte de la relation entre Zack et cette Lana ? Elle te l'a dit ?

– Non et sincèrement, je m'en fiche ! Tout ce qui m'importe, c'est l'état de Steph ! Où est-elle ?

La main droite de Vince serre la mienne.

– Je sais, Robin. Je sais. Reste calme. Nous devons clarifier tout ça le plus rapidement possible.

Je suis son conseil et j'essaie de dominer mon affolement.

– Donc, reprend Nigel, on peut déduire que Zack et Lana se fréquentaient déjà avant la mort de monsieur Sarkys. Lana n'était pas une Maudite, mais elle était au courant de notre existence. Soit Zack lui avait tout confié, soit elle était membre de leur secte. Ça revient au même. Elle n'a pas fait allusion au Cercle de Damaküs ?

– Non... Enfin, je ne m'en souviens plus (je remarque alors qu'il parle de Lana au passé et je m'interromps). Vince, qu'est-il arrivé à Lana ?

– Elle est morte dans l'incendie, m'apprend-il. Il y a eu un feu chez Lana. Quand je l'ai appris, j'ai écouté mon répondeur et c'est à ce moment-là que j'ai compris que tu étais allée chez elle.

– Attends...

– Lorsque nous sommes arrivés sur les lieux, la maison était complètement détruite, me coupe Phoebe.

– Mais...

– Tu n'étais pas dans les débris, alors tout le monde a présumé que tu avais fugué, surtout après la découverte de cette lettre dans ta chambre, poursuit Vince.

– Toi, de ton côté, tu as d'abord cru que les Bronovov l'avaient enlevée, précise sèchement Nigel.

Par réflexe, Vince touche sa joue bleue et tuméfiée. Son regard se noircit de haine.

— Je n'ai pas encore dit mon dernier mot à Seylav Bronovov, déclare-t-il froidement.

— Nous l'avons retrouvée, ta Gitane ! rétorque Phoebe. Ce n'est pas le moment de déclencher une guerre de clans alors que la Trêve ne tient qu'à un fil ! Zack est déjà dans de beaux draps ! Il s'est rendu coupable de parjure en affirmant qu'il n'avait rien à voir avec le golem !

— Les preuves ont été éliminées dans l'incendie, Phibbs ! riposte Nigel. Cette Lana et son golem étaient les seules chances d'inculper Zack qui s'est volatilisé depuis la réunion à Montréal ! Sans preuves, personne ne croira la parole d'une Gitane contre celle d'un des Confrères, Bronovov ou pas !

— Sauf si elle nous livre des informations pertinentes, proteste Phoebe.

— C'est important que tu te souviennes du reste, Robin, dit Vince en reportant son attention sur moi (sa voix s'adoucit). C'est toi qui as mis le feu ?

— Je ne sais même pas de quel incendie vous parlez !

Je passe en revue les dernières scènes : moi dans la cuisine, un couteau à la main... le golem qui me plaque au sol... l'intervention de Vince... puis plus rien, à part mon réveil dans son lit.

— Tu étais là, Vince. Tu es arrivé...

— Non, m'interrompt-il en secouant la tête. Le feu avait déjà ravagé la maison de Lana quand j'y suis allé avec Nigel et Phoebe.

— C'est impossible, je n'ai pas pu...

– Tu ne te rappelles pas du reste ?

– Non !

Les images se mélangent, je ne suis plus tout à fait sûre de mon récit. Est-ce que j'ai réellement vu Vince ? Je suis peut-être *disparue*, comme au chalet, mais cette fois-ci pendant une semaine complète. Je n'y crois pas vraiment ; il me semble que je l'aurais senti, exactement comme dans le Nord. Et ce supposé incendie ! Il est fort possible que j'en sois la cause : en apprenant que ma mère s'était suicidée, j'ai bien mis le feu à ses effets personnels, non ? Et puis, Lana était quasiment imbibée d'essence après notre lutte !

– Demandez à Steph. Elle a peut-être une idée de ce qui s'est réellement passé. Elle était dans le placard, mais peut-être que...

Un silence prolongé accueille mes paroles. Aucun des trois Salmoiraghi n'ose rencontrer mon regard. Je me redresse sur le lit, remplie de colère. J'ignore le vertige que ce mouvement entraîne.

– Vous lui avez implanté de faux souvenirs ? Vince ! Tu sais très bien ce que je pense de ça ! Elle a le droit de comprendre ce qui lui est arrivé ! Vous auriez pu faire une exception ! J'en ai marre, je n'en peux plus de cacher tout ce que...

– Nous n'étions pas sur les lieux, Robin, insiste Vince en frottant tristement ses doigts sur ma main.

Nigel quitte brusquement la pièce. Phoebe l'imite, non sans murmurer avant de sortir :

– Je suis désolée, Vince. Je ne peux pas... je ne peux même pas la regarder en sachant que... (elle déglutit) Tu dois le faire tout seul.

Elle referme rapidement la porte derrière elle. Les yeux de Vince se remplissent de larmes. Un grand froid m'envahit lorsque je comprends que ce n'est pas la fatigue qui a rougi ses yeux. Je veux retirer ma main de son emprise, mais il resserre ses doigts en percevant ma tentative.

– Robin, je suis désolé...

– Non, Vince, NON !

– Hier matin, la police a identifié les corps récupérés après l'incendie...

– Chut ! Tais-toi ! Ne dis plus rien !

– Ils en ont trouvé trois. Lana, son père et...

Il déglutit avant de baiser doucement la paume de ma main assaillie de tremblements.

– ... et Stéphanie.

Je ne sais pas comment je suis rentrée à la maison. C'est peut-être Vince qui m'a raccompagnée ou papa est venu me chercher. Thierry et lui me serrent dans leurs bras, soulagés de me revoir. Ils ne m'engueulent même pas. Ils tentent de parler avec moi, de comprendre les raisons de ma « fugue », mais je reste muette. De toute façon, je ne saisis pas un seul mot de ce qu'ils disent. Ça me rappelle les épisodes de *Charlie Brown*, quand ils sont à l'école et que leur prof fait « Bwabwabwa » en guise de dialogue. C'est la même chose que j'entends lorsque papa et Thierry me parlent. Au final, ils décident de me laisser tranquille pour la soirée. Ni l'un ni l'autre ne mentionnent le nom de Stéphanie.

Je suis maintenant assise sur mon lit, dans le noir, et je ne ressens rien.

Rien du tout.

Pas de colère. Pas de culpabilité. Pas d'affliction. Je fixe le plafond de ma chambre. Je voudrais comprendre pourquoi je me sens vide, je devrais être effrayée par ce manque de réaction, mais justement, ça ne me fait rien. En m'annonçant la mort de Steph, Vince a aspiré mon âme dans un trou noir. Je suis un corps, c'est tout. Je pense, je suis mais je ne vis plus. Tout est très lointain. Lana, le golem, Zack... Ils appartiennent maintenant à une autre galaxie. Je tournoie toute seule dans mon propre univers. Je flotte dans le néant absolu.

La nuit tombe. Vince cogne à ma fenêtre mais je ne réponds pas ; je continue de fixer le plafond sans remuer un poil. Même l'amour ne me fait plus frémir. Il finit par comprendre le message. Il reviendra demain, le surlendemain aussi. Il recevra la même réponse. Une part de moi, détachée, analyse la situation, s'interroge sur la cause de cet état flegmatique. L'autre part la regarde faire.

Je me couche, ferme les yeux, dors un peu, me réveille.

Elle est là et elle m'observe. Ma mère.

Je ne frissonne plus devant son regard glauque ni devant son expression ténébreuse. Je me demande même pourquoi j'ai eu peur d'elle, avant. Elle n'est rien d'autre qu'un cadavre décrépi qui porte les traits de ma mère.

Je change de position pour ne plus l'avoir dans mon champ de vision.

— Va-t'en, dis-je platement.

Son râle me répond. Une phrase de Lana refait surface dans ma mémoire.

Chaque fois que j'ai envoyé mon père chez toi, il revenait toujours les mains vides.

Tout à coup, les choses s'éclaircissent. Ma mère se postait sous ma fenêtre tous les soirs pour veiller sur moi. Elle m'a protégée d'Anna, de Jessica et du golem de Lana. Comment ai-je pu croire une seule seconde qu'elle me voulait du mal ?

Je ne sais pas quoi en penser. Je me surprends à ne pas ressentir une once de gratitude. Rien. Rien qu'un vide immense. Je me retourne pour la regarder et je chuchote :

– Je ne sais pas pourquoi tu t'es suicidée. Je ne suis pas encore prête à te le pardonner. Un jour. Peut-être. Pas aujourd'hui. Je peux seulement te jurer une chose. Je découvrirai pourquoi tu as fait ça. Je te libérerai de ta condition d'âme errante. Pour l'instant, s'il te plaît, *va-t'en.*

Elle recule d'un pas. Son corps se désintègre petit à petit, comme un dessin que l'on efface ; elle abandonne ainsi ma chambre.

Pour l'instant.

Épilogue

... je vois des cheveux blonds. J'essaie de parler, mais je n'y parviens pas, je suis complètement paralysée. Je bats des paupières pour essayer de le remercier du regard et je remarque alors que l'homme penché au-dessus de moi n'est pas Vince. Il est plus grand, plus musclé et beaucoup plus blond que lui. Il porte une veste kaki et des gants de cuir. Son visage m'est familier, mais avant que je puisse le replacer, il se détourne et regarde le golem. Ce dernier fait quelque chose d'incroyable : il s'agenouille devant l'homme comme si ce dernier le lui avait ordonné.

L'étranger quitte ensuite la cuisine. Le golem ne bouge pas d'un pouce. Je tâche de me souvenir... cette grande stature, cette expression blasée, ces cheveux presque blancs... Ce qui m'effraie le plus, c'est que je n'ai pas entendu les battements de son cœur. C'est la première fois que ça m'arrive depuis ma résurrection. C'est comme s'il n'en avait pas, comme s'il était déjà mort. Je n'ai pas le temps de m'interroger davantage sur la question, car Lana pousse soudain un hurlement à glacer le sang.

« NON ! NON ! S'IL VOUS PL... »

Son hurlement s'éteint dans un gargouillement. Presque aussitôt, le golem s'écroule par terre, devant moi. Il reprend sa forme originale, sa gueule se transforme en bouche, ses oreilles rapetissent, ses prunelles retrouvent leur couleur normale. Le père de Lana. La panique m'envahit. Lana vient de mourir ! Qu'est-ce qui se passe ? Qui est cet homme surgi de nulle part ?

Une odeur de brûlé me monte aux narines. Bientôt, j'étouffe. De la fumée provenant du sous-sol se répand dans la maison. L'homme revient dans la cuisine, un bidon d'essence dans les mains. Il en verse le contenu sur le plancher et sur le golem, puis il s'avance vers moi en agitant distraitement un paquet d'allumettes. Sans un mot, il me juche sur son épaule aussi facilement que si j'étais une poupée de chiffon. Mon inertie me fait monter des larmes de rage aux yeux. Il fait une chaleur épouvantable. Des flammes lèchent la porte du sous-sol en crépitant. Le feu s'embrase aussi dans la cuisine après que l'homme a lancé une allumette dans l'immense flaque d'essence. Indifférent, il enjambe ensuite les flammes et s'engage dans le vestibule.

Steph. Steph ! STEPH !

Je veux hurler, me débattre, lui faire comprendre que ma meilleure amie est encore dans le placard. Pas un son, pas un geste : je demeure impuissante, je ne peux rien faire ! NON, NON, NOOON !!!

Il ouvre la porte d'entrée. Une rafale de neige s'engouffre dans mes cheveux et dans mon manteau. Il s'avance vers une Jeep noire aux vitres teintées. Je suis balancée sans aucune délicatesse sur la banquette arrière. L'instant d'après, le véhicule démarre. Je ne sais pas combien de temps nous roulons. Quinze minutes, moins, plus, je n'en ai aucune idée. La dernière image de Stéphanie, couchée sur le dos, immobile, les yeux exorbités de terreur, ne cesse de hanter mon esprit. Je pense à tous ces instants que j'ai partagés avec Lana alors que j'aurais pu être avec Steph... Steph qui explose de rire quand ce n'est jamais le bon moment, qui adore se chamailler avec moi pour des broutilles, qui emprunte mes vêtements sans jamais me les remettre... La douleur dans ma poitrine est insoutenable. Je me rends alors compte de ce que j'ai fait.

472

J'ai tué ma meilleure amie.

La Jeep s'arrête. Je suis à nouveau perchée sur l'épaule de mon ravisseur. Je ne vois pas où nous nous dirigeons, je ne vois que le sol. Il entre dans une demeure au plancher poli, qui m'est également familier. Il descend une série de marches. Une ampoule est allumée dans la pièce où nous aboutissons. Il pousse une boîte du bout de sa botte. Une trappe est dissimulée dans le plancher. Sous la trappe, encore un escalier. Il fait froid. Nous avançons le long d'un corridor étroit qui s'enfonce dans les profondeurs du domicile, s'étend peut-être au-delà de celui-ci. Le passage s'élargit, s'éclaircit. L'homme me laisse tomber par terre comme un vulgaire sac de patates. Mes pensées se bousculent, mon imagination s'affole. Je suis dans une salle de torture et il a l'intention de me séquestrer ! Il m'a secourue du golem de Lana pour pouvoir me torturer lui-même ! Incapable de me relever, je reste face contre terre, mais j'aperçois ses jambes qui s'éloignent.

Il m'a abandonnée.

Seule.

Des minutes, des heures peut-être, s'écoulent. Des picotements traversent mon corps. Je décide de ne pas bouger même si je peux maintenant remuer tous mes membres. Je distingue des sons au loin. Cette fois, je vois trois paires de jambes du coin de l'œil, dont l'une semble avoir de la difficulté à marcher.

« Qu'est-ce que tu nous as ramené là ? »

Un frisson me parcourt de la tête aux pieds. La voix que j'ai entendue est grave, puissante. Je la reconnais aussitôt. Elle n'a pas changé depuis ma première rencontre avec son propriétaire, lors de l'assemblée de la Confrérie.

« La Gitane », répond une autre voix, nouvelle celle-là.

473

Quelqu'un se penche vers moi. Je croise le regard de Damien Bronovov. Ses yeux, plus foncés que ceux de Zack, renferment aussi plus de caractère. Ses doigts effleurent ma joue ensanglantée.

« Tiens donc..., murmure-t-il de sa voix sulfureuse. Si je m'attendais à ça... Robin Gordon, dans les quartiers généraux du Cercle de Damakiis. »

Il tourne la tête vers son frère.

« Où l'as-tu trouvée ? Chez la protégée de cet idiot ? »

L'autre ne dit rien, mais je perçois son acquiescement. Damien Bronovov me redresse avec précaution. Je n'arrive pas à détourner mon regard du sien.

« Dire que je souhaitais justement t'offrir une petite visite surprise, la Gitane... »

Il rit doucement.

« Laisse-moi d'abord m'excuser des inconvénients qu'a pu te causer Lana Sarkys. Nous ne savions pas qu'elle était la détentrice du fameux golem avant aujourd'hui : mon plus jeune frère refusait de nous révéler son identité. »

Il me sourit comme si nous étions des amis de longue date.

« Je dois aussi m'entretenir d'un sujet délicat avec toi. Quand je t'ai vue lors de la dernière assemblée de la Confrérie, j'ai été frappé par ta ressemblance avec une autre Gitane que j'ai connue il y a quelques années. Elle était aussi membre de notre Cercle. Il s'agissait de ta mère, Robin. »

Je tente de me convaincre qu'il ment, qu'il souhaite seulement me confondre. Mais comment pourrais-je résister à sa voix si persuasive ? D'ailleurs, que sais-je du passé de ma mère ?

« *Malheureusement, continue Damien Bronovov, son ascension au sein du Cercle et ses nouvelles responsabilités l'ont effrayée. Elle a pris la fuite. La lâcheté est un acte impardonnable, pour nous. On n'en sort pas sans en payer le prix de sa vie. La seule exception à ce genre de trahison fut ta mère. Nous ne l'avons jamais retrouvée... jusqu'à tout récemment, à travers toi.* »

Je ne veux pas entendre la suite, je ne veux pas entendre la suite !

« *La dette de ta mère t'incombe maintenant, Robin. Voici ce que je te propose : j'échange ta vie contre ton adhésion dans notre Cercle. Si tu acceptes, je t'offrirai des richesses que ce monde matériel ne pourra jamais te donner. Si tu refuses, ton corps disparaîtra à jamais de la ville et, à la même heure demain, Thierry mourra aussi.* »

Entendre le prénom de mon frère sortir de la bouche de cet étranger me foudroie de la tête aux pieds. Je lis dans ses yeux le sérieux de sa menace. J'ai déjà perdu Stéphanie, je ne pourrais jamais, jamais, jamais perdre mon frère. Désespérée, j'éclate en sanglots et je perds toute dignité. Mes mains agrippent le col de sa chemise.

« *S'il vous plaît, ne touchez pas à mon frère ! Je ferai tout ce que vous voudrez, absolument tout !* »

Les doigts de Damien Bronovov essuient mes pleurs, presque tendrement, de la même façon qu'on consolerait une enfant terrorisée.

« *Entre dans le Cercle et il sera épargné.* »

« *Qu'attendez-vous de moi ? Qu'est-ce qui vous garantit que je ne vous dénoncerai pas à la Confrérie ?* »

Il caresse mes joues et s'incline encore davantage. Derrière lui, son frère émet un ricanement.

« Concernant ton rôle, tu le sauras en temps et lieu. Quant au reste, je ne m'inquiète pas, Robin : tu n'auras aucun souvenir de cette rencontre... »

Je reprends soudain conscience. Je suis couchée dans un lit inconnu dont les draps embaument le citron. Je cligne des yeux en me redressant lentement sur le matelas. Malgré mes précautions, une douleur fulgurante poignarde mes tempes et mon abdomen.

Tout devient noir.

À paraître

INVOCATION

LES MAUDITS
Tome 2

Remerciements

L'écriture de ce roman fut une époustouflante aventure. Elle n'aurait pas eu lieu si je n'avais pas reçu l'immense soutien de ma famille, de mes amis et de collègues. Je remercie donc...

Ma famille : Maman (tu as raison : chaque chose en son temps), Papa, Jas (mon premier rôle modèle), mon petit trognon de pomme, mon haricot favori, les cousines Mayele. Vous avez cru en moi, même lorsque je n'y croyais plus.

La *Dream Team* : Laura, la voix de la raison dans mon écriture. Yxcelle, source inépuisable d'inspiration. Sans votre pari lancé en 2008, je n'aurais pas songé à écrire ce roman. À qui dois-je encore de l'argent? Sans mentir?

Mes âmes sœurs : Maria-Josée, my *wormsister*, ma toute première lectrice. Véro, une autre *best des best*, patiente comme tout, qui ne cille même pas devant les questions les plus bizarres. Franchement, sans vous, j'aurais abandonné Robin depuis beeeeen longtemps.

Tous mes collègues INTENSES et PASSIONNÉS qui se demandent quand mon livre sortira. Un merci particulier à Marie-Ève et Jen, avec lesquelles j'ai eu de longues conversations existentielles et des *brainstorming* de fou qui m'ont permis d'éviter l'impasse.

My 222 girls : Mel P., Noreen, Vanessa Aviles, Daniela, Martini/Mangub, Sorel, Cynthia, Marion, Esther, Karine Elusmé, Marie-Noëlle, Val, la Team Rocket (Jo, Lys, Amé) et toutes les autres que j'ai martelées de questions pendant cinq ans... Pas une seule fois, vous ne m'avez demandé de la boucler.

Éditions de Mortagne : Merci à toute l'équipe de croire en moi. Merci de m'offrir l'incroyable occasion de concrétiser mon plus grand rêve. Merci pour la passion sincère que vous investissez dans votre travail. Je sais que je suis à la bonne place.

Finalement, mon dernier remerciement mais non le moindre, va aux plumettes argentées que je porte dans mon cœur depuis le 4 juin 2008. Plume d'Argent fut longtemps mon jardin secret : vos critiques et commentaires, votre enthousiasme et votre soutien, votre accueil et votre amour, m'ont empêchée de déposer ma plume dans mes moments les plus noirs. J'écrivais premièrement et principalement pour vous, et je ne me suis jamais autant amusée de toute ma vie. Merci infiniment.

Imprimé sur du papier 100 % recyclé